Montréal

Cofondateurs : Philippe GLOAGUEN et Michel DUVAL

Directeur de collection et auteur
Philippe GLOAGUEN

Rédacteurs en chef adjoints
Amanda KERAVEL
et Benoît LUCCHINI

Directrice de la coordination
Florence CHARMETANT

Directrice administrative
Bénédicte GLOAGUEN

Directeur du développement
Gavin's CLEMENTE-RUIZ

Direction éditoriale
Catherine JULHE

Rédaction
Isabelle AL SUBAIHI
Mathilde de BOISGROLLIER
Thierry BROUARD
Marie BURIN des ROZIERS
Véronique de CHARDON
Fiona DEBRABANDER
Anne-Caroline DUMAS
Géraldine LEMAUF-BEAUVOIS
Olivier PAGE
Alain PALLIER
Anne POINSOT
André PONCELET

Conseiller à la rédaction
Pierre JOSSE

Administration
Carole BORDES
Éléonore FRIESS

2017/18

hachette

TABLE DES MATIÈRES

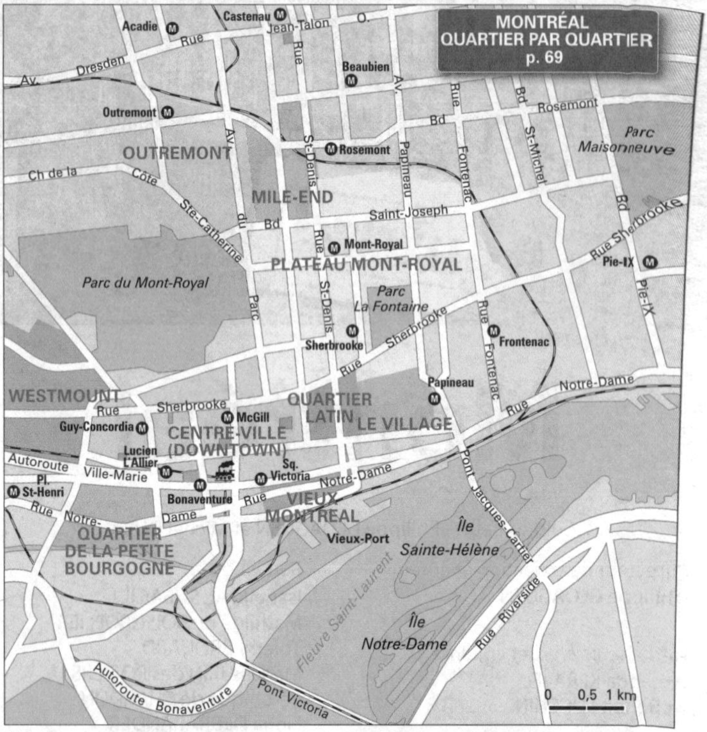

MONTRÉAL QUARTIER PAR QUARTIER p. 69

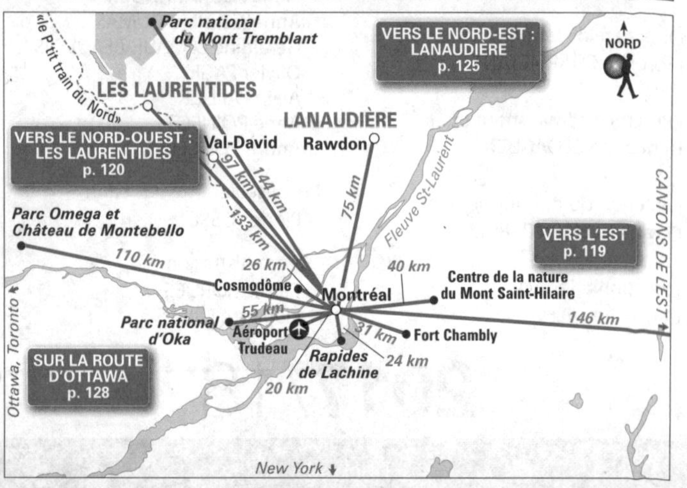

VERS LE NORD-EST : LANAUDIÈRE p. 125

VERS LE NORD-OUEST : LES LAURENTIDES p. 120

VERS L'EST p. 119

SUR LA ROUTE D'OTTAWA p. 128

PRÉAMBULE

- La rédaction du *Routard* 6
- Introduction 11
- Nos coups de cœur 12
- Lu sur routard.com 27
- Itinéraires conseillés 28
- Les questions qu'on se pose avant le départ 33

COMMENT Y ALLER ? 34

- Les lignes régulières 34
- Les organismes de voyages 34

MONTRÉAL UTILE 42

- ABC de Montréal 42
- Avant le départ 42
- Argent, banques, change 44
- Achats 46
- Budget 47
- Climat 48
- Dangers et enquiquinements 50
- Électricité 51
- Fêtes et jours fériés 51
- Hébergement 54
- Livres de route 56
- Poste 59
- Santé 59
- Sites internet 60
- Tabac 60
- Taxes et pourboires 60
- Télécommunications 62
- Transports 64
- Travailler à Montréal 67

MONTRÉAL 69

INFORMATIONS UTILES 69

OÙ DORMIR ? 74

OÙ MANGER ? 83

OÙ SE SUCRER LE BEC ? 93

OÙ DÉGUSTER UNE BONNE GLACE ? 93

OÙ BOIRE UN VERRE ? OÙ S'ÉCLATER EN MUSIQUE ? OÙ DANSER ? OU LES TROIS EN MÊME TEMPS... 94

ACHATS 100

À VOIR. À FAIRE 101

- Le Vieux-Montréal 102
- Le Quartier Latin et le Village 106
- Le Plateau Mont-Royal 107
- Le centre-ville (Downtown) 107
- La Petite Bourgogne et le canal de Lachine 112
- Dans le parc Jean-Drapeau 113
- L'Espace pour la vie et le Parc olympique 115
- Dans la périphérie de Montréal 117

LES ENVIRONS DE MONTRÉAL 119

VERS L'EST 119

VERS LE NORD-OUEST : LES LAURENTIDES 120

VERS LE NORD-EST : LANAUDIÈRE 125

SUR LA ROUTE D'OTTAWA 128

HOMMES, CULTURE, ENVIRONNEMENT 130

- Boissons 130
- Cinéma 131
- Cuisine 133
- Curieux, non ? 136
- Économie 136
- Environnement 138
- Géographie 138
- Histoire 140
- Langue 144
- Médias 147
- Personnages 148
- Population 150
- Religions et croyances 151
- Sports et loisirs 152
- Ville souterraine 152

Index général 171

Liste des cartes et plans 175

Important : dernière minute

Sauf rare exception, le *Routard* bénéficie d'une parution annuelle à date fixe. Entre deux dates, des événements fortuits (formalités, taux de change, catastrophes naturelles, conditions d'accès aux sites, fermetures inopinées, etc.) peuvent modifier vos projets de voyage. Pour éviter les déconvenues, nous vous recommandons de consulter la rubrique « Guide » par pays de notre site • *routard.com* • et plus particulièrement les dernières ***Actus voyageurs.***

Le marché Jean Talon

© Bibikow Walter/hemis.fr

Façade typique d'un immeuble de Montréal

LA RÉDACTION DU ROUTARD

(sans oublier nos 50 enquêteurs, aussi sur le terrain)

Thierry, Anne-Caroline, Éléonore, Olivier, Pierre, Benoît, Alain, Fiona, Gavin's, André, Véronique, Bénédicte, Jean-Sébastien, Mathilde, Amanda, Isabelle, Géraldine, Marie, Carole, Philippe, Florence, Anne.

La saga du *Routard* : en 1971, deux étudiants, Philippe et Michel, avaient une furieuse envie de découvrir le monde. De retour du Népal germe l'idée d'un guide différent qui regrouperait tuyaux malins et itinéraires sympas, destiné aux jeunes fauchés en quête de liberté. 1973. Après 19 refus d'éditeurs et la faillite de leur première maison d'édition, l'aventure commence vraiment avec Hachette. Aujourd'hui, le *Routard*, c'est plus d'une cinquantaine d'enquêteurs impliqués et sincères. Ils parcourent le monde toute l'année dans l'anonymat et s'acharnent à restituer leurs coups de cœur avec passion.

Merci à tous les Routards qui partagent nos convictions : liberté et indépendance d'esprit ; découverte et partage ; sincérité, tolérance et respect des autres.

NOS SPÉCIALISTES MONTRÉAL

Anne-Caroline Dumas : à 14 ans, premier *Routard* en poche, elle file à Londres sur les traces de David Bowie. Et rejoint la rédaction de son guide favori après une fac d'anglais et d'histoire de l'art. Arpenteuse des villes comme des grands espaces, fan d'architecture et incorrigible gourmande, elle ne part jamais sur le terrain sans cette petite montée d'adrénaline qui fait aussi le piment du voyage.

Romain Meynier : il n'était pas si mal, dans son Sud, entre rivières et cigales. Pourtant, à 22 ans, après des études de journalisme, il s'est dit que l'herbe était plus verte ailleurs. Il est allé le vérifier, le long des pistes brûlantes en terre inconnue. L'herbe était jaune. Et c'est bien mieux comme ça, inattendu. Tout à découvrir, et autant à raconter.

Éric Milet : né à Saint-Nazaire, il a passé son enfance à regarder s'éloigner les bateaux. Premier voyage à 15 ans. Seul. Depuis, il n'a pas cessé. Voyager, c'est comme une petite vie dans la vie : on naît, on vit, on meurt… et on renaît (ouf !). Juste l'envie de voir, de toucher, de sentir. Envie de raconter, aussi, qu'on arrive du bout du monde ou du fond de son jardin.

UN GRAND MERCI À NOS AMI(E)S SUR PLACE ET EN FRANCE

Pour cette nouvelle édition, nous remercions particulièrement :
- **Maya Milet** pour ses bons plans « Où boire un verre ? » ;
- **Geneviève Archambault,** de Tourisme Montréal ;
- **Fabienne Hervé,** de Tourisme Laurentides ;
- **Jacinthe Doucet,** pour Lanaudière ;
- **Isabelle Trotzier et Stéphanie Bleu,** de Destination Québec ;
- et **Bernard Personnaz,** le Français qui rêve en québecois.

Pictogrammes du Routard

Établissements
- Hôtel, auberge, chambre d'hôtes
- Camping
- Restaurant
- Spécial burger
- Brunch
- Boulangerie, sandwicherie
- Glacier
- Café, salon de thé
- Café, bar
- Bar musical
- Club, boîte de nuit
- Salle de spectacle
- Office de tourisme
- Poste
- Boutique, magasin, marché
- Accès Internet
- Hôpital, urgences

Sites
- Plage
- Site de plongée
- Piste cyclable, parcours à vélo

Transports
- Aéroport
- Gare ferroviaire
- Gare routière, arrêt de bus
- Station de métro
- Station de tramway
- Parking
- Taxi
- Taxi collectif
- Bateau
- Bateau fluvial

Attraits et équipements
- Présente un intérêt touristique
- Recommandé pour les enfants
- Adapté aux personnes handicapées
- Ordinateur à disposition
- Connexion wifi
- Inscrit au Patrimoine mondial de l'Unesco

Tout au long de ce guide, découvrez toutes les photos de la destination sur • *routard.com* • Attention au coût de connexion à l'étranger, assurez-vous d'être en wifi !

Le *Routard* est imprimé sur un papier issu de forêts gérées.

I.S.B.N. 978-2-01-279950-9

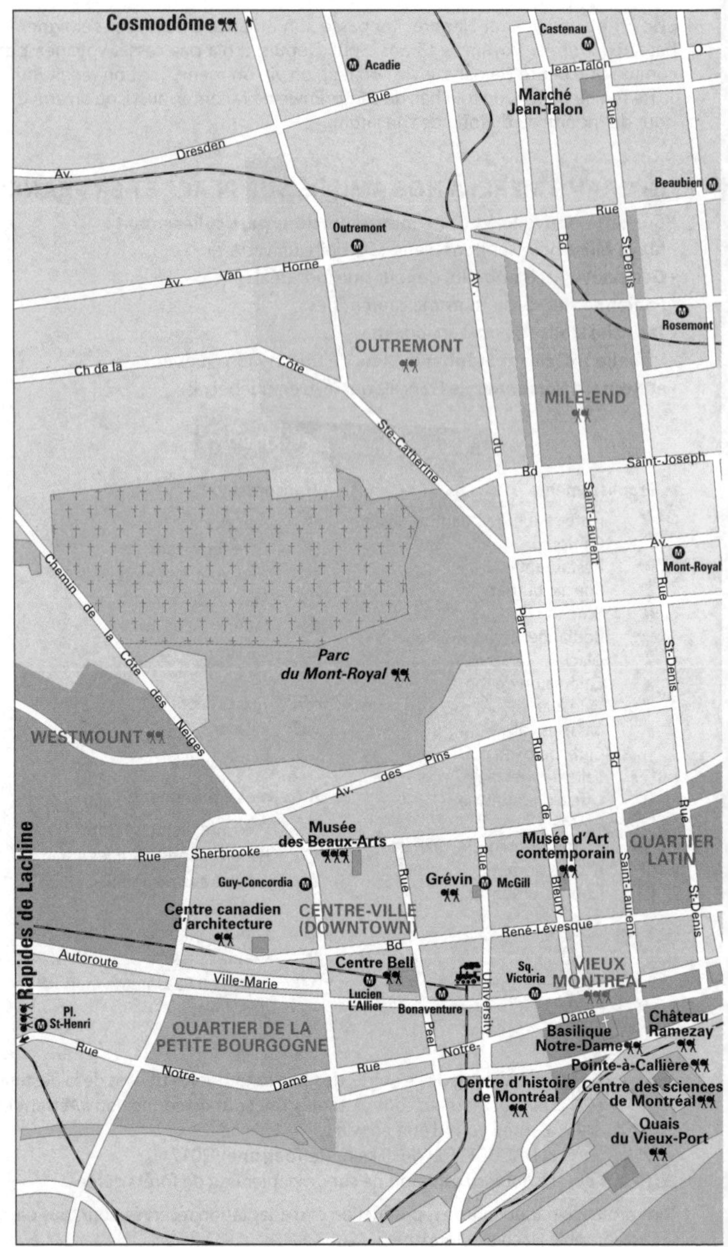

Cosmodôme
Castenau
Acadie
Jean-Talon
Rue
Marché Jean-Talon
Av. Dresden
Beaubien
Outremont
Av. Van Horne
Rosemont
OUTREMONT
Ch de la Côte Ste-Catherine
MILE-END
Saint-Joseph
Bd
Av. du Parc
Bd Saint-Laurent
Rue St-Denis
Av. Mont-Royal
Chemin de la Côte des Neiges
Parc du Mont-Royal
WESTMOUNT
Av. des Pins
Rue de Bleury
Rue Sherbrooke
Musée des Beaux-Arts
Musée d'Art contemporain
QUARTIER LATIN
Rapides de Lachine
Guy-Concordia
Grévin
McGill
Rue University
Centre canadien d'architecture
CENTRE-VILLE (DOWNTOWN)
René-Lévesque
Autoroute Ville-Marie
Centre Bell
Sq. Victoria
VIEUX MONTREAL
Lucien L'Allier
Bonaventure
Pl. St-Henri
QUARTIER DE LA PETITE BOURGOGNE
Peel
Rue Notre-Dame
Basilique Notre-Dame
Château Ramezay
Pointe-à-Callière
Centre d'histoire de Montréal
Centre des sciences de Montréal
Quais du Vieux-Port

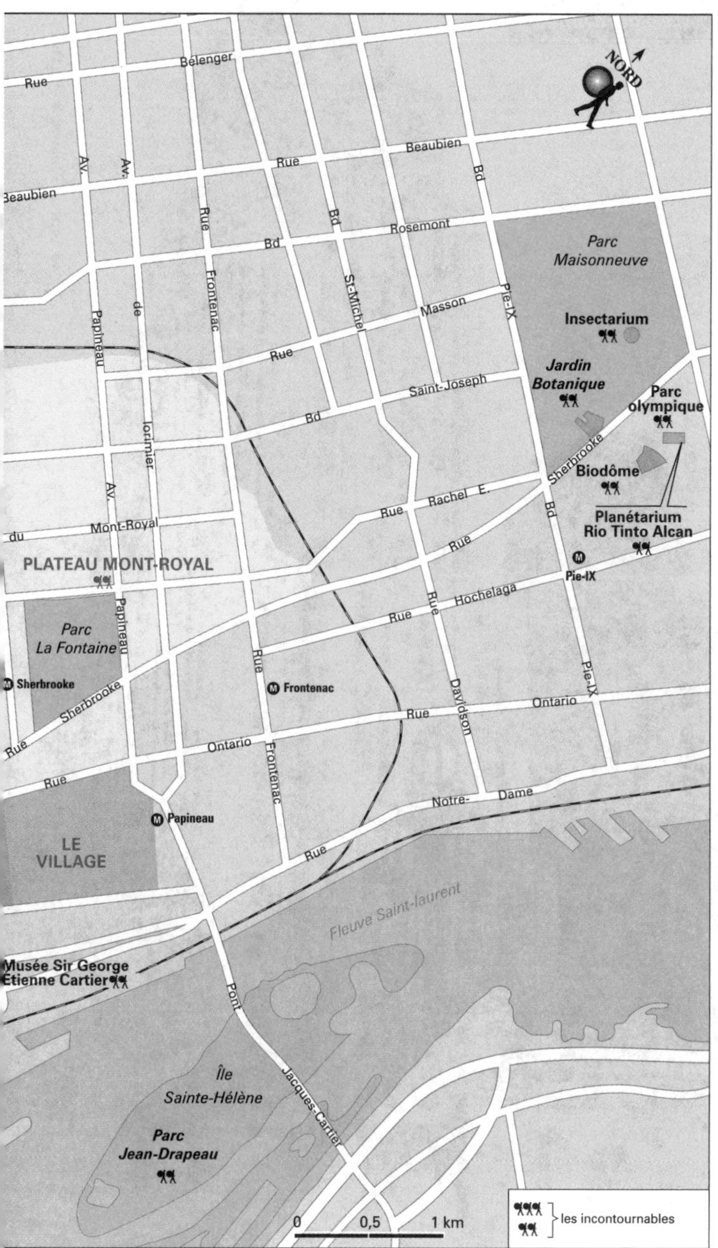

NORD
Rue Bélenger
Rue Beaubien
Beaubien
Av. Av.
Rue
Bd Rosemont
Bd
Bd St-Michel
Parc Maisonneuve
Rue Frontenac
Pie-IX
Masson
Av. Papineau
de lorimier
Insectarium
Rue
Saint-Joseph
Jardin Botanique
Parc olympique
Bd
Sherbrooke
Biodôme
Av.
Rue Rachel E.
Bd
Planétarium Rio Tinto Alcan
du Mont-Royal
Rue
PLATEAU MONT-ROYAL
Pie-IX
Rue Hochelaga
Rue
Parc La Fontaine
Papineau
Rue
Sherbrooke
Frontenac
Pie-IX
Rue Sherbrooke
Ontario
Rue
Davidson
Ontario
Rue
Frontenac
Notre-Dame
Papineau
LE VILLAGE
Rue
Fleuve Saint-laurent
Musée Sir George Étienne Cartier
Pont Jacques-Cartier
Île Sainte-Hélène
Parc Jean-Drapeau
0 0,5 1 km
les incontournables

MONTRÉAL

La place d'Armes

« Mon cœur est à Port-au-Prince, mon corps à Miami et mon âme à Montréal. »

Dany Laferrière

Ça commence comme une grande ville américaine classique, avec son réseau d'autoroutes qui enlace les gratte-ciel et plonge au cœur de larges avenues découpées à angle droit.

Mais en y regardant de plus près, Montréal s'apparente plutôt à une espèce de patchwork (désolés pour l'anglicisme !) de quartiers à l'atmosphère bien différente. Pas besoin d'arpenter des kilomètres de bitume pour passer d'un monde à l'autre : pour goûter successivement à la douce excitation d'un *Downtown* livré aux employés de bureau le jour et presque déserté la nuit, à l'***atmosphère décontractée des rues du Plateau et du Mile-End,*** avec leurs bars et leurs restos tendance, se laisser séduire par le minuscule quartier chinois ou être franchement emballé par ***l'humeur festive du Quartier latin*** ou carrément déjantée du ***Village*** gay. Sans compter les ***parcs*** farcis d'écureuils, les pelouses tondues ras du quartier résidentiel d'Outremont ou les ***maisons victoriennes de Westmount.*** Bref, une ville comme un ***kaléidoscope,*** enrichie par un étonnant mariage de communautés. Loin d'être une métropole stressante, Montréal cultive une ***douceur de vivre*** à la limite de l'indolence : des habitants affables, des cafés où l'on prend son temps, des petits commerces. Côté vie nocturne, ça bouge presque tous les soirs de la semaine ! Une ***énergie*** intense qui sert un programme culturel varié, et teinte les rapports humains de simplicité et de chaleur, rendant les soirées montréalaises uniques. Bref, ***Montréal, c'est l'Amérique dans toute sa diversité.*** Un Nouveau Monde en quelque sorte...

Le Vieux-Port

NOS COUPS DE CŒUR

1 Parcourir les rues du Vieux-Montréal à la recherche des vestiges du passé.

Le quartier où tout a commencé, joliment rénové ces dernières années et en partie rendu aux piétons l'été. Pas véritablement d'unité, mais de vénérables maisons anciennes dispersées parmi les entrepôts réhabilités, les premiers gratte-ciel et les bâtiments pompeux du XIXe s. Et d'intéressants musées, comme le château Ramezay, le Centre d'histoire, le musée archéologique Pointe-à-Caillère. *p. 102*
Bon à savoir : pour un aperçu rapide du quartier, prendre le bus nº 715. Pour aller plus loin, l'application gratuite « Montréal en Histoires » détaille 50 points d'intérêt au fil des rues.

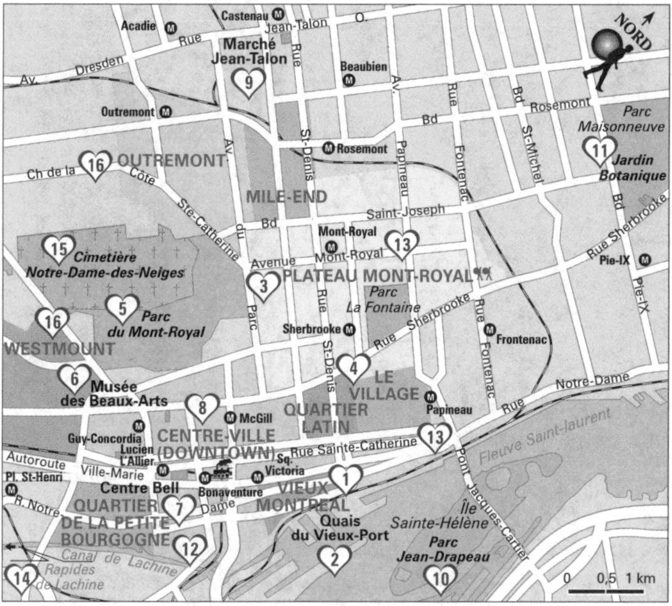

(2) **Écumer** les quais du Vieux-Port **et se balader le long du** Saint-Laurent. Récemment réhabilités, les quais attirent joggeurs comme promeneurs, venus flâner sur les larges allées très animées l'été, bordées d'un côté par la vieille ville, de l'autre par la silhouette fantomatique du gigantesque silo n° 5. Et hop, on emprunte la passerelle pour rejoindre l'île Bonsecours, sa plage de sable l'été, sa patinoire l'hiver et, juste à vos pieds, le Saint-Laurent, large et majestueux. *p. 105*

③ **Le dimanche matin, bruncher dans le quartier bobo du Plateau.**
Longtemps populaires, les rues du Plateau se sont transformées au fil des ans en creuset du Montréal qui bouge, sans y perdre leur caractère convivial et cool. Des maisons de brique flanquées d'escaliers métalliques, des fleurs, d'immenses graffitis couvrant les murs forment le décor d'un quartier à la fois paisible et bouillonnant, alternant zones résidentielles, boutiques de créateurs et bars restos tendance. *p. 87*

4 Se laisser happer par la trépidante vie nocturne, dans les boîtes du Village, les bars étudiants du Quartier latin ou les cafés-concerts du Plateau Mont-Royal et du Mile-End.

Ville étudiante, relax, branchée, multiculturelle, Montréal viendra à bout des noceurs les plus résistants. Ça bouge tous les soirs ou presque dans la rue Saint-Denis, alignant bar sur bar débordant d'une foule d'étudiants. À quelques blocs de là, ambiance plus déjantée et tout aussi festive dans les rues du Village, le quartier gay de la ville. Sur le Plateau et le Mile-End, styles et âges se mélangent, d'adresses hype en lieux alternatifs. Sans oublier les nombreuses caves à jazz. *p. 95, 96, 97*

Parcourir les allées du parc du Mont-Royal et profiter de la plus belle vue qui soit sur l'agglomération.

Juste au-dessus du centre-ville, la colline du Mont-Royal, culminant à 233 m, se couvre d'un vaste parc de 200 ha, encore sauvage par endroits, avec ses étroits sentiers se faufilant dans la forêt. Depuis le belvédère, superbe panorama sur la ville venant buter contre le Saint-Laurent. L'été, les familles pique-niquent sur les immenses pelouses. L'hiver, on fait du patin sur le lac des Castors. *p. 111*

Bon à savoir : le sentier de l'escarpement, qui suit le flanc du parc, dévoile de superbes points de vue sur la ville, d'un angle toujours différent.

6 Visiter le musée des Beaux-Arts et ses merveilleuses collections, servies par une séduisante muséographie digne du Metropolitan et du MoMA à New York (si, si !).

Pas moins de quatre pavillons, pour un incroyable panorama de l'art canadien bien sûr, mais aussi mondial : les grands courants européens du Moyen Âge à l'art moderne, l'Égypte ancienne, des masques et fétiches africains, des bronzes asiatiques, des reliques précolombiennes et d'étonnantes créations contemporaines. Et encore, une section Art déco et design. Un musée d'une richesse époustouflante ! *p. 108*

***Bon à savoir :** gratuit pour tous le dernier dimanche du mois.*

7 Assister à un match de hockey des Canadiens de Montréal... Le spectacle est aussi en tribune !

Stade de 21 273 places, le Centre Bell, territoire des mythiques *Canadiens* de Montréal, est le plus grand de la Ligue nationale de hockey. La saison régulière s'étend d'octobre à avril. Mais si l'équipe carbure bien, elle peut se prolonger jusqu'en juin, avec les *play-off* (phases finales). Pour être sûr de trouver de la place, mieux vaut réserver le plus tôt possible ! *p. 110*

Bon à savoir : on peut assister pour moins cher aux rencontres universitaires à l'université McGill. Des matchs de haut niveau, puisque chaque année des étudiants passent pros.

8 **S'enfoncer dans la « ville souterraine », le plus grand réseau commercial souterrain du monde.**

C'est peu dire que l'hiver est rude à Montréal, alors la ville s'est dotée, en sous-sol, d'une gigantesque toile d'araignée de 12 km², avec plus de 30 km de galeries reliant près de 1 500 commerces, restos et bars, mais aussi des cinémas, théâtres et même des universités ! On peut errer des journées entières sans voir le jour, et faire son « magasinage » sans craindre le froid mordant ! Pas moins de 500 000 personnes y circulent chaque jour. *p. 112*

9 Flâner sur le marché Jean-Talon, le plus coloré de la ville, pour remplir son sac à dos de bons produits typiquement québécois.

Excentré dans le quartier italien, le marché Jean-Talon est le plus cosmopolite de Montréal, plein de petits stands avec des tables pour grignoter sur place. Au menu, des spécialités québécoises, bien sûr, mais aussi sud-américaines, du Moyen-Orient, françaises… À moins de préférer gober quelques huîtres, dans une ambiance joyeuse et populaire. *p. 101*

The Biosphere, Richard Buckminster Fuller © Alamy/hemis.fr

10 **Profiter des multiples activités de l'immense** **parc Jean-Drapeau.**
En plein milieu du Saint-Laurent, deux îles forment un espace vert d'environ 2,6 km^2 dédié au divertissement et au sport. Piscine, plage, location de canots, circuit automobile rendu aux rollers, aux vélos, aux coureurs en dehors des grands prix de F1. Et des *piknik electronik* les dimanches d'été, un parc d'attractions, un casino, deux musées… Pas le temps de s'ennuyer, mais n'oubliez pas de prendre celui de contempler, par-delà le fleuve, l'immense Montréal. *p. 113*
Bon à savoir : l'été, on peut rejoindre le parc en bateau depuis le Vieux-Port.

11 **En famille, se balader dans les allées du Jardin botanique.**

Décidément, Montréal la mégalopole sait aussi se mettre au vert. 22 000 espèces, une trentaine de jardins thématiques (japonais, alpin, des premières Nations, etc.) et 10 serres répartis sur 73 ha font de ce jardin botanique le deuxième au monde après celui de Londres. Dans l'Insectarium, une collection de papillons particulièrement impressionnante, et une foule d'insectes, à observer pour certains à la loupe. *p. 116*

12 **Faire une agréable balade à vélo le long du paisible canal de Lachine.** Une superbe piste cyclable goudronnée court du canal de l'Aqueduc jusqu'au Vieux-Port. Une autre piste longe le fleuve, la « piste des Berges ». De quoi s'offrir une balade aussi bucolique qu'historique le long d'une voie de communication dont les abords ont été joliment réaménagés, et qui fut essentielle au commerce du XIXe s au début du XXe s. Également un centre nautique, avec location de bateaux sans permis, kayaks, etc. *p. 112, 113*

13 Faire du lèche-vitrine le long de la rue Sainte-Catherine ou de l'avenue du Mont-Royal.

La rue Sainte-Catherine, ce sont les « Grands Boulevards » du coin revus par les urbanistes américains. Mélange de populaire et de démesuré. Grands magasins, boutiques de mode, cinoches, trottoirs chauffés… La parcourir à pied, pour mieux juger de la mutation de Montréal. Sur l'avenue du Mont-Royal, on quitte la démesure pour mieux fouiner dans les boutiques de créateurs, chez les disquaires et les bouquinistes. *p. 100*

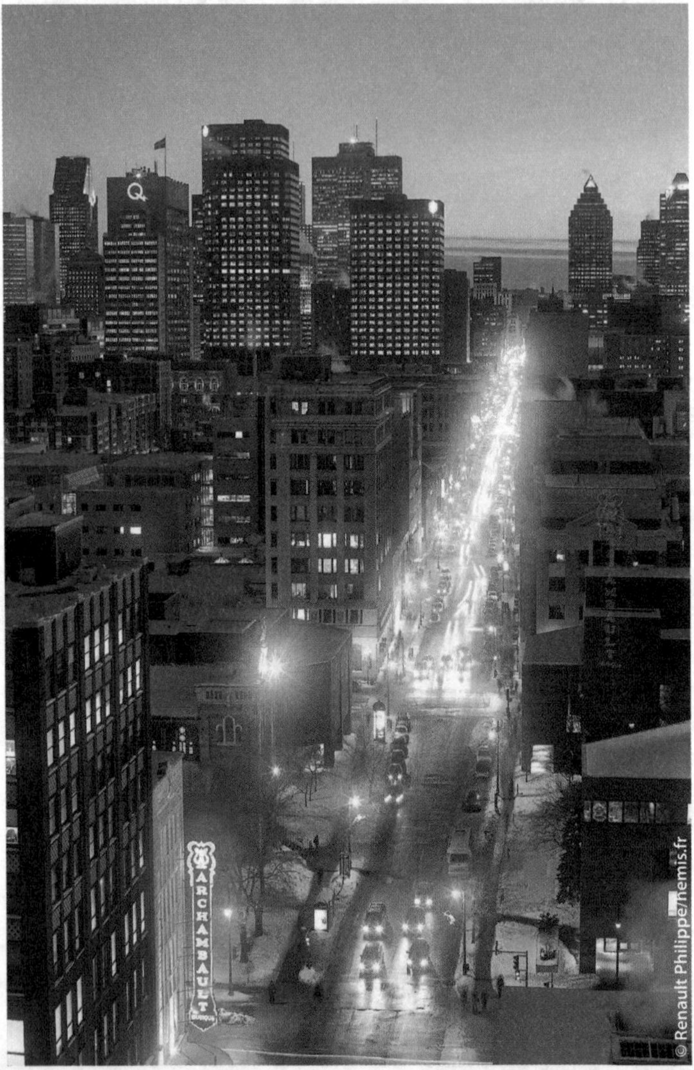

© Renault Philippe/hemis.fr

© Lissandra Melo/shutterstock

14 Descendre les rapides de Lachine en rafting ou en *jet-boating* et revenir trempé mais heureux.

Une excursion riche en sensations tout en restant familiale. Pour poursuivre l'aventure, les plus hardis pourront tenter de surfer les vagues de rivière (les « mascarets ») formées au creux des rapides. *p. 117*

Bon à savoir : mieux vaut faire la descente l'après-midi, l'eau est plus chaude.

© Renault Philippe/hemis.fr

15 Arpenter deux lieux bucoliques surprenants : les immenses cimetières de Notre-Dame-des-Neiges et Mont-Royal.

Le premier était réservé aux catholiques, le second aux protestants. Depuis 1975, cette distinction n'existe plus, mais les styles respectifs restent perceptibles. Petite anecdote, après celui d'Halifax, le cimetière Mont-Royal est celui où repose le plus grand nombre de victimes du *Titanic* (une douzaine). Surtout, ces immenses espaces verts sont devenus d'étonnantes pépinières d'espèces végétales et un refuge pour les oiseaux migrateurs. *p. 112*

16 **Musarder dans les quartiers chic de Westmount et Outremont.** Quartier résidentiel verdoyant, très chic voire tape-à-l'œil, Westmount l'anglophone aligne les maisons victoriennes entourées de pelouses tondues avec précision, mais aussi les villas modernes aux touches Art déco, néogothiques… À Outremont, on change de langue mais pas de classe sociale. Maisons plus sobres, mais d'une belle élégance quand même. Dans le parc Saint-Viateur, on danse le tango le dimanche… *p. 112*

Lu sur routard.com

Montréal, du monde entier
(tiré du carnet de voyage de Jean-Philippe Damiani)

Montréal s'affirme de plus en plus comme une ville cosmopolite. Située à la croisée des chemins entre Amérique du Nord et Europe, elle est en réalité beaucoup plus qu'un simple mélange entre l'Ancien et le Nouveau Mondes. Avec plus d'une centaine de nationalités, Montréal est un stupéfiant patchwork humain, dessinant une mosaïque de couleurs, de saveurs et de langues. Diversité culturelle et effervescence créative vont de pair. La métropole québécoise est devenue un carrefour culturel hors norme, riche de l'apport de toutes ses communautés.

C'est le long du boulevard Saint-Laurent, et surtout dans le quartier avant-gardiste du Mile-End, que le dynamisme du Montréal multiculturel se fait le plus sentir. Cuisines du monde, ateliers d'artistes, boutiques et cafés alternatifs... Bienvenue dans une ville-monde, où le voyage se trouve au coin de la rue !

L'Amérique en français ? Sans doute, mais plus encore. Avec près de 120 nationalités différentes sur son territoire, Montréal s'affirme désormais comme l'une des grandes villes multiculturelles d'Amérique du Nord. La métropole québécoise, dont le tiers de la population est né à l'étranger, est une mosaïque de traditions, de cultures et de langues.

Montréal a beau se trouver dans une province officiellement francophone, elle est la seule métropole canadienne où les deux langues officielles du pays sont effectivement parlées dans la vie quotidienne. Le français et l'anglais, donc, mais pas seulement. « Il est courant que les Montréalais issus de l'immigration parlent les deux langues officielles, mais aussi celle de leurs parents », nous fait remarquer Ruby, dont le père est originaire d'Inde. « Ici, à la différence du melting-pot des États-Unis, chaque communauté conserve son identité d'origine, tout en se sentant profondément montréalaise », poursuit-elle.

De fait, l'italien, le portugais, le grec – désormais dépassés par l'espagnol et l'arabe – sont des langues couramment utilisées à Montréal. Certes, l'Office québécois de la langue française veille au respect des règles d'affichage. Mais cette ville-monde laisse aussi à chacun la liberté d'être ce qu'il est.

Pas vraiment de ghetto à l'américaine, ni même de « quartiers ethniques » comme à Toronto. Les descendants des premiers arrivants se sont dispersés à travers la ville, faisant de chaque rue un mélange unique. Ainsi, vous ne trouverez pas que des Canadiens d'origine italienne, ni même uniquement des pizzerias, dans la Petite Italie. Et c'est tant mieux…

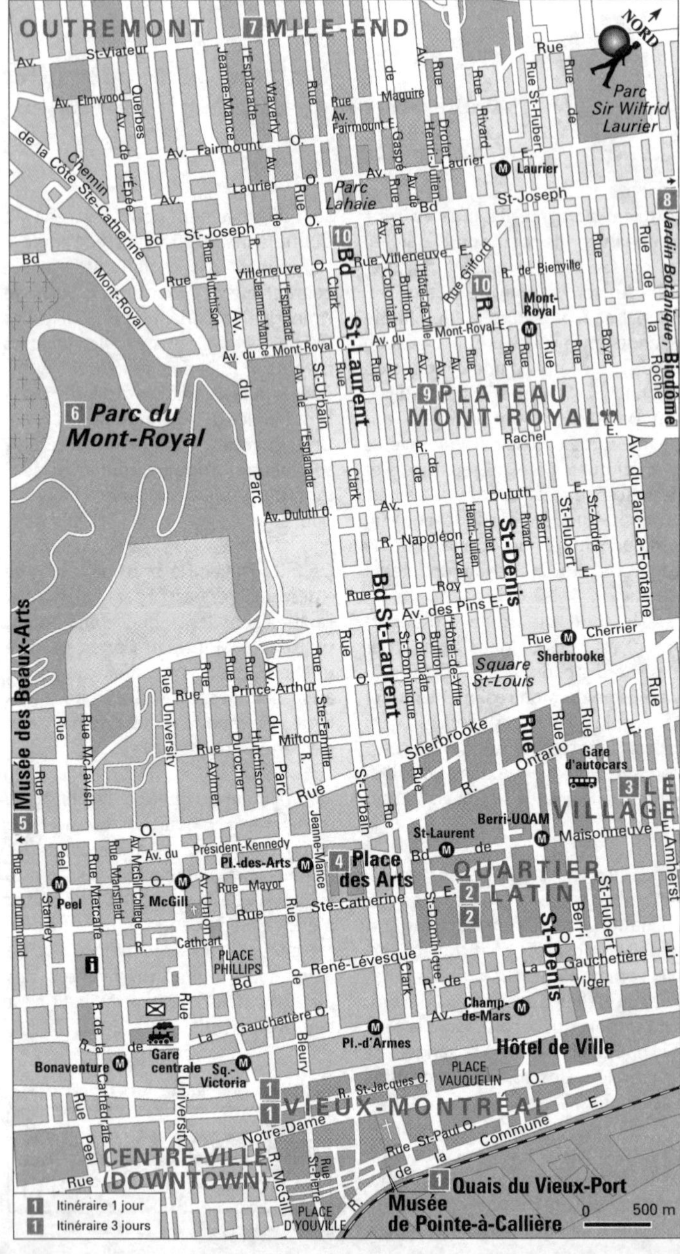
OUTREMONT
7 MILE-END
9 PLATEAU MONT-ROYAL
3 LE VILLAGE
QUARTIER LATIN
VIEUX-MONTRÉAL
CENTRE-VILLE (DOWNTOWN)
NORD
Parc Sir Wilfrid Laurier
6 Parc du Mont-Royal
Parc Lahaie
8 Jardin Botanique, Biodôme
5 Musée des Beaux-Arts
4 Place des Arts
Square St-Louis
Hôtel de Ville
1 Quais du Vieux-Port
Musée de Pointe-à-Callière
PLACE PHILLIPS
PLACE VAUQUELIN
PLACE D'YOUVILLE
Gare d'autocars
Gare centrale
Laurier
Mont-Royal
Sherbrooke
Berri-UQAM
St-Laurent
Pl.-des-Arts
McGill
Peel
Bonaventure
Sq.-Victoria
Pl.-d'Armes
Champ-de-Mars
Bd St-Laurent
St-Denis
0 500 m
Itinéraire 1 jour
Itinéraire 3 jours

ITINÉRAIRES CONSEILLÉS

En 1 jour

Si vous ne faites que passer en coup de vent, concentrez-vous d'abord sur le quartier du ***Vieux-Montréal (1)*** : le ***musée de Pointe-à-Callière*** et le ***Centre d'histoire*** vous donneront les clés pour comprendre la fondation de la ville. Puis flânez dans les rues anciennes du quartier, toujours très animées, où vous trouverez quelques bonnes tables pour déjeuner (« dîner » en version locale), avant une petite balade digestive le long des ***quais du Vieux-Port.*** Un saut de puce en métro vous mènera ensuite jusqu'à la station Berri-UQAM, au cœur du ***Quartier latin (2),*** pour humer l'air populaire et dynamique du Montréal d'aujourd'hui. Vous pourrez finir cette journée chargée en écumant les bars du quartier ou en faisant route vers le ***Plateau Mont-Royal (9),*** pour fréquenter restos et cafés-concerts à la mode.

© Renault Philippe/hemis.fr

En 3 jours

Une durée suffisante pour avoir un bon aperçu de la ville.

Jour 1 : promenade le long des ruelles pavées du ***Vieux-Montréal (1)*** et sur le port, sans oublier la visite du ***musée de Pointe-à-Callière (1) et/ou du Centre d'histoire.*** Finir la journée dans la bonne humeur en se mêlant à la faune joyeuse et bigarrée du ***Quartier latin (2)*** et du ***Village (3).***

Jour 2 : remonter la fameuse rue Sainte-Catherine via la place des Arts. Si vous êtes amateur, prenez un moment pour visiter le ***musée d'Art contemporain (4).*** Continuer vers l'ouest sur « la Catherine », en direction du ***Downtown,*** afin de lécher quelques vitrines et d'admirer le Montréal des gratte-ciel. Pousser jusqu'au ***musée des Beaux-Arts (5),*** et mettre ensuite le cap sur le ***parc du Mont-Royal (6)*** pour un moment relaxant. Le soleil ne devrait pas tarder à se coucher, et le sommet du mont Royal est l'endroit idéal au crépuscule. Finir donc la soirée dans un bar ou un café-concert du ***Mile-End (7)*** : vous avez bien mérité le réconfort d'une pinte de bière artisanale !

Jour 3 : de bon matin, parcourir les allées du ***Jardin botanique (8),*** l'un des plus grands au monde. Halte plaisante et instructive au ***Biodôme (8)*** voisin, afin de découvrir les écosystèmes d'Amérique. Puis retour en milieu urbain, pour une flânerie dans les rues typiques du ***Plateau Mont-Royal (9),*** avec leurs maisons en brique et leurs escaliers métalliques en colimaçon. Ensuite, descendre au choix ***la rue Saint-Denis (10)*** ou ***le boulevard Saint-Laurent (10)*** pour humer l'air du temps, et profiter encore un peu de la vie nocturne montréalaise.

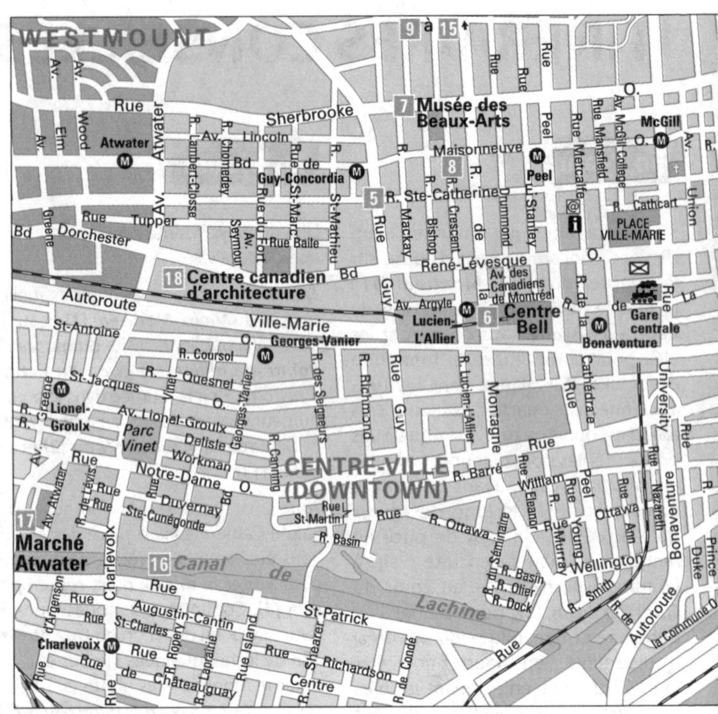

En 1 semaine

Après une semaine ici, vous connaîtrez Montréal comme votre poche !

Jour 1 : commencer par les origines de la ville : *le Vieux-Montréal*. Visiter les musées historiques *(Pointe-à-Callière (1), Centre d'histoire, Château Ramezay)* et partir le nez en l'air à la découverte de traces architecturales du passé. Pour respirer entre deux bouffées de culture, profiter des animations de la *place Jacques-Cartier (2)* et arpenter les *quais du Vieux-Port (3)*.

Jour 2 : bruncher dans le *Quartier latin (4)* ou le *Village (4)*, puis remonter la très longue rue *Sainte-Catherine (5)* en direction du *Downtown*, ses magasins et vastes centres commerciaux au pied des gratte-ciel et sa ville souterraine, la plus grande du monde. Les fans de hockey feront un pèlerinage au *Centre Bell (6)*, les autres iront visiter le *musée des Beaux-Arts (7)*. Fin de journée dans un pub de la *rue Crescent (8)*.

Jour 3 : direction le *Plateau Mont-Royal (9)* pour découvrir ce quartier chaleureux et dynamique. Un peu de lèche-vitrines, quelques bonnes pâtisseries ou un bagel plus tard, grimper jusqu'en haut du *mont Royal (10)* pour embrasser la ville d'un regard au coucher du soleil.

Jour 4 : flâner au *marché Jean-Talon (11)*. Descendre ensuite (en métro) jusqu'au quartier branché et décontracté du *Mile-End (12)*, et alterner *magasinage* (shopping, en français !) et pauses dans les bars cosmopolites du quartier.

Jour 5 : parcourir le *Jardin botanique (13)* et son *Insectarium (13)*, et compléter le trip « écolo » par le *Biodôme (14)*. Prendre l'ascenseur pour le sommet de la *Tour de Montréal* et s'offrir une virée au cœur du *site olympique des Jeux (15)* de 1976. Retour vers le *Quartier latin (4)*, pour se

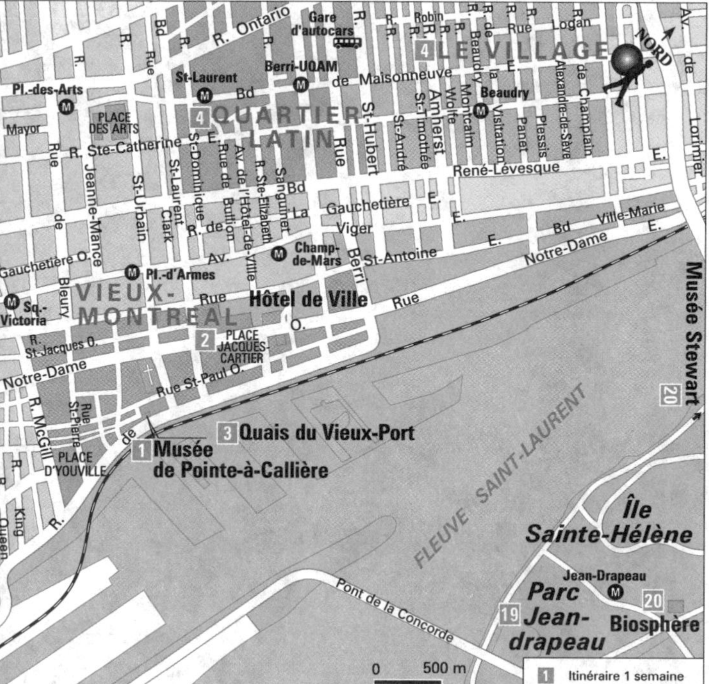

mêler à la foule estudiantine dans les bars et cafés-concerts de ce quartier animé.

Jour 6 : louer un vélo et se balader au bord du *canal de Lachine (16).* Pause au *marché Atwater (17)* pour déguster les spécialités locales. Détour par le *Centre canadien d'architecture (18)* avant de revenir vers le centre.

Jour 7 : détente et verdure dans le vaste *parc Jean-Drapeau (19),* qui occupe deux îles au milieu du *Saint-Laurent.* Arrêt possible au *musée Stewart* et à la *Biosphère (20)* et pique-nique devant le superbe panorama sur Montréal et le fleuve.

SI VOUS AIMEZ...

La culture : le musée d'Archéologie et d'Histoire de Pointe-à-Callière, le musée des Beaux-Arts, le Château Ramezay et le musée d'Art contemporain. En été, nombreux festivals de théâtre, musique, humour et animations de rue dans le Vieux-Montréal, le Quartier latin ou la place des Arts.

La nature : les vastes parcs de la ville, dont le parc du Mont-Royal et le parc Jean-Drapeau, le Biodôme, le Jardin botanique et l'Insectarium, le canal de Lachine et les rives du Saint-Laurent.

Les découvertes culinaires : les restos asiatiques du mini *Chinatown*, les néobistrots et les adresses vegan du Plateau et du *Mile-End*, les cuisines des quatre coins du monde aux quatre coins de la ville, les spécialités traditionnelles et les stands du marché Atwater…

Chien de prairie aux aguets

LES QUESTIONS QU'ON SE POSE AVANT LE DÉPART

➢ Quels sont les documents nécessaires ?

Passeport individuel valide (enfants compris), et, depuis fin 2016, une ***autorisation de voyage électronique (AVE)*** à souscrire en ligne avant le départ (7 $Ca), sur le modèle de l'ESTA américain.

➢ Quelle est la meilleure saison ?

À chaque saison ses plaisirs. L'***été*** est la période des festivals (réserver bien à l'avance son hébergement), mais il peut faire très chaud. L'***automne,*** le fameux été indien, est la saison la plus douce et les arbres affichent leurs plus belles couleurs. En ***hiver,*** on peut skier au mont Tremblant, à 2h de Montréal.

➢ Quel budget prévoir ?

Assez important, car le coût de la vie est globalement ***plus élevé que chez nous.*** En AJ, compter 20-30 $ pour un lit en dortoir et 40-80 $ pour une double. En hôtel, prévoir 100-200 $ la nuit. Les restos ne sont pas donnés mais on peut s'en tirer à meilleur compte en mangeant sur le pouce. Aux prix affichés, ***ajouter les taxes*** (15 % à Montréal et encore 3,5 % par nuitée dans les hôtels) et ***le pourboire*** dans les restos (15 % minimum).

➢ Comment se déplacer ?

À pied, en ***transports en commun*** (métro et bus) et ***à vélo*** (pistes cyclables bien aménagées). Voiture pour les environs.

➢ Y a-t-il des problèmes de sécurité ?

Non, le Canada en général et Montréal en particulier sont des ***destinations très sûres.***

➢ Quel est le décalage horaire ?

6h de moins à Montréal. Quand il est 12h en France, il est 6h à Montréal.

➢ Quel est le temps de vol ?

Environ ***7h-7h30 en vol direct.***

➢ Côté santé, quelles précautions prendre ?

Souscrire une ***assurance voyage intégrale*** avant le départ (frais médicaux très élevés sur place), être à jour de ses ***vaccinations universelles.*** Et prévoir un bon ***répulsif antimoustiques*** pour les environs de Montréal.

➢ Peut-on y aller avec des enfants ?

Avec un accueil aussi chaleureux, ***c'est l'fun !*** Montréal est une ville à taille humaine, verdoyante et dotée de musées instructifs et ludiques. Ne manquez pas l'ancien Parc olympique des JO de 1976, où sont rassemblés Jardin botanique, Insectarium, planétarium...

➢ Quel est le taux de change ? Comment payer sur place ?

1 $ canadien = 0,70 € en 2016.
En espèces ou avec une carte de paiement. Celles-ci sont acceptées presque partout, même pour des petites sommes. Distributeurs automatiques de billets partout aussi.

➢ Quelle langue parle-t-on ?

Le ***français,*** tabernacle !

➢ Que rapporter de Montréal ?

Du ***sirop d'érable*** et autres bons produits locaux, des bières de microbrasseries, du ***vin ou du cidre de glace.*** Au rayon vêtements, tout ce qui est ***équipement d'hiver*** bien chaud et sportswear. Le ***matériel outdoor*** est aussi très intéressant.

COMMENT Y ALLER ?

LES LIGNES RÉGULIÈRES

▲ **AIR FRANCE**
Rens et résas au ☎ 36-54 (0,35 €/mn – tlj 6h30-22h), sur • airfrance.fr •, dans les agences Air France et dans ttes les agences de voyages. Fermées dim.
➢ La compagnie dessert ***Montréal*** en vol direct 1 ou 2 fois/j. au départ de Roissy-Charles-de-Gaulle.
Air France propose des tarifs attractifs toute l'année. Pour consulter les meilleurs tarifs du moment, allez directement sur la page « Nos meilleurs offres » sur • *airfrance.fr* •
Flying Blue, le programme de fidélité gratuit d'Air France-KLM permet de cumuler des miles et de profiter d'un large choix de primes. Cette carte de fidélité est valable sur l'ensemble des compagnies membres de *Skyteam*.

▲ **AIR CANADA**
Rens : ☎ 0825-880-881 (24h/24 ; 0,15 €/mn) ou ☎ 1-888-247-2262 (n° gratuit depuis le Canada et les États-Unis). • aircanada.com •
➢ Au départ de Roissy-Charles-de-Gaulle, Air Canada assure 1-2 vols directs/j. vers Montréal.

▲ **AIR TRANSAT**
Rens et résas : ☎ 01-76-54-28-96 (gratuit ; 24h/24). • airtransat.com •
➢ Vols directs à destination de Montréal toute l'année. D'avr-mai à oct, également des vols directs au départ de Bordeaux, Lyon, Marseille, Nantes, Nice et Toulouse.

▲ **CORSAIR**
Rens et résas : ☎ 39-17 (0,35 €/mn). • corsair.fr • Et dans ttes les agences de voyages.
➢ Compagnie aérienne régulière, Corsair dessert Montréal avec 1 vol direct quotidien de juin à sept.

LES ORGANISMES DE VOYAGES

En France

▲ **BACK ROADS**
– Paris : 14, pl. Denfert-Rochereau, 75014. ☎ 01-43-22-65-65. • backroads.fr • Ⓜ ou RER B : Denfert-Rochereau. Lun-ven 9h30-19h ; sam 10h-18h.
Depuis 1975, l'équipe de Back Roads sillonne chaque année les routes canadiennes. Ils ne vendent leurs produits qu'en direct et vous conseilleront sur les circuits les plus adaptés à vos centres d'intérêt. En été, ils proposent de nombreuses activités de plein air comme le canoë-kayak, le rafting, l'observation des baleines, l'équitation ou la randonnée pédestre, tandis qu'en hiver ce sont des programmes variés de motoneige, ski, pêche blanche, traîneaux à chien, randonnées à raquettes et enfin, au printemps, l'observation des bébés phoques.
De plus, Back Roads représente deux centraux de réservation américains lui permettant d'offrir des tarifs très compétitifs pour la réservation ; *Amerotel* (des hôtels sur tout le territoire, des *Hilton* aux *YMCA*) et *Car Discount* pour les locations de voitures.

▲ **CANADA EN LIBERTÉ**
• canada-en-liberte.com •
Canada en liberté est une agence locale de confiance dont les conseillers locaux, fins connaisseurs du terrain, vous accompagnent dans la préparation de votre voyage sur mesure. Vous avez ainsi accès à un service personnalisé tout en bénéficiant d'un prix accessible. Pour vous proposer un maximum de garanties, Canada en liberté a noué un partenariat avec Destinations en direct, possédant un agrément français. Cette alliance

AIRFRANCE
SKYTEAM
FRANCE IS IN THE AIR
BETC Société Air France SA au capital de 126 748 775 € - 420 495 178 - RCS Bobigny - 45, rue de Paris 95747 Roissy-CDG Cedex.
AU DÉPART DE PARIS
MONTRÉAL
JUSQU'À
3 VOLS
PAR JOUR
AIRFRANCE KLM
AIRFRANCE.FR
rance is in the air : La France est dans l'air.

permet notamment de régler votre voyage en ligne de façon sécurisée et de bénéficier des garanties de la loi française en matière de protection du consommateur.

▲ CERCLE DES VACANCES

Paris : 4, rue Gomboust (angle 31, avenue de l'Opéra), 75001. ☎ 01-40-15-15-05 • cercledesvacances.com • Ⓜ Pyramides ou Opéra. Lun-ven 9h-20h, sam 10h-18h30.

Le vrai voyage sur mesure, à destination des États-Unis (l'Est et New-York, le Sud et la Floride, l'Ouest et la Californie) et du Canada (voyages d'hiver et d'été, d'est en ouest).

Cercle des Vacances propose un large choix de voyages adaptés à chaque client : séjours *city break*, randonnées et séjours ski, voyages au volant d'une voiture de location, croisières, circuits en petits groupes, combinés, voyages de noces... Les experts Cercle des Vacances partagent leurs conseils et leurs petits secrets pour faire de chaque voyage une expérience inoubliable. Cercle des Vacances offre également un service liste de mariage gratuit. Les petits plus qui font la différence : une excursion à motoneige ou en traîneau à chiens, une balade à cheval au petit matin dans le désert de l'Ouest, un survol du Grand Canyon en hélicoptère, ou encore un parc d'attractions avec un grand huit spectaculaire en Floride.

▲ COMPAGNIES DU MONDE

Paris. : 45, rue de Courcelles (1er étage), 75008. ☎ 01-55-35-05-05. • compagniesdumonde.com • Ⓜ Saint-Philippe-du-Roule ou Courcelles. Lun-sam 9h (10h sam)-19h.

Créatrice de voyages sur mesure, l'équipe passionnée propose de nombreuses formules, séjours et circuits individuels entièrement personnalisés. Elle met au service des voyageurs son expertise sur ses destinations de prédilection : Amérique du Nord, Amérique latine, Asie et Océanie, et Afrique australe. Elle concocte des périples où l'échange et l'authenticité au fil des découvertes et des rencontres feront toute la différence. L'équipe est aussi spécialisée dans les séjours tournés vers l'art, les grands musées, les expositions et l'architecture et reste ainsi fidèle à son leitmotiv « Voyager est Art© ». Les marques Compagnie des États-Unis et du Canada, Compagnie de l'Amérique latine, Compagnie des Indes et de l'Extrême-Orient, Compagnie de l'Afrique australe et de l'océan Indien et Compagnies du Moyen-Orient font partie du groupe Compagnies du Monde.

▲ COMPTOIR DES VOYAGES

• comptoir.fr •

– Paris : 2-18, rue Saint-Victor, 75005. ☎ 01-53-10-30-15. Ⓜ Maubert-Mutualité. Lun-sam 9h30 (10h sam)-18h30.

– Lyon : 10, quai Tilsitt, 69002. ☎ 04-72-44-13-40. Ⓜ Bellecour. Lun-sam 9h30-18h30.

– Marseille : 12, rue Breteuil, 13001. ☎ 04-84-25-21-80. Ⓜ Estrangin. Lun-sam 9h30-18h30.

– Toulouse : 43, rue Peyrolières, 31000. ☎ 05-62-30-15-00. Ⓜ Esquirol. Lun-sam 9h30-18h30.

– Bordeaux : 26, cours du Chapeau-Rouge, 33800.

– Lille : 76, rue Nationale, 59160. Ouverture prévue en 2017.

Comptoir des Voyages s'impose comme une référence incontournable dans le voyage sur mesure, avec 80 destinations couvrant les cinq continents. Ses voyages s'adressent à tous ceux qui souhaitent vivre un pays de façon simple en s'y sentant accueilli. Les conseillers privilégient des hébergements typiques, des moyens de transport locaux et des expériences authentiques pour favoriser l'immersion dans la vie locale. Comptoir vous offre aussi la possibilité de rencontrer des francophones habitant dans le monde entier, des greeters, qui vous donneront, le temps d'un café, les clés de leur ville ou de leur pays. Comptoir des Voyages propose aussi une large gamme de services : échanges par visioconférence, devis web et carnet de voyage personnalisés, assistance téléphonique 24h/24 et 7j/7 pendant votre voyage.

NOUVEAUTÉ

NOS MEILLEURS HÉBERGEMENTS INSOLITES EN FRANCE (mars 2017)

Rien de tel pour retrouver son âme d'enfant que de dormir dans un arbre, ou au milieu d'un lac dans une cabane flottante, ou à six pieds sous terre dans une chambre troglodytique. Il y en a pour tous les goûts avec plus de 200 adresses dénichées en France, les « + » et les « - », mais aussi les activités incontournables à faire en famille ou entre amis à proximité de chaque adresse. Sans oublier la photo de chaque établissement. Le plus dur sera de choisir, entre l'île déserte, la réserve animalière, le phare, la roulotte, le combi VW, la bulle transparente au milieu de la forêt ou le vieux camping-car américain en alu, à deux pas de l'Arc de Triomphe !

▲ LES COMPTOIRS DU MONDE

– Paris : 19, avenue d'Italie, 75013. Lun-ven 9h-18h.
– Lyon (Saint-Priest) : Parc Technoland – 3, allée du Lazio, 69800. ☎ 09-80-08-02-00 • comptoirsdu monde.fr • Lun-ven 9h-18h.

Que vous souhaitiez voyager seul, en couple, en famille ou entre amis, les Comptoirs du monde sont à votre écoute pour vous offrir des voyages personnalisés de qualité et vous proposer des prestations qui répondent véritablement à vos attentes. Globe-trotters, passionnés d'histoire, amoureux de la nature, ayant une connaissance approfondie des pays, leur équipe de spécialistes peut satisfaire vos demandes les plus diverses tout en respectant votre budget.

▲ EQUINOXIALES

☎ 01-77-48-81-00. • equinoxiales.fr •

25 ans d'expérience et une passion inépuisable sont les clés de l'expertise d'Equinoxiales pour les voyages sur mesure au long cours à prix *low-cost*, assortis des meilleurs conseils. Un simple appel, un simple e-mail et les conseillers Equinoxiales sont à l'écoute pour créer avec les candidats au départ le périple qui leur convient au meilleur prix.

▲ PARTIRSEUL.COM

– Paris : 1, passage Saint-Michel, 75017. ☎ 01-71-56-99-14. • partir seul.com •

Partirseul.com est un concept de voyage original qui s'adresse à toute personne seule désirant voyager collectivement dans un cadre amical. Ces voyages, souvent thématiques, ne sont pas réservés qu'aux célibataires mais à tous ceux qui se retrouvent dans l'impossibilité d'être accompagnés. Des voyages en petits groupes, avec un guide depuis la France, à la découverte d'un pays de façon ludique, sportive ou plus classique. À noter, pas de supplément chambre individuelle. Catalogue sur Internet exclusivement.

▲ TUI

Rens et résas au ☎ 0825-000-825 (0,20 €/mn + prix appel) • tui.fr • dans les agences de voyages TUI présentes dans toute la France.

TUI, numéro 1 mondial du voyage, propose tous les circuits Nouvelles Frontières, ainsi que les clubs Marmara et un choix infini de vacances pour une expérience unique. TUI propose des offres et services personnalisés tout au long de vos vacances, avant, pendant et après le voyage.

Un circuit accompagné dans une destination de rêves, un séjour détente au soleil sur l'une des plus belles plages du monde, un voyage sur mesure façonné pour vous, ou encore des vacances dans un hôtel ou dans un club, les conseillers TUI peuvent créer avec vous le voyage idéal adapté à vos envies. Ambiance découverte, familiale, romantique, dynamique, zen, chic... TUI propose des voyages à deux, en famille, seul ou entre amis, parmi plus de 180 destinations à quelques heures de chez vous ou à l'autre bout du monde.

▲ USA CONSEIL

Devis et brochures sur demande, réception sur rdv, agence Paris XVIe. Rens : ☎ 01-45-46-51-75. • usa conseil.com • ou • canadaconseil.com •

Spécialiste des voyages en Amérique du Nord, USA Conseil s'adresse particulièrement aux familles ainsi qu'à toutes les personnes désireuses de visiter et de découvrir les États-Unis et le Canada en maintenant un bon rapport qualité-prix. USA Conseil propose une gamme complète de prestations adaptées à chaque demande et en rapport avec le budget de chacun : vols, voitures, hôtels, motels, bungalows, circuits individuels et accompagnés, itinéraires adaptés aux familles, excursions, motorhomes, motos, bureau d'assistance téléphonique francophone tout l'été avec numéro Vert USA et Canada. Sur demande, devis gratuit et détaillé pour tout projet de voyage.

▲ VOYAGEURS DU MONDE – VOYAGEURS AUX ÉTATS-UNIS, AU CANADA ET AUX BAHAMAS

• voyageursdumonde.fr •
– Paris : La Cité des Voyageurs, 55, rue Sainte-Anne, 75002. ☎ 01-42-86-17-30. Ⓜ Opéra ou Pyramides. Lun-sam 9h30-19h. Avec une librairie spécialisée sur les voyages.

Également des agences à Bordeaux, Grenoble, Lille, Lyon, Marseille, Montpellier, Nantes, Nice, Rennes, Rouen, Strasbourg et Toulouse. Également Bruxelles et Genève.

Parce que chaque voyageur est différent, que chacun a ses rêves et ses idées pour les réaliser, Voyageurs du Monde conçoit, depuis plus de 30 ans, des projets sur mesure. Les séjours proposés sur 120 destinations sont élaborés par leurs 180 conseillers voyageurs. Spécialistes par pays et même par région, ils vous aideront à personnaliser les voyages présentés à travers une trentaine de brochures d'un nouveau type et sur le site internet, où vous pourrez également découvrir les hébergements exclusifs et consulter votre espace personnalisé. Au cours de votre séjour, vous bénéficiez des services personnalisés Voyageurs du Monde, dont la possibilité de modifier à tout moment votre voyage, l'assistance d'un concierge local, la mise en place de rencontres et de visites privées et l'accès à votre carnet de voyage via une application iPhone et Androïd. Voyageurs du Monde est membre de l'association ATR (Agir pour un Tourisme Responsable) et a obtenu sa certification Tourisme Responsable AFAQ AFNOR.

Comment aller aux aéroports de Roissy et Orly ?

Toutes les infos sur notre site • *routard.com* • à l'adresse suivante : • *bit.ly/aeroports-routard* •

Voir aussi au sein du guide les agences locales que nous avons sélectionnées.

En Belgique

▲ AIRSTOP

☎ 070-233-188. • airstop.be • Lun-ven 9h-18h30, sam 10h-17h.
– Anvers : Jezusstraat, 16, 2000.
– Gand : Maria Hendrikaplein, 65, 9000.
– Louvain : Mgr. Ladeuzeplein 33, 3000.

Airstop offre une large gamme de prestations, du vol sec au séjour tout compris à travers le monde.

▲ CONNECTIONS

Rens et résas : ☎ 070-233-313. • connections.be • Lun-ven 9h-19h, sam 10h-17h.

Fort d'une expérience de plus de 20 ans dans le domaine du voyage, Connections dispose d'un réseau de 30 *travel shops* dont un à Brussels Airport. Connections propose des vols dans le monde entier à des tarifs avantageux et des voyages destinés à des voyageurs désireux de découvrir la planète de façon autonome. Connections propose une gamme complète de produits : vols, hébergements, locations de voitures, autotours, vacances sportives, excursions.

▲ SERVICE VOYAGES ULB

• servicevoyages.be • 25 agences dont 12 à Bruxelles.
– Bruxelles : campus ULB, av. Paul-Héger, 22, CP 166, 1000. ☎ 02-650-40-20.
– Bruxelles : pl. Saint-Lambert, 1200. ☎ 02-742-28-80.
– Bruxelles : chaussée d'Alsemberg, 815, 1180. ☎ 02-332-29-60.

Service Voyages ULB, c'est le voyage à l'université. Billets d'avion sur vols charters et sur compagnies régulières à des prix compétitifs.

▲ TAXISTOP

Pour ttes les adresses Taxistop : ☎ 070-222-292. • taxistop.be •
– Bruxelles : rue Thérésienne, 7a, 1000.
– Gent : Maria Hendrikaplein 65, 9000.
– Ottignies : bd Martin, 27, 1340.

Taxistop propose un système de covoiturage, ainsi que d'autres services comme l'échange de maisons ou le gardiennage.

▲ TUI

• tui.be •
– Nombreuses agences dans le pays dont Bruxelles, Charleroi, Liège, Mons, Namur, Waterloo, Wavre et au Luxembourg.

Voir le texte dans la partie « En France ».

▲ VOYAGEURS DU MONDE

– Bruxelles : 23, chaussée de Charleroi, 1060. ☎ 02-543-95-50. • voyageursdumonde.com •

Voir le texte dans la partie « En France ».

En Suisse

▲ STA TRAVEL

• statravel.ch • ☎ 058-450-49-49.
– Fribourg : rue de Lausanne, 24, 1701. ☎ 058-450-49-80.
– Genève : rue Pierre Fatio, 19, 1204. ☎ 058-450-48-00.
– Genève : rue Vignier, 3, 1205. ☎ 058-450-48-30.
– Lausanne : bd de Grancy, 20, 1006. ☎ 058-450-48-50.
– Lausanne : à l'université, Anthropole, 1015. ☎ 058-450-49-20.

Agences spécialisées notamment dans les voyages pour jeunes et étudiants. 150 bureaux STA et plus de 700 agents du même groupe répartis dans le monde entier sont là pour donner un coup de main *(Travel Help).*

STA propose des tarifs avantageux : vols secs *(Blue Ticket),* hôtels, écoles de langues, *work & travel,* circuits d'aventure, voitures de location, etc. Délivre la carte internationale d'étudiant et la carte Jeune.

▲ TUI

– Genève : rue Chantepoulet, 25, 1201. ☎ 022-716-15-70.
– Lausanne : Bd de Grancy, 19 1006. ☎ 021-616-88-91.

Voir le texte dans la partie « En France ».

Au Canada

▲ KARAVANIERS

Rens : 4035 rue Saint-Ambroise, local 220N, Montréal, H4C 2E1. ☎ (514) 281-0799, • karavaniers.com • detour nature.com • Lun-ven 9h-18h, sam 10h-15h.

L'agence québécoise Karavaniers du Monde a pour but de rendre accessibles des expéditions aux quatre coins de la planète. Toujours soucieuse de respecter les populations locales et l'environnement, Karavaniers favorise la découverte d'une quarantaine de destinations à pied et en kayak de mer, en petits groupes accompagnés d'un guide francophone et d'un guide local, avec hébergement en auberge ou sous la tente. De son côté, Détours Nature propose, sur de nombreuses destinations au Québec et en Amérique du Nord, des excursions d'une journée ainsi que des voyages à pied, à vélo, en kayak mais aussi à raquettes et à ski de fond. Le transport est fourni au départ de Montréal.

▲ TOURS CHANTECLERC

• tourschanteclerc.com •

Tours Chanteclerc est un tour-opérateur qui publie différentes brochures de voyages : Europe, Amérique du Nord, Amérique du Sud, Asie et Pacifique sud, Afrique et le bassin Méditerranéen en circuits ou en séjours. Il s'adresse aux voyageurs indépendants qui réservent un billet d'avion, un hébergement (dans toute l'Europe), des excursions ou une location de voiture. Également spécialiste de Paris, le tour-opérateur offre une vaste sélection d'hôtels et d'appartements dans la Ville lumière.

MONTRÉAL UTILE

ABC de Montréal

- ❑ ***Superficie :*** 365 km² (3,5 fois plus grand que Paris).
- ❑ ***Population :*** 1,9 million d'habitants. ***(agglomération : 4 millions)***.
- ❑ ***Densité :*** 4 520 hab./km².
- ❑ ***Langues :*** le français et l'anglais.
- ❑ ***Monnaie :*** le dollar canadien (1 $ = 0,70 €).
- ❑ ***Statut :*** métropole du Québec et 2ᵉ ville du Canada.
- ❑ ***Maire :*** Denis Coderre (parti libéral), depuis novembre 2013 (élections municipales fin 2017).

AVANT LE DÉPART

Adresses utiles

En France

– ***Destination Canada :*** • *fr-keepexploring.canada.travel* • Le site officiel du tourisme canadien, très complet et en français.

🛈 ***Québec Original et Tourisme Montréal :*** *sites officiels là encore.* • *quebecoriginal.com* • *(possibilité de « clavarder » sur le site : de poser des questions via le clavier de l'ordinateur, quoi).* • *tourisme-montreal.org* •

■ ***Ambassade du Canada :*** *35, av. Montaigne, 75008 Paris.* ☎ *01-44-43-29-00 (serveur vocal).* • *canadainternational.gc.ca/France* • Ⓜ *Franklin-D.-Roosevelt ou Alma-Marceau. Inutile de vous déplacer, pas de rens sur place. Pour tout ce qui concerne les demandes de visa, les bureaux du CRVD (Centre de réception des demandes de visa canadien) sont situés au 82, rue d'Hauteville, 75010.* ☎ *01-76-54-24-16. Lun-ven 9h-16h30. Rens sur* • *vfsglobal.ca/canada/france* •

– ***Antennes consulaires*** à Lyon *(☎ 04-72-37-86-67)*, Nice *(☎ 04-93-92-93-22)*, Toulouse *(☎ 05-61-52-19-06)*.

En Belgique

■ ***Ambassade du Canada :*** *av. de Tervuren, 2, Bruxelles 1040.* ☎ *02-741-06-11.* • *canadainternational.gc.ca/belgium-belgique* • *Lun-ven 9h-12h30, 13h30-17h. Section consulaire sur rdv slt.*

■ ***Délégation générale du Québec :*** *av. des Arts, 46, 7ᵉ étage, Bruxelles 1000.* ☎ *02-512-00-36.* • *international.gouv.qc.ca/fr/bruxelles* • *Lun-ven 9h-12h30, 14h-17h30.*

En Suisse

■ ***Ambassade du Canada :*** *Kirchenfeldstr, 88, 3005 Berne.* ☎ *031-357-32-00.* • *Canadainternational.gc.ca/switzerland-suisse* • *Lun-jeu 8h-12h, 13h-17h ; ven 8h-13h30. Section consulaire lun-ven 8h30-11h30.*

Formalités

– En principe, ***passeport individuel en cours de validité pour tous, y compris les enfants.*** Depuis fin 2016, obligation de présenter une

autorisation de voyage électronique (***AVE,*** à l'instar de ce qui se fait déjà aux États-Unis), à remplir sur le seul site internet dédié : *(● cic.gc.ca/francais/visiter/ave.asp ●).* Coût : 7 $, à payer en ligne par carte bancaire. ***Méfiez-vous des sites frauduleux,*** sur lesquels on tombe très facilement en googlisant les mots « AVE Canada », qui sont beaucoup plus chers... Sauf exception (se rapprocher alors de l'ambassade), l'autorisation est ensuite délivrée automatiquement. Elle est valable 5 ans. On vous conseille donc de ***vérifier avant le départ les formalités d'entrée sur le site de l'ambassade du Canada*** *(● cic.gc.ca ●),* également pour les enfants voyageant avec un seul de leurs parents. Attention, ***si vous vous rendez ensuite aux États-Unis depuis le Canada,*** les formalités d'entrée sont différentes : ***consultez impérativement le site de l'ambassade des États-Unis*** avant votre voyage : *● fr.usembassy.gov/fr ●*

- ***Pas de vaccination obligatoire.***
- ***Interdiction d'importer des denrées périssables non stérilisées*** (charcuterie, fromage...) ***et des végétaux.*** Seules les conserves sont tolérées. Une bouteille d'alcool ou deux bouteilles de vin par personne sont autorisées (le tout en soute).
- Pensez à ***recharger vos appareils électriques*** (smartphones, tablettes, ordinateurs portables...) avant de prendre l'avion : depuis 2015, de nouvelles mesures de sécurité concernent tous les vols allant ou passant par les États-Unis et Londres, et sont susceptibles d'être étendues à d'autres pays. Les agents de contrôle doivent pouvoir les allumer. Par précaution, gardez votre chargeur à portée de main. Si votre appareil est déchargé ou défectueux, il sera confisqué.

Pensez à scanner passeport, visa, carte de paiement, billet d'avion et *vouchers* d'hôtel. Ensuite, envoyez-les-vous par e-mail, en pièces jointes. En cas de perte ou de vol, rien de plus facile pour les récupérer. Les démarches administratives seront bien plus rapides.

Assurances voyage

■ ***Routard Assurance :*** *c/o AVI International, 40-44, rue Washington, 75008 Paris. ☎ 01-44-63-51-00. ● avi-international.com ● Ⓜ George-V.* Depuis 20 ans, *Routard Assurance,* en collaboration avec *AVI International,* spécialiste de l'assurance voyage, propose aux voyageurs un contrat d'assurance complet à la semaine, qui inclut le rapatriement, l'hospitalisation, les frais médicaux, le retour anticipé et les bagages. Ce contrat se décline en différentes formules : individuel, senior, famille, light et annulation. Pour les séjours longs (2 mois à 1 an), consultez leur site. L'inscription se fait en ligne et vous recevrez, dès la souscription, tous vos documents d'assurance par e-mail.

■ ***AVA :*** *25, rue de Maubeuge, 75009 Paris. ☎ 01-53-20-44-20. ● ava.fr ● Ⓜ Cadet.* Un autre courtier fiable pour ceux qui souhaitent s'assurer en cas de décès, d'invalidité ou d'accident lors d'un voyage à l'étranger, mais surtout pour bénéficier d'une assistance rapatriement, perte de bagages et annulation. Attention, franchises pour leurs contrats d'assurance voyage.

■ ***Pixel Assur :*** *18, rue des Plantes, BP 35, 78601 Maisons-Laffitte. ☎ 01-39-62-28-63. ● pixel-assur.com ● RER A : Maisons-Laffitte.* Assurance de matériel photo et vidéo tous risques (casse, vol, immersion) dans le monde entier. Devis en ligne basé sur le prix d'achat de votre matériel. Garantie à l'année.

ARGENT, BANQUES, CHANGE

Avertissement

Si vous comptez effectuer des retraits d'argent aux distributeurs, il est très vivement conseillé ***d'avertir votre banque avant votre départ*** (pays visités et dates). En effet, ***votre carte peut être bloquée dès le premier retrait*** pour suspicion de fraude. C'est de plus en plus fréquent. Bonjour les tracasseries administratives pour faire rentrer les choses dans l'ordre, et on se retrouve vite dans l'embarras ! Vous pouvez aussi ***relever votre plafond de carte*** pendant votre déplacement. Utile surtout pour la caution des locations de voitures et les garanties dans les hôtels.

Pour un retrait, utilisez de préférence les ***distributeurs attenants à une agence bancaire.*** En cas de pépin avec votre carte (carte avalée, erreur de code secret...), vous aurez un interlocuteur dans l'agence, pendant les heures ouvrables.

- Le ***dollar canadien*** ($) est différent du dollar américain. Primo, il n'est pas vert, mais de toutes les couleurs, et vaut un peu moins (environ 0,70 € fin 2016). Les Québécois ont tendance à dire *piastre* (un terme qui a survécu depuis la Nouvelle-France ; prononcez « piass ») pour dollar, *sous* et *cennes* pour cents.
- Le plus pratique est de ***régler avec une carte de paiement.*** Elles sont acceptées presque partout, à l'exception notable de certains gîtes. Attention toutefois, une commission variable est prélevée par votre banque à chaque opération : plus le montant de l'opération est faible, plus elle sera proportionnellement élevée.
- Nombreux ***distributeurs automatiques de billets*** (« guichets automatiques » ou « *ATM* » ou « *cash machine* »), qu'on trouve un peu partout. Avant le départ, pensez à bien ***vérifier la date d'expiration de votre carte*** ainsi que le seuil maximal de retrait hebdomadaire autorisé par votre banque. Une commission fixe étant prélevée par votre banque pour chaque retrait, en plus d'une commission variable, il est préférable de retirer de grosses sommes plutôt que de multiplier les opérations. Des commissions supplémentaires (généralement 2 ou 3 $) sont appliquées par certaines des banques canadiennes et dans les commerces qui proposent le service de retrait d'argent.
- ***Carte de paiement toujours exigée pour la location de voitures.***
- ***Change :*** de préférence dans les bureaux de change, que l'on trouve plutôt dans les quartiers touristiques (évitez celui de l'aéroport !). Possible aussi dans certaines banques, mais attention aux horaires restreints. Commission (en général 5 $ maximum dans les banques) et taux variables d'un endroit à l'autre. Voir aussi la rubrique « Change » dans « Adresses utiles » plus loin.
- Dans les magasins, on vous demandera souvent si vous voulez payer « ***cash*** » ou « ***comptant*** », c'est-à-dire en argent liquide.

En cas de perte ou vol de cartes de paiement

Quand vous partez à l'étranger, pensez à téléphoner à votre banque pour relever le plafond de retrait aux distributeurs et pour les paiements par carte, quitte à le faire rebaisser à votre retour.

Avant de partir, notez donc bien le numéro d'opposition propre à votre banque (il figure souvent au dos des tickets de retrait, sur votre contrat, ou à côté des distributeurs de billets), ainsi que le numéro à seize chiffres de votre carte. Bien entendu, conservez ces informations en lieu sûr et séparément de votre carte.

Par ailleurs, l'assistance médicale se limite aux 90 premiers jours du voyage et l'assistance véhicule aux cartes haut de gamme (renseignez vous auprès de votre banque). Et surtout, n'oubliez pas aussi de VÉRIFIER LA DATE D'EXPIRATION DE VOTRE CARTE BANCAIRE avant votre départ !
En cas de perte, de vol, ou de fraude, quelle que soit la carte que vous possédez, chaque banque gère elle-même le processus d'opposition et le numéro de téléphone correspondant.

- ***Carte Bleue Visa :*** *numéro d'urgence* (Europe Assistance) *au ☎ (00-33) 1-41-85-85-85 (24h/24).* ● *visa.fr* ●
- ***Carte MasterCard :*** *numéro d'urgence au ☎ (00-33) 1-45-16-65-65.* ● *mastercardfrance.com* ●
- ***Carte American Express :*** *numéro d'urgence au ☎ (00-33) 1-47-77-72-00.* ● *americanexpress.fr* ●

Dépannage d'urgence

En cas de ***besoin urgent d'argent liquide*** (perte ou vol de billets, cartes de paiement), vous pouvez être dépanné en quelques minutes grâce au système ***Western Union Money Transfer.***
Pour cela, demandez à quelqu'un de vous déposer de l'argent en euros dans l'un des bureaux *Western Union* ; liste sur ● *westernunion.fr* ● L'argent vous est transféré en moins d'un quart d'heure. La commission, assez élevée, est payée par l'expéditeur. Possibilité d'effectuer un transfert en ligne 24h/24 par carte de paiement (Visa ou MasterCard émise en France).
Au Canada se présenter à une agence Western Union *(☎ 1-800-325-0000)* avec une pièce d'identité.
En France : ☎ *0800-900-191.*

Carte prépayée Travelex

La carte prépayée *Cash PassportTM* (qui remplace les chèques de voyage) fonctionne comme une carte bancaire. Muni d'une pièce d'identité, il suffit de se rendre en agence de change Travelex et de charger le budget voyage désiré en dollars canadiens sur la carte. Elle peut aussi être commandée en ligne avant d'être collectée en agence sur présentation des documents d'identité. Vous pouvez ensuite la recharger à tout moment depuis le site ● *travelex.fr* ●
Une fois à l'étranger, elle est utilisable chez 32 millions de commerçants et distributeurs de billets. Pratique pour régler une note de resto ou d'hôtel, sans frais bancaires ni commission.
Sûre, la carte n'est pas liée au compte bancaire de l'utilisateur et elle est protégée par une puce et un code PIN personnel. Assistance internationale d'urgence 24h/24 en cas de perte ou de vol. La carte est alors remplacée gratuitement sous 24h avec des fonds d'urgence.

ACHATS

- ***Le sirop d'érable :*** vous n'y couperez pas, c'est l'achat incontournable par excellence, et c'est délicieux quand il est de qualité ! Parfait pour les cadeaux et souvenirs, que ce soit sous la forme de sirop ou de ses dérivés, comme le sucre, les bonbons et le beurre à tartiner. Le plus sympa est de l'acheter ***dans une érablière,*** après la visite de la cabane à sucre. Principales régions productrices : les Bois-Francs et la Beauce, qui se proclame d'ailleurs « pôle mondial de l'acériculture » (exploitation d'érablières). Vous en trouverez également sur le chemin de la Gaspésie, à Saint-Jean-Port-Joli par exemple, à la limite du Bas-Saint-Laurent. Sinon, on peut acheter du sirop d'érable en *cannes* (boîtes de conserve) de qualité dans presque tous les magasins d'alimentation. Le sirop peut être extra-clair,

clair, médium, ambré ou foncé selon son âge et la force de son goût (les sirops clairs, plus légers, plus subtils, convenant particulièrement bien aux crêpes ou aux gaufres, et les ambrés, plus forts, à la cuisine). Pour s'y retrouver, il existe des ***classifications*** selon la qualité : le « sirop d'érable pur de Catégorie A » est ainsi clairement distingué des sirops d'érable de moindre qualité, ceux de la « catégorie de transformation ». Pour les sirops de catégorie A, ils sont déclinés en quatre sous-catégories : « sirop d'érable de couleur dorée au goût délicat », « sirop d'érable de couleur ambrée au goût riche », « sirop d'érable de couleur foncée au goût robuste » et « sirop d'érable de couleur très foncée au goût prononcé ».

– ***Les bons produits locaux : cidre de glace*** *(cher)*, ***bières de microbrasseries***, alcools de petits fruits, ***confitures de baies*** (canneberges, bleuets...), condiments, miels, thés et tisanes inuit... Vous trouverez de nombreux produits gourmets au ***marché Jean-Talon,*** notamment à l'épicerie fine *Marché des Saveurs.*

– ***Vêtements :*** jeans, baskets et prêt-à-porter sportswear sont moins chers qu'en France (mais un peu plus qu'aux États-Unis). Pour les T-shirts et gros sweats douillets à capuche, on aime bien la marque *Roots* (qui fait aussi de beaux sacs en cuir). Pas donné, cela dit. Quant aux vêtements et chaussures d'hiver (polaires, doudounes...), ils sont de très bonne qualité mais chers dans l'ensemble, surtout si vous optez pour des marques « techniques » comme *Kanuk.* Surveillez les soldes et promotions (largement annoncés dans les journaux), fréquents et souvent intéressants.

– ***Le matériel de sports outdoor :*** du casque de vélo à l'équipement de golf en passant par le matériel de pêche et de camping, les prix sont largement inférieurs à ceux pratiqués en France et le choix généralement plus large. Les équipements de vélo du Québécois *Louis Garneau* sont extrêmement populaires. La chaîne *Mountain Equipment Co-op (dite MEC),* une coopérative comme son nom l'indique, est La Mecque des campeurs, grimpeurs et kayakistes.

– ***L'artisanat amérindien :*** cher quand il est beau et fait main. On trouve aussi des fanfreluches et objets bon marché. Au choix : calumets, mocassins, statuettes, attrapeurs de rêves *(dreamcatchers),* bijoux et peaux tannées.

– ***Les produits dérivés :*** vous noterez bien vite cette pratique typiquement nord-américaine : une auberge de jeunesse qui vend un T-shirt à son logo, un resto ou un bar un *mug* maison... Des souvenirs sympas quand on a particulièrement aimé une adresse.

Horaires des magasins

À Montréal, les magasins sont généralement ouverts tous les jours, y compris le dimanche. De manière générale, ils ouvrent de 9h-10h à 19h-20h, voire jusqu'à 21h le jeudi et le vendredi.

BUDGET

Le coût de la vie à Montréal est globalement plus élevé qu'en France. Précision importante : à quelques exceptions près concernant certains hébergements, ***tous les prix indiqués s'entendent hors taxes*** (***et hors pourboires*** dans les restos et les bars). À Montréal, celles-ci s'élèvent à 14,975 % (voir « Taxes et pourboires » plus loin). Pour les hôtels et les gîtes, ajoutez encore une ***taxe de 3,5 % par nuitée*** ! Les taxes sont toutes additionnées sur la note au moment de payer.

Certains hébergements ne facturent pas de taxes (TPS, TVQ et taxe d'hébergement) ***:*** il s'agit de certaines auberges de jeunesse et des gîtes gérés par des particuliers dont le chiffre d'affaires annuel n'excède pas 30 000 $. De même, la taxe d'hébergement ne s'applique pas toujours. Elle ne s'applique pas à la location d'un espace de camping, dans une unité d'hébergement de centre de vacances, dans les auberges de jeunesse, et si vous restez moins de 6 h et plus de 31 jours au même endroit ! Voilà pourquoi nous mentionnons parfois « taxes comprises » pour certains hébergements. Les ***gîtes et auberges*** de Montréal sont assez chers, mais ***le petit déjeuner (souvent copieux) est inclus,*** contrairement aux hôtels, souvent plus chers. ***Les prix des chambres varient selon saison et confort,*** mais nous ne le répétons pas forcément à chaque fois.

Hébergement

- ***Bon marché :*** de 20 à 30 $ (lit pour une personne en auberge de jeunesse) ou de 40 à 80 $ la double. C'est aussi dans cette catégorie qu'entrent les campings.
- ***Prix moyens :*** de 80 à 110 $ la chambre double. C'est la catégorie de prix des gîtes modestes (assez rares, autant le savoir) et des chambres privées en AJ. Les prix les plus bas sont généralement avec salle de bains partagée.
- ***Chic :*** de 110 à 200 $ la double. Ce sont les tarifs des hôtels, des auberges et des gîtes de charme.
- ***Très chic :*** plus de 200 $ la double.

Repas

Les restos proposent parfois un menu ***« spécial du jour »*** le midi et un menu « ***table d'hôtes*** » le soir. Souvent, le menu « table d'hôtes » s'obtient en majorant de 10-15 $ le prix du plat principal. On a ainsi droit à une entrée (soupe ou salade), un dessert, et éventuellement à une boisson chaude ou froide. À midi, les tarifs sont généralement moins élevés que le soir ! En revanche, c'est moins copieux.
Ce que nous appelons « plat » va du simple snack à l'assiette chaude garnie.
On vous rappelle que des ***taxes*** d'environ 15 % seront systématiquement ajoutées à votre addition et que, le service n'étant pas compris, le ***pourboire*** *(tip)* d'environ 15 % est obligatoire (voir « Taxes et pourboires », plus loin). Soit près de 30 % pour les deux cumulés !
Voici nos fourchettes de prix pour un menu ou un plat copieux :

- ***Bon marché :*** de 10 à 15 $.
- ***Prix moyens :*** de 15 à 25 $.
- ***Chic :*** de 25 à 40 $.
- ***Très chic :*** plus de 40 $.

Carburant

Même si le prix du carburant a tendance à beaucoup fluctuer ces dernières années, il est toujours un poil moins cher qu'en France. Compter entre 1,10 et 1,40 $ le litre de sans-plomb.

Visites des musées et sites

Nous indiquons les tarifs par adulte, mais il existe presque toujours des ***réductions pour enfants, étudiants*** (sur présentation de la carte) ***et seniors,*** ainsi que des « ***forfaits famille*** » valables avec les moins de 18 ans. Nous indiquons aussi, quand il y en a, les jours de gratuité. Signalons que le dernier dimanche de mai, c'est la Journée des musées montréalais : la plupart sont alors gratuits pour tous les visiteurs *(● museesmontreal.org ●).*

CLIMAT

Les étés montréalais sont généralement très chauds, même si, comme chacun le sait, il n'y a plus de saisons... Pas la peine de débarquer avec des bottes de neige *(moonboots)* et des moufles de mai à septembre, néanmoins un pull « au cas où » et un imper restent nécessaires (c'est orageux en été).
En ***mai et septembre,*** jours chauds mais nuits fraîches. En ***juin,*** chaud. En ***juillet et août,*** quand il fait très chaud, la clim est la bienvenue. En ***septembre,***

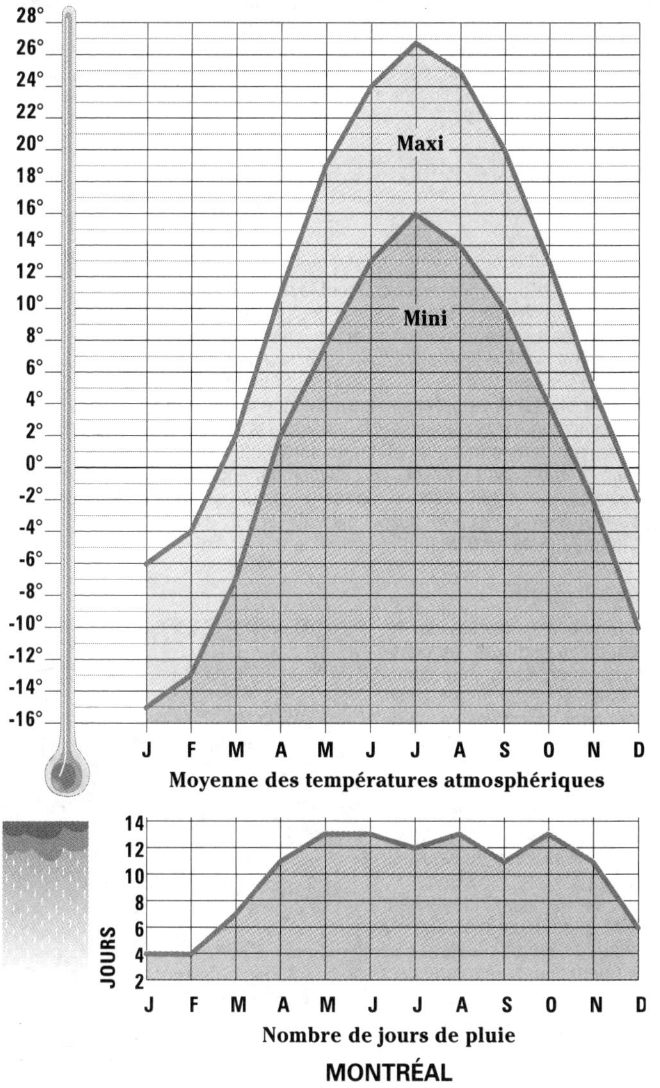

en général, de bien belles journées annonçant l'été indien, mais des nuits fraîches. En ***octobre,*** plutôt frais. En ***novembre,*** température proche de zéro et début du gel. En ***décembre, janvier et février,*** de froid (- 6 à - 10 °C en moyenne) à très, très froid (- 30 °C au pire !), avec de superbes journées ensoleillées. C'est la saison du ski, des randonnées à motoneige ou des courses à raquettes, même si le réchauffement global de la planète a rendu les hivers moins rudes – et menace l'englacement des lacs et des rivières. En ***mars et avril,*** c'est le temps du redoux tant espéré. Si le dégel transforme généralement les villes en vaste étendue de *sloche* (gadoue de neige fondue), la période n'en est pas moins souvent agréable et ensoleillée, avec, certains jours, l'ouverture providentielle des cafés-terrasses. C'est aussi la période où l'on va en famille dans les cabanes à sucre des environs pour la « tire de l'érable ».

Hiver et contre tout

> **« Il n'y a pas de mauvaise température,**
> **il n'y a que des gens mal habillés ! »**
> **(un Québécois anonyme).**

Certains Québécois vous diront que leur rêve est de devenir suffisamment riches pour passer l'hiver en Floride. Leur leitmotiv : éviter ces mois où les arbres se déguisent en extravagants chandeliers de cristal, même au cœur de Montréal. Ils sont près de 1 million de *snowbirds* à quitter le pays à cette période, pour quelques semaines ou pour tout l'hiver « dans le Sud, au soleil, se baigner dans la mer » (Charlebois) ; 300 000 possèdent une résidence secondaire là où il fait chaud.
Pour comprendre les Québécois, il faut prendre la mesure de leur météo. Imaginez l'arrivée des colons français : 20 morts sur 28 au cours du premier hiver passé sur les rives du Saint-Laurent ! Le souvenir est encore inscrit dans la mémoire collective. Aujourd'hui, dans un monde de chauffage central, de doudounes et d'isolation thermique, l'hiver québécois reste un défi, mais il est depuis longtemps apprivoisé par les habitants.

L'été indien

L'automne est ponctué par un phénomène particulier au continent nord-américain : l'été indien. Après les premiers frissons, survient normalement une vague de chaleur qui perdure une bonne semaine (parfois plus, parfois moins). La végétation suspend sa marche vers le dénuement et offre des couleurs, des nuances uniques et propres au Nouveau Monde.
Montréal se visite idéalement durant ce moment magique qui s'étend, grosso modo, de la dernière semaine de septembre à la mi-octobre en fonction de la latitude. Au fait, savez-vous pourquoi on appelle ainsi cette période ? Parce que les Amérindiens d'autrefois profitaient de ce redoux pour constituer leurs dernières réserves avant l'hiver.

LA COULEUR DE L'ÉRABLE

À la fin de l'été, quand la lumière et la force du soleil décroissent, la photosynthèse, qui produit la chlorophylle des plantes, cesse peu à peu. Le vert des feuilles se dégrade, révélant d'autres pigments plus stables : jaune orangé et rouge tirant sur le pourpre. L'intensité des couleurs est en fonction du soleil et de la température : il faut qu'il fasse frais sans geler. Ces deux facteurs augmentent la concentration en sucre. Plus une espèce contient de sucre, plus le rouge est intense, ce qui explique l'écarlate ahurissante des feuilles d'érable.

DANGERS ET ENQUIQUINEMENTS

En ville

Taux de criminalité faible, délinquance quasi inexistante, Montréal (comme le Canada en général) n'est pas une destination dangereuse. Bien entendu, comme partout, ne pas tenter le diable et prendre les précautions de bon sens contre le vol, surtout lors des festivals d'été où une foule considérable se presse dans le centre-ville...

Dans la nature

– En été, les forêts sont infestées de ***moustiques*** (les *maringouins* en québécois) et de ***mouches noires*** qui piquent férocement. Évitez de gratter, au risque de voir les démangeaisons durer... longtemps. En général, le problème est plus présent au nord, mais les environs de Montréal ne sont pas épargnés. Si vous prévoyez de camper ou de vous promener dans les parcs, surtout, surtout, ***munissez-vous de lotions antimoustiques*** (voir la rubrique « Santé »), évitez de vous parfumer et de porter des vêtements aux couleurs foncées. Juin est le pire mois de l'année ; ça commence à se calmer en juillet, mais quand même...

– Sur la route, des panneaux indiquent les zones peuplées d'***orignaux*** (élans d'Amérique) et autres ***caribous*** (de la famille des rennes). Ralentissez, surtout la nuit, car l'animal ébloui a tendance à s'arrêter au milieu de la chaussée. La confrontation orignal/véhicule est douloureuse et loin d'être aussi rare qu'on pourrait le croire.

ÉLECTRICITÉ

Les fiches électriques nord-américaines (110 V) sont à deux broches plates. Vous aurez donc besoin d'un ***adaptateur***. En cas d'oubli, vous pourrez vous en procurer un dans les aéroports, à la réception de la plupart des hôtels, ou dans une boutique d'électronique. Attention : si vous achetez du matériel sur place, prévoyez d'acheter aussi l'adaptateur qui convient pour utiliser le matériel une fois à la maison...

FÊTES ET JOURS FÉRIÉS

Jours fériés

Certaines dates sont utiles à connaître car de nombreux Montréalais utilisent ces fêtes comme référence chronologique ! Exemple : « ouvert jusqu'à l'Action de grâces ». Euh... jusqu'à quand ?

– ***Congés du Nouvel an :*** *1er et 2 janv.*

– ***Lundi de Pâques*** (ou Vendredi saint selon les entreprises).

– ***Journée nationale des patriotes :*** *le lun précédant le 25 mai.*

– ***Fête de la Saint-Jean (fête nationale du Québec) :*** *23-24 juin.* • *fetenationale.quebec* • C'est à cette date que la saison touristique débute véritablement. Jour de congé pour tous (le 24) et exaltation de l'âme québécoise pour beaucoup. De nombreuses rues du centre sont fermées à la circulation et divers concerts remplacent les voitures. Clou de la fête : grands spectacles à ciel ouvert accueillant des centaines de milliers de personnes.

– ***Fête nationale du Canada :*** *1er juil.* Ce jour-là, l'avenue Sherbrooke se pare de rouge pour le défilé des anglophones, des fédéralistes québécois et des nombreux immigrants qui veulent montrer leur fierté d'être canadiens.

– ***Fête du Travail :*** *1er lun de sept* (eh bien non, ce n'est pas le 1er mai !). Ce week-end de 3 jours est l'un des plus importants de l'année et tout est complet partout ! Passé cette date charnière, de nombreux musées et attractions adoptent des horaires restreints (vérifier auprès des offices de tourisme). Les hôtels se font ensuite moins chers (sauf pendant l'été indien).

– ***Action de grâces*** (ou *Thanksgiving Day*) ***:*** *le 2e lun d'oct.* Marque souvent la fin de la saison touristique. Précisons qu'aux USA, Thanksgiving tombe le 4e jeudi de novembre.

– ***Jour du Souvenir :*** *11 nov.*

– ***Congés de Noël :*** *25 et 26 déc.*

Fêtes et festivals

Les Québécois adorent les festivals et Montréal, grande métropole cosmopolite et passionnée de culture, vibre toute l'année au rythme de manifestations variées. Il y en a pour tous les goûts, à toutes les époques, avec cependant une forte inflation en été. Le festival ***Juste pour rire***, le ***Festival international de jazz*** ou encore ***Montréal en lumière*** sont les plus importants d'entre eux. Il faudrait des pages entières pour détailler la vie culturelle montréalaise. Le mieux est de se reporter à *Voir* (● *voir.ca* ●), un hebdo culturel gratuit que l'on peut trouver à peu près partout (dépanneurs, boutiques, librairies...). Voir également le site officiel de l'office de tourisme qui regroupe des infos sur tous les festivals montréalais : ● *quebecoriginal.com* ●

– ***La Fête des neiges :*** *de mi-janv à courant fév dans le parc Jean-Drapeau (w-e slt).* ● *parcjeandrapeau.com* ● *Accès gratuit, certaines animations env 15 $.* Un village de glace est façonné chaque année : hôtel, resto-bar, igloos, labyrinthe... Ateliers de sculpture sur glace, animations en soirée et divers jeux pour enfants. Magique !

– ***Festival Montréal en lumière :*** *23 fév-12 mars 2017, presque ts les soirs 17h-23h.* ☎ *514-288-9955 ou 1-855-864-3737.* ● *montrealenlumiere.com* ● Une quinzaine de jours de folies hivernales célébrant gastronomie, arts de la scène et fêtes populaires par le biais d'activités originales et pour la plupart gratuites qui se déroulent principalement dans le Vieux-Montréal.

– ***Art Souterrain :*** *pdt 3 semaines, du 4 au 26 mars 2017.* ☎ *514-380-0596.* ● *artsouterrain.com* ● Le Montréal souterrain devient pendant 2 semaines une gigantesque galerie d'exposition qui regroupe une multitude d'artistes contemporains sur une thématique, avec des projets parfois très audacieux. Également des conférences sur l'art et des visites guidées gratuites.

– ***Festival de musique du Maghreb :*** *pdt 3 j. mi-mars.* ☎ *514-790-1245.* ● *festivalnuitsdafrique.com* ● Le temps d'un long week-end, la musique d'Afrique du Nord – traditionnelle et contemporaine – est mise à l'honneur. L'occasion d'expos d'art plastique également.

– ***Festival TransAmériques :*** *25 mai-8 juin 2017.* ☎ *514-842-0704 et 1-866-984-3822.* ● *fta.qc.ca* ● Un festival de danse et de théâtre contemporains à la programmation aussi internationale que pointue engageant une douzaine de pays. Pendant plus de 15 j., une trentaine de spectacles et d'événements dans toute leur diversité : théâtre, danse, bien sûr, mais aussi des performances dans de nouvelles formes, parfois inclassables, excessives, voire radicales...

– ***Francofolies de Montréal :*** *8-18 juin 2017.* ☎ *514-876-8989 ou 1-888-444-9114.* ● *francofolies.com* ● Un événement majeur avec environ 70 spectacles en salle et 180 concerts extérieurs gratuits (le « off »), soit un millier d'artistes d'une quinzaine de pays différents.

– ***Grand Prix de Formule 1 :*** *3 j. en juin, sur le circuit Gilles-Villeneuve, dans le parc Jean-Drapeau.* ☎ *514-350-0000.* ● *ggrandprixmontreal.com* ● *circuitgillesvilleneuve.ca* ● Une autre course de monoplaces (série américaine NASCAR) a lieu mi-août sur le même circuit.

– ***Festival international de jazz :*** *29 juin-8 juil 2017. Rens : 400, bd de Maisonneuve Ouest (9e étage).* ☎ *514-871-1881 ou 1-855-299-3378.* ● *montrealjazzfest.com* ● Après plus de 35 ans d'existence, le Festival international de jazz de Montréal est devenu le plus grand festival musical au monde. Plus de 3 000 musiciens en provenance de 30 pays différents assurent près de 1 000 concerts, activités et animations (dont les 2/3 sont gratuits) dans un immense quadrilatère du centre-ville fermé à la circulation. Près de 2,5 millions de spectateurs, et malgré tout une ambiance bon enfant. On joue partout, toute la ville vit et vibre à l'heure de la musique. Ont été applaudis, ces dernières années, Leonard Cohen, Keith Jarrett, B. B. King, Bob Dylan, Tony Bennett, Dave Brubeck, Aretha Franklin et bien d'autres encore... Un must !

– ***L'International des feux Loto-Québec :*** *de mi-juin à août.* ☎ *1-855-790-1245.* Concours de feux d'artifice, mettant en compétition plusieurs pays. Voir « La Ronde » dans « Le parc Jean-Drapeau », rubrique « À voir. À faire ».

– ***Festival Juste pour rire / Just for Laughs :*** *2 sem en juil.* ☎ *514-845-3155 et 1-888-244-3155 (nº gratuit),* ☎ *514-845-2322 (billetterie). • hahaha.com •* Un événement international, le plus grand du monde dans son genre, qui s'est même exporté à Nantes, Toronto, Chicago et Sydney ! Plus de 1 500 représentations étalées sur le mois de juillet, un festival de rue ininterrompu. Le volet *Arts de la rue* se déroule sur la place des Festivals, un espace urbain tout neuf proche de la place des Arts *(zoom détachable Centre, C4).* Jusqu'à minuit, c'est une débauche de sketches de rue, de gags inopinés, de matchs d'improvisation, de spectacles professionnels gratuits ou payants exécutés par des artistes des quatre coins du globe. Un grand moment à ne pas manquer.

– ***Montréal Complètement Cirque :*** *10 j. mi-juil.* ☎ *514-285-9175. • montreal completementcirque.com •* Le dernier-né des festivals montréalais, dont la première édition en 2010 fut un franc succès. Toutes les grandes compagnies de cirque québécoises sont là : *Le Cirque du Soleil, En Piste, Les 7 doigts de la main, Éloize* et bien d'autres, ainsi que des troupes venues de l'étranger. Nombreux spectacles payants, mais aussi des animations gratuites en plein air sur le site de la *Tohu* (au nord du marché Jean-Talon), dans le Quartier latin et dans bien d'autres lieux.

– ***Festival international Nuits d'Afrique :*** *mi-juil, pdt 2 sem. Rens :* ☎ *514-499-9239. • festivalnuitsdafrique.com •* En salle (payant) ou à l'extérieur (gratuit), sur le parterre du Quartier des spectacles, des concerts de près de 500 artistes africains, antillais et sud-américains. Une trentaine de pays sont représentés chaque année. En plus des concerts, ateliers divers, expos artisanales et nourriture du Sud. Hors festival, des concerts sont organisés toute l'année.

– ***Festival Osheaga :*** *4-6 août 2017.* ☎ *1-877-668-8269. Billetterie :* ☎ *1-855-310-2525. • osheaga.com •* Nombreux concerts en plein air, notamment des grands noms du rock, dans le parc Jean-Drapeau (sur l'île Sainte-Hélène).

– ***Festiblues :*** *4 j. mi-août.* ☎ *514-337-8425. • festiblues.com • Pass 4 soirs : 17,50 $.* Un peu excentré, dans le parc Ahuntsic (au nord de Montréal), un sympathique festival de musique blues qui réunit de nombreux artistes locaux.

– ***Activités estivales sur le Vieux-Port :*** *de mi-mai à début oct. • vieuxportde montreal.com •* Une quantité d'animations et d'activités nautiques (la plupart payantes) sur le quai de l'Horloge (rue Berri), la promenade des Artistes et la promenade du Vieux-Port. « Montréal-Plage », embarcations à pédales, bateaux, pêche à la ligne, etc.

– ***Festival des films du monde :*** *fin août-début sept.* ☎ *514-848-3883. • ffm-montreal.org • Entrée : 10 $ (15 $ film d'ouverture ou de clôture), passeport 100 $ (attention, nombre limité, s'y prendre tôt), 10 coupons (échangeables contre billets) 70 $.* Un festival de cinéma ouvert à toutes les tendances et aux cinématographies de tous les pays. Au programme, des centaines de films indépendants et de courts-métrages. Et, chaque soir à 20h30, projections gratuites à la belle étoile.

– ***Pop Montréal :*** *5 j. fin sept.* ☎ *514-842-1919. • popmontreal.com • Billets 10-60 $ selon l'affiche.* Un festival international de musique, organisant des centaines de concerts de musiques actuelles internationales, dans différentes salles de spectacles et cafés musicaux. Et aussi conférences, expos et projections de films.

– ***Marathon Oasis Rock'n Roll :*** *un w-e fin sept.* ☎ *450-679-4928. • runrocknroll. competitor.com •* Chaque année, plus de 35 000 participants se retrouvent sur le pont Jacques-Cartier pour le départ du marathon de Montréal. Le même jour sont également organisés le demi-marathon (départ du pont Jacques-Cartier) et le 10 km (départ du parc Laurier). La veille se disputent le 5 km (départ du parc Marie-Victorin) et même le 1 km pour les p'tits coureurs (départ du parc La Fontaine).

– ***Festival du Nouveau Cinéma :*** *pdt 12 j. mi-oct.* ☎ *514-282-0004 ou 844-2172. • nouveaucinema.ca •* Festival consacré au cinéma d'auteur et à la création. Longs-métrages, documentaires, courts-métrages, films jeune public...

– **Coup de Cœur francophone :** *une douzaine de j. début nov. ☎ 514-253-3024 et 514-285-4545 (billetterie). • coupdecoeur.ca •* C'est l'événement « chansons » de l'automne, avec de nombreuses découvertes ainsi que des valeurs sûres, venues de toute la francophonie. En tout, 12 j. de spectacles répartis dans plusieurs salles et cabarets de Montréal, et de huit autres villes au Canada.

■ ***Festivals et Événements Québec (FEQ) et Société des attractions touristiques du Québec (SATQ) :*** *regroupés au 4545, av. Pierre-de-Coubertin, succursale M, à Montréal. ☎ 514-252-3037 ou 1-800-361-7688. • attractionsevenements.com •*

HÉBERGEMENT

Campings

Environnement naturel préservé, tables en bois, propreté des sites... Camper au Canada est un plaisir. Sans compter les Laurentides à moins de 1h30 de route, où ils sont légion, il existe une quinzaine de campings autour de Montréal, mais pas à moins de 15 km de la ville. Il est fortement conseillé de ***réserver en été.***

Les prix varient selon l'emplacement et les « services » : eau, électricité et système d'égouts pour les motorisés. La plupart disposent aussi d'une *buanderie* (laverie), d'abris ou de salles aménagées en cas d'intempérie ; et sur chaque emplacement on trouve généralement un foyer pour faire du feu (prévoyez une petite grille pour vos grillades) et une table de pique-nique. Le bois est généralement disponible à l'accueil : il est le plus souvent interdit d'en ramasser sur place ou même d'en apporter, en raison de la prolifération d'insectes nuisibles qui attaquent des pans entiers de la forêt canadienne.

Certains campings louent des cahutes sommaires, des ***minichalets*** ou des ***bungalows,*** avec ou sans sanitaires. Les plus confortables disposent d'une cuisinette (avec plaques chauffantes et frigo) et d'un barbecue extérieur. Attention, très souvent les draps ne sont pas fournis.

Le *Guide du camping au Québec* est disponible au *Centre Infotouriste (plan détachable, C4,* ***1****)* ; on peut également le télécharger gratuitement ou commander une version papier sur *• campingquebec.com •* Les campings sont classés par régions, ceux des environs de Montréal étant à chercher dans la région des Laurentides.

Auberges de jeunesse

Outre l'***AJ officielle,*** Montréal compte plusieurs ***AJ privées*** pleines de personnalité. Ce sont des hébergements chaleureux, sources de bons tuyaux sur la région et points de rencontre de voyageurs. Propres, parfois un peu foutoir, elles ont toutefois un inconvénient : leurs tarifs ont pas mal augmenté ces dernières années et atteignent jusqu'à 45 $ par personne au cœur de l'été ! Le plus souvent, ça tourne plutôt ***autour de 30-35 $***. Les draps et serviettes sont le plus souvent fournis ou disponibles à la location ; sinon, prévoir un sac à viande (drap de voyage) plutôt qu'un duvet, mal vu, voire carrément interdit, à cause des puces qu'ils sont susceptibles d'apporter ! La plupart des AJ ont aussi des ***chambres privées, avec salle de bains individuelle.*** Ces chambres restent moins chères que celles des gîtes, et à fortiori que celles des hôtels. Dans toutes les AJ, vous trouverez une cuisine équipée et des espaces communs. Services peu onéreux voire gratuits : accès Internet et wifi, laverie, excursions...

Pas de limite d'âge pour y séjourner au Canada. Dans les auberges officielles, affiliées au grand réseau *Hostelling International* (dont fait partie la FUAJ française), attendez-vous à payer 5 $ de plus si vous n'êtes pas adhérent. Toutefois, ces 5 $ valent un timbre et, au bout de six timbres, on vous remettra une carte de membre.

– Rens et résas : ***Hostelling International,*** *● hihostels.ca ●*

Résidences d'étudiants (CEGEP)

L'hébergement estival (entre mai et généralement mi-août) dans les universités montréalaises peut s'avérer une bonne solution, du moins quand les facs sont proches du centre (c'est le cas des ***résidences de l'UQAM***). On y trouve, à prix modérés, un certain confort : salle de bains privée (le plus souvent), cuisine collective, laverie, location de draps, etc. Certaines des résidences sont conçues de manière à ce que 2 chambres partagent une salle de bains : parfait pour les familles ou amis. En revanche, aucun charme... Mieux vaut réserver bien à l'avance.

Gîtes, auberges, chambres d'hôtes

Plutôt que l'hôtel, nous conseillons les ***gîtes*** – l'équivalent de nos chambres d'hôtes ou ***Bed & Breakfast*** – désignés également dans le Canada francophone par le joli et chaleureux terme ***Couette et Café.*** Montréal en compte près d'une centaine. C'est l'occasion de connaître Montréal de l'intérieur. L'***accueil*** et la ***convivialité*** rivalisent avec l'***abondance du petit déjeuner*** (compris dans le prix). Ce petit déjeuner (appelé « déjeuner » au Québec) est d'ailleurs une véritable institution qui permet parfois de goûter aux produits régionaux et de manger très léger le midi, voire pas du tout.

Dans ce type d'hébergement, il n'est ***pas rare que les salles de bains soient partagées.*** La salle de bains privée fait inévitablement grimper la note.

Les plus grandes maisons abritent souvent des ***auberges,*** à mi-chemin entre le gîte et l'hôtel. Souvent plus proches de la demeure de charme, elles se situent en majorité dans la catégorie « Chic ». Petit inconvénient : il faut souvent réserver à l'avance en été et les conditions d'annulation sont très désavantageuses (perte des arrhes 15 à 30 j. avant).

La ***classification par soleils ou étoiles*** (de 1 à 5) permet de définir le niveau de confort du gîte, mais certains 4 ou 5 soleils qui mettent à votre disposition peignoirs et sèche-cheveux, peuvent très bien n'avoir aucun charme et les chambres être toutes petites.

Au Québec, y compris à Montréal, le terme ***Gîtes du Passant*** est un label réputé attribué par l'Association de l'agrotourisme et du tourisme gourmand du Québec, qui contrôle régulièrement les adresses. On les indique, mais ils ne sont pas les seuls. Autre association, très sérieuse elle aussi, celle du ***Réseau des gîtes classifiés.***

– ***Fumeurs :*** dans la quasi-totalité des hébergements, le « fumage » est interdit.

– ***Familles :*** même si cela n'est jamais affiché (car c'est interdit), sachez que les enfants ne sont pas les bienvenus dans tous les gîtes ou les auberges, surtout dans les adresses un peu chic qui tiennent à préserver le calme pour le bien-être de leurs clients... La limite d'âge est souvent de 12 ans minimum.

– Pour ***réserver,*** vous pouvez passer par l'office de tourisme ; si nos adresses sont complètes, ils sauront lesquelles sont encore disponibles et les contacteront pour vous.

■ ***Gîtes et Auberges du Passant – Association de l'Agritourisme et du Tourisme gourmand du Québec :*** *4545, av. Pierre-de-Coubertin, à Montréal. ☎ 514-252-3138. ● gitesetaubergesdupassant.com ● Lun-ven 8h30-12h, 13h-16h30.*

■ ***Réseau des gîtes classifiés :*** *10, rue de la Chapelle, à La Malbaie (Québec). ☎ 418-665-2323. ● gites-classifies.qc.ca ●*

■ **GitesCanada :** *● gitescanada.com ●* Un recensement très complet des gîtes, *B & B* et chambres d'hôtes sur l'ensemble du pays.

Hôtels

Ville jeune à la croissance très rapide, Montréal souffre de la rareté de ces petits hôtels pas chers au confort parfois aléatoire qui, ailleurs, font le bonheur des routards. Ici, ce sont surtout les ***grandes chaînes*** qui occupent le terrain : hôtels confortables, fonctionnels mais chers et pas très chaleureux. On trouve tout de même ***quelques hôtels indépendants ou de charme,*** plutôt dispendieux (« chers », en québécois !).
Néanmoins, renseignez-vous au *Centre Infotouriste,* ou sur le site ● *tourisme-montreal.org* ● sur le *Forfait Passion* qui, en été (de juin à septembre), offre 50 % de réduction sur votre 3e nuit passée dans le même hôtel (parmi une sélection).
Les chambres ont toujours une salle de bains privée, TV, wifi et AC, généralement cafetière, frigo, voire micro-ondes. Nous indiquons les ***prix pour 2 personnes,*** mais il n'est pas rare qu'une chambre possède deux lits *queen size* (de grande taille), ce qui permet de loger à 4. Compter alors 15 à 30 $ par personne supplémentaire, parfois plus. ***Le petit déjeuner est rarement inclus,*** ou alors il s'agira d'un café-filtre et de quelques muffins industriels à grignoter.
Attendez-vous à payer cher en ***parking*** : jusqu'à 30 $ par jour !

La location d'appartements ou de maisons

Une formule intéressante en famille (plus d'espace, la possibilité de prendre des repas sur place représentant une économie non négligeable), mais, à deux, pas forcément beaucoup moins cher qu'un hôtel. Tout dépend encore une fois de la saison, qui régit les fourchettes de prix des hôtels, et du standing de l'hébergement.
Pour réserver, on peut passer par une ***plateforme internet de mise en relation entre propriétaires et locataires*** (type *Airbnb*). L'offre est très tentante : prix attractifs, choix exponentiel dans tous les styles, du petit studio fonctionnel meublé Ikea au loft design en passant par la maison de ville bobo avec jardinet en plein Montréal... Les budgets les plus modestes pourront aussi tout simplement louer un bout de canapé.

■ ***VRBO :*** ● *vrbo.com* ● Même genre mais site en anglais seulement.

■ ***Homelidays :*** ● *homelidays.com* ● Même genre de prestations, là encore.

Échange de maisons ou d'appartements

Il s'agit d'échanger son propre logement (que l'on soit proprio ou locataire) avec celui d'un adhérent du même organisme dans le pays de son choix. Cette formule offre l'avantage de passer des vacances au Canada à moindres frais, en particulier pour les jeunes couples avec enfants. Voici deux agences qui ont fait leurs preuves (s'y prendre à l'avance pour l'été) :

■ ***Intervac :*** ☎ *05-46-66-52-76.* ● *intervac-homeexchange.com* ● Adhésion annuelle environ 100 €, avec possibilité de tester gratuitement le service pendant une période limitée.

■ ***Homelink International :*** *19, cours des Arts-et-Métiers, 13100 Aix-en-Provence.* ☎ *04-42-38-42-38.* ● *homelink.fr* ● Adhésion annuelle : environ 120 € (pour les mêmes services).

LIVRES DE ROUTE

– ***Voyages au Canada*** (1565 et 1612), de Jacques Cartier. De ses multiples voyages au Canada réalisés sur ordre du roi, Cartier relate ici ceux effectués entre 1534 et 1543, qui concernent essentiellement Terre-Neuve, le golfe du Saint-Laurent et l'actuel Québec. Cartier n'est pas un écrivain, c'est un aventurier ; son témoignage est brut, sans fioritures, mais ravira les lecteurs les plus aguerris et les passionnés d'histoire.

– ***La Chasse-Galerie*** (1891), d'Honoré Beaugrand. Le conte québécois le plus populaire met en scène quelques bûcherons coincés dans leur chantier de travail à la veille de Noël. Nostalgiques de leur fiancée, ils signent un pacte avec Satan, qui les fera voler en canot d'écorce jusqu'au lieu de leur choix pourvu qu'ils ne prononcent ni injures ni le nom de Dieu. Serment difficile à tenir lorsque l'on a festoyé toute la nuit... Issu de vieilles légendes poitevines, ce conte a suivi les premiers émigrants en Nouvelle-France, où il s'est adapté aux nouvelles conditions de vie. Couché par écrit par Beaugrand, maire de Montréal entre 1885 et 1887.

– ***Bonheur d'occasion*** (1945), de Gabrielle Roy. Florentine est serveuse dans les quartiers pauvres de Montréal. Sa mère enchaîne grossesse sur grossesse et son père recherche désespérément un moyen de faire vivre décemment sa famille. La jeune fille s'évade dans son amour pour Jean et repousse les avances du doux et sage Emmanuel. Sur fond de Seconde Guerre mondiale, de misère sociale et d'ambitions brisées, ce roman poignant nous livre des destins à la Zola, nobles et tragiques, en quête de bonheur. Un magnifique portrait de groupe.

– ***L'Avalée des avalés*** (1966), de Réjean Ducharme. Une écriture inventive, un style ludique et l'histoire de la petite Bérénice, née d'une mère catholique et d'un père juif qui ont décidé de se livrer une guerre sans merci, allant jusqu'à se partager leurs rejetons. La famille vit dans la banlieue de Montréal, dans une imposante abbaye trônant au milieu d'une île au climat aride d'amour... Pour cacher ses doutes et ses angoisses, Bérénice se révolte et ne rêve plus que de guerres et d'incendies... Une œuvre passionnante et majeure de la littérature québécoise.

– ***Le Cavalier de Saint-Urbain*** (1971), de Mordecai Richler. Dans les années 1960, Jake, un réalisateur juif canadien installé à Londres depuis peu, est en pleine remise en question. En cause, le bilan peu joyeux de sa quarantaine passée et, surtout, son inculpation pour agression sexuelle. Pour échapper à son quotidien, il se crée un double, le cavalier de Saint-Urbain, le quartier juif de Montréal où il a passé son enfance. Tout ce que Jake ne peut faire, le cavalier le fait : régler ses problèmes comme chasser les nazis. Un conte moral et drôle.

– ***Chroniques du Plateau-Mont-Royal*** (6 tomes édités entre 1978 et 1997), de Michel Tremblay. Une plongée captivante et savoureuse dans le Montréal des années 1940 et 1950, en compagnie du plus populaire et prolifique des écrivains montréalais. À lire aussi, du même auteur : *Un ange cornu avec des ailes de tôle, La Nuit des Princes charmants, Le Cœur découvert, C't'à ton tour Laura Cadieux,* la trilogie *La Diaspora des Desrosiers, Bonbons assortis...* Quand on commence un Tremblay, on est presque sûr de se plonger dans le bouquin jusqu'au cou et jusqu'au bout, avant d'en entamer un autre aussi sec.

– ***Les Aurores montréales*** (1996), de Monique Proulx. Une étonnante mosaïque de nouvelles, fort différentes par les thèmes ou le ton, mais formant néanmoins un ensemble bien cohérent, sorte de méli-mélo à l'image de la ville. En multipliant les points de vue et les angles, l'auteur se coule dans la peau de divers Montréalais et réinvente à chaque fois une manière de voir et de dire, peignant ainsi un portrait vivant de Montréal. Du même auteur, *Homme invisible à la fenêtre* (1993).

– ***Nikolski*** (2005), de Nicolas Dickner. Trois récits parallèles tissent ce beau roman plein de fantaisie et d'atmosphère : celui d'un jeune libraire de Montréal sans autre ambition que celle de vivre au milieu de ses livres ; de Noah, un jeune Amérindien ayant passé toute son enfance et son adolescence à bourlinguer dans la Saskatchewan dans une camionnette avec sa mère ; et de Joyce, une jeune fille descendante de pirates et de flibustiers qui s'ennuie ferme à Tête-à-la-Baleine. Noah et Joyce décident de prendre leur vie en main et de tenter leur chance à Montréal. Les trois personnages ne vont alors cesser de se croiser, de se frôler... sans jamais se rencontrer.

– ***Je suis un écrivain japonais*** (2008), de Dany Laferrière. Un écrivain montréalais se prend de passion pour le Japon. Sur une méprise, il devient extrêmement célèbre à Tokyo. Entre amours sensuelles et flâneries montréalaises, un roman humoristique sur les dérives de la médiatisation, le nationalisme mais aussi l'amour que l'académicien Dany Laferrière porte à la littérature et la francophonie.
– ***Zombi Blues*** (2007) et ***Bizango*** (2011), de Stanley Péan. Deux polars teintés de fantastique qui entraînent le lecteur dans les bas-fonds de la société québécoise, mais aussi, et surtout, dans l'univers de la communauté haïtienne à Montréal.
– ***La Constellation du Lynx*** (2010), de Louis Hamelin. Une œuvre de fiction mais inspirée d'un fait bien réel qui a marqué l'histoire québécoise : la crise d'octobre 1970 (lire dans « Histoire. Trudeau et le FLQ »). À travers l'enquête menée par l'écrivain Samuel Nihilo sur l'assassinat du ministre du Travail Pierre Laporte par le FLQ en 1970, Louis Hamelin nous présente d'une plume libre, imagée et pleine d'humour, quels pourraient être les dessous de cet assassinat qui a entraîné l'invocation de la « loi des Mesures de guerre » par le Premier ministre Pierre Elliott Trudeau.
– ***Le Bonheur est assis sur un banc et il attend*** (2010), de Janick Tremblay. Le quotidien ordinaire des habitants d'un immeuble montréalais, de simples voisins ou des amis, des commerçants ou des retraités, qui affrontent la vie en communauté. Après le décès d'un jeune locataire, leurs liens se resserrent. Et, bien qu'ayant tous leur propre histoire, ils vont tenter ensemble de faire face à ce décès. Des personnages aussi simples qu'attachants dans un joli roman, pas des plus joyeux.
– ***Dernière Nuit à Montréal*** (2012), d'Emily St. John Mandel. Lilia a été enlevée par son père à l'âge de 7 ans. C'est le début de leur errance nord-américaine, de motel en motel, entre fuite et semblant de vacances. Christopher, un détective privé, va alors se lancer à leurs trousses, dans une quête aussi existentielle qu'obsessionnelle. Mais d'autres personnages entrent en scène : une danseuse dans une boîte de nuit montréalaise, un New-Yorkais amoureux de Lilia... Ce très beau polar est le 1er roman d'une jeune auteure talentueuse dont la carrière est en train de s'envoler.
– ***Chronique de la dérive douce*** (2012), de Dany Laferrière. Après avoir vécu quelque temps à Miami, l'écrivain haïtien le plus montréalais qui soit nous narre ici sa première année à Montréal, en 1976, tout frais débarqué de Port-au-Prince pour fuir les Tontons macoutes. C'est un roman d'apprentissage, celui d'une nouvelle vie et d'une nouvelle ville par un jeune homme d'à peine 25 ans. Une très belle écriture, alternant prose et vers libres. Du même auteur, membre de l'Académie française depuis 2015, lire aussi ***Tout ce qu'on ne te dira pas, Mongo*** (2015).

Bandes dessinées

– ***La Chasse-Galerie*** (2000), de Vincent Vanoli. Le conte d'Honoré Beaugrand (voir plus haut) revisité par un bédéiste français qui, en s'écartant quelque peu de la trame narrative originale, donne au conte un ton franchement comique. De belles illustrations en noir et blanc.
– ***Paul en appartement*** (2004), de Michel Rabagliati. On adore cette série en passe de devenir culte au Québec, couronnée au festival d'Angoulême 2010 par le prestigieux prix Fauve. Dans cette troisième aventure, Paul s'installe avec Lucie dans un nouvel appartement à Montréal. À travers les souvenirs de jeunesse et le récit de leur vie d'adulte, la chaleur des Québécois, leur esprit de famille, et bien sûr leur humour sont omniprésents. Les personnages sont aussi attachants que les dessins sont simples. Les mots sont justes et les expressions québécoises délicieuses. C'est *cute,* quoi ! Dans la même série, *Paul dans le métro, Paul à Québec* (l'un des titres les plus touchants), *Paul au parc* (l'enfance de Paul dans les années 1970 sur fond de crise politique)...

POSTE

Outre les bureaux de poste, on trouve des comptoirs postaux dans les grandes pharmacies, chez les dépanneurs, etc. Ces « minipostes » proposent tous les services, donc pas besoin de chercher ailleurs. ***Affranchissement pour l'Europe très cher : 2,50 $*** (plus 0,38 $ de taxes !) pour une carte ou lettre de 30 g maximum.

LA LETTRE AU PÈRE NOËL

Dans de nombreux pays, les lettres envoyées au Père Noël sont traitées par les services postaux qui répondent à tous les jeunes expéditeurs. Le Canada ne faillit pas à la règle et a mis en place une adresse et un code postal spécial (Pôle Nord, H0H-0H0), choisi en référence au rire caractéristique du Père Noël.

SANTÉ

Au Canada, ***les frais de santé sont très élevés*** pour les touristes étrangers (tarifs hospitaliers de 1 000 à 2 000 $ par jour selon les hôpitaux). Les hôpitaux et cliniques exigent la présentation d'une carte personnelle d'assurance pour accepter une admission. Il est donc indispensable de prendre, avant votre départ, une ***assurance voyage intégrale avec assistance rapatriement*** (voir la rubrique « Avant le départ »).

Risques et maladies

Dès la fin de l'hiver, les ***moustiques et simulies*** (mouches noires) prolifèrent et attaquent les animaux à sang chaud – l'homme en l'occurrence – avec une agressivité rare, même sous les tropiques. Seules solutions : ***moustiquaires*** et ***vêtements couvrants*** imprégnés de répulsif spécial vêtements (pour une protection optimale), ***répulsifs cutanés*** efficaces. Sur place, dans les magasins spécialisés dans le camping, on trouve toute une gamme de produits adaptés. Mais attention, étant fortement dosés, ils sont généralement inutilisables avant 12 ans. Et mauvais pour votre santé en tout état de cause. Si vous voyagez avec des enfants, achetez-en plutôt avant le départ, par exemple la gamme d'insecticides spécialisés ***Insect Ecran,*** qui existe à la fois en version cutanée mais aussi en solution de trempage, résistante à plusieurs lavages pendant 2 mois. Vous pouvez aussi opter pour les ***vêtements en filets,*** genre minimoustiquaire de tête, à accrocher à votre casquette ou bien carrément l'équivalent de la combinaison d'apiculteur (cette dernière ne se trouve qu'au Canada). Pas très sexy, mais autrement plus judicieux pour l'environnement !

Par ailleurs, les ***tiques*** sont très nombreuses dans toutes les zones forestières et arbustives, autant dire la quasi-totalité du sud du Canada. Elles peuvent transmettre une redoutable infection : la ***maladie de Lyme.*** Pour l'éviter, lors de tout séjour rural : ***bannissez les vêtements blancs*** (qui les attirent), ***couvrez-vous*** bien la tête (chapeau), les bras, les jambes et les pieds ; ***examinez-vous régulièrement de la tête aux pieds*** pour limiter les risques (il faut 24h à une tique pour transmettre la maladie). Faites-vous aider pour les parties difficilement accessibles comme dos, cuir chevelu... En cas de doute, consulter rapidement un médecin qui prescrira un traitement antibiotique d'au moins 3 semaines.

– Les ***produits et matériel utiles aux voyageurs,*** assez difficiles à trouver, peuvent être achetés par correspondance sur le site de *Santé Voyages* • *sante-voyages.com* • Infos complètes toutes destinations, boutique web, paiement sécurisé, expéditions Colissimo Expert ou Chronopost. ☎ *01-45-86-41-91 (lun-ven 14h-19h).*

Vaccins

Aucun vaccin exigé sur le sol nord-américain, mais, comme partout, soyez à jour de vos ***vaccinations « universelles »*** : tétanos, polio, coqueluche et diphtérie (Repevax), hépatites A et B. Le vaccin préventif contre la ***rage*** (maladie transmissible par à peu près tous les mammifères, y compris les chauves-souris) est recommandé pour tout séjour prolongé en zone rurale ou en contact avec des animaux.

Urgences

☎ ***911 : numéro gratuit à composer 24h/24*** pour tout type d'urgences.
Les ***urgences hospitalières*** sont souvent très, très engorgées et les délais de prise en charge très longs.

SITES INTERNET

• ***routard.com*** • Le site de voyage n° 1 avec 750 000 membres et des millions d'internautes chaque mois. Partagez vos expériences avec la communauté de voyageurs : forums de discussions, avis, bons plans et photos. Pour s'inspirer et s'organiser, plus de 250 fiches pays actualisées avec les infos pratiques, les incontournables et les dernières actualités, ainsi que des reportages terrains et des carnets de voyage. Enfin, vous trouverez tout pour vos vols, hébergements, activités et voitures pour réserver votre voyage au meilleur prix. Routard.com, votre voyage de A à Z !
• ***quebecoriginal.com*** • Site touristique officiel du Québec.
• ***tourisme-montreal.org*** • Comme son nom l'indique, site consacré à la ville de Montréal.
• ***voir.ca*** • Journal culturel très complet sur Montréal.
• ***nightlife.ca*** • Même principe que le précédent, mais davantage centré sur la culture de la nuit !
• ***quoifaireaujourdhui.com*** • Sorte d'agenda culturel de Montréal.
• ***velo.qc.ca*** • Le site de *Vélo Québec Association.* Propose de nombreux parcours à vélo, dont certains au départ de Montréal.
• ***tetesaclaques.tv*** • Ces petits clips loufoques (les « capsules » comme disent les Québécois) sont un concentré de l'humour québécois ! Absolument désopilant.
• ***alamodemontreal.com*** • Des adresses branchées de cafés, restos, boutiques de design, de déco et de mode.
• ***montreal.eater.com*** • Les meilleurs restos du moment, dans une ville d'un alléchant foisonnement culinaire. En anglais.
• ***375mtl.com*** • Site officiel de la Société des célébrations du 375e anniversaire de Montréal, en 2017. Pour suivre tous les projets et événements liés à cet anniversaire.

TABAC

Il est strictement ***interdit de fumer*** dans les édifices publics et même dans un rayon de 3 m autour des portes et fenêtres (voire 9 m s'il s'agit de bâtiments de santé ou éducatifs) ! Cela vaut aussi pour les moyens de transport, restos, bars, boîtes... et même sur la plupart des terrasses ! En outre, les cigarettes sont encore plus chères qu'en France.

TAXES ET POURBOIRES

Les taxes d'abord...

Les prix affichés ne sont pas ceux que vous paierez réellement. En passant à la caisse (quel que soit le produit ou le service), le client doit payer des taxes en plus. À Montréal, il y en a deux : la taxe de vente du Québec, appelée ***TVQ,*** qui s'élève à 9,975 %, plus la ***TPS*** fédérale (taxe sur les produits et services), qui s'élève à 5 %. Le tout revient donc à 14,975 % de plus que les prix indiqués. En matière d'hébergement, vous n'échapperez pas à la taxe spécifique et supplémentaire de 3,5 % par nuit et par chambre. Au resto, il faudra encore ajouter le service (voir ci-après).

... et le pourboire

Eh non, le service n'est pas compris ! ***Dans les restos*** (et partout où l'on est servi à table), ***il faut laisser au moins 15 % de la note finale avant taxes.*** Au Canada, les serveurs ont un salaire fixe très bas, et la majeure partie de leurs revenus provient des *tips.* Ils sont d'ailleurs imposés sur le montant des pourboires qu'ils doivent théoriquement empocher ! ***Le pourboire est une institution*** à laquelle vous ne devez pas déroger. Les Français possèdent la réputation d'être particulièrement radins et de laisser plutôt moins que les 15 % traditionnels, parfois même rien du tout. Dans certains restos, du coup, le service *(gratuity)* est parfois ajouté d'office sur la note quand les clients sont étrangers. Dans ce cas, évidemment, ne payez rien en plus. Le pourboire conseillé est parfois indiqué sur la note, ce qui évite tout malentendu ! Si vous êtes nul en calcul, pas de panique. Les terminaux de cartes de paiement proposent de le calculer pour vous (en effet, ils vous demandent en général d'indiquer soit la somme que vous souhaitez laisser, soit le pourcentage).

L'ORIGINE DU *TIP*

Au XVIIIe s, le patron d'un café outre-Manche eut l'idée de disposer sur son comptoir un pot portant l'inscription To Insure Promptness (littéralement « Pour assurer la promptitude »). Les clients pressés y glissaient quelques pièces pour être servis plus vite. Les initiales formèrent le mot tip, devenu un incontournable du savoir-vivre nord-américain.

Lorsqu'on est servi au comptoir (dans les *coffee shops,* les *self-service,* les bars), ***le tip n'est pas obligatoire.*** En revanche, il est de coutume de laisser un petit quelque chose...

Dans les ***taxis*** : il est de coutume de laisser 15 % en plus de la somme indiquée au compteur. Si vous oubliez, on ne se gênera pas pour vous faire remarquer vertement votre impair, et pour cause : les chauffeurs gagnent un salaire de misère.

Prévoir des pièces de 1 ou 2 $ pour tous les petits boulots de service où le pourboire est de mise (bagagiste dans un hôtel par exemple).

Calculer son pourboire

$	15 %	20 %	$	15 %	20 %	$	15 %	20 %	$	15 %	20 %
1	0.15	0.20	***11***	1.65	2.20	***21***	3.15	4.20	***55***	8.25	11
2	0.30	0.40	***12***	1.80	2.40	***22***	3.30	4.40	***60***	9	12
3	0.45	0.60	***13***	1.95	2.60	***23***	3.45	4.60	***65***	9.75	13
4	0.60	0.80	***14***	2.10	2.80	***24***	3.60	4.80	***70***	10.50	14
5	0.75	1	***15***	2.25	3	***25***	3.75	5	***75***	11.25	15
6	0.90	1.20	***16***	2.40	3.20	***30***	4.50	6	***80***	12	16
7	1.05	1.40	***17***	2.55	3.40	***35***	5.25	7	***85***	12.75	17
8	1.20	1.60	***18***	2.70	3.60	***40***	6	8	***90***	13.50	18
9	1.35	1.80	***19***	2.85	3.80	***45***	6.75	9	***95***	14.25	19
10	1.50	2	***20***	3	4	***50***	7.50	10	***100***	15	20

TÉLÉCOMMUNICATIONS

Règles de base pour téléphoner du Canada

- *Canada → France :* 011 + 33 + numéro du correspondant (sans le 0 initial).
- *France → Montréal :* 00 (tonalité) + 1 + 514 + numéro du correspondant à 7 chiffres.
- *France → Canada :* 00 (tonalité) + 1 + indicatif de la région (l'« indicatif régional ») + numéro du correspondant à sept chiffres.
- Pour les appels locaux à l'intérieur même des régions, ***composer le numéro complet à 10 chiffres,*** c'est-à-dire l'indicatif régional (514 à Montréal) suivi du numéro à 7 chiffres. En revanche, le numéro d'urgence ☎ *911* est valable quelle que soit la localité. Par souci de cohérence, les numéros de téléphone sont présentés dans le texte avec l'indicatif téléphonique.
- ***Les numéros de téléphone gratuits à l'intérieur du pays commencent par 1-800, 1-855, 1-866, 1-877 et 1-888.*** Ce service gratuit peut être limité à une zone spécifique du Canada ou des États-Unis, mais il peut aussi couvrir les deux pays. La plupart des établissements touristiques en ont un et nous les indiquons aussi souvent que possible. Ils ne fonctionnent pas depuis l'Europe.
- ***Évitez de téléphoner depuis les hôtels,*** qui pratiquent presque toujours des tarifs prohibitifs.

Téléphone portable

De nouvelles mesures de sécurité sont en vigueur depuis 2015 dans les aéroports : les ***appareils électroniques*** (smartphones, tablettes, portables...) ***doivent être chargés*** et en état de fonctionnement ***pour tous les vols allant ou passant par les États-Unis et Londres.*** Les agents de contrôle doivent pouvoir être en mesure de les allumer. Par précaution, ayez votre chargeur à portée de main. Si votre appareil est déchargé ou défectueux, il sera confisqué. Cette mesure étant susceptible d'être étendue à d'autres aéroports, nous vous conseillons de charger vos appareils électroniques avant le vol, quelle que soit votre destination.

Le routard peut utiliser son propre téléphone portable au Québec avec l'option « Monde », à condition qu'il soit ***tri-bande ou quadri-bande.*** Pour être sûr que votre appareil est compatible avec votre destination, renseignez-vous auprès de votre opérateur.
- ***Activer l'option « international » :*** pour les abonnés récents, elle est en général activée par défaut. En revanche, si vous avez souscrit à un contrat depuis plus de 3 ans, pensez à contacter votre opérateur (au moins 48h avant le départ) pour demander cette option (gratuite).
- ***Le « roaming » :*** c'est un système d'accords internationaux entre opérateurs. Concrètement, cela signifie que lorsque vous arrivez dans un pays, au bout de quelques minutes, le nouveau réseau s'affiche automatiquement sur l'écran de votre téléphone.
- Vous recevez rapidement un sms de votre opérateur qui propose un ***pack voyageurs*** plus ou moins avantageux, incluant un forfait limité de consommations téléphoniques et de connexion internet. À vous de voir...
- ***Tarifs :*** ils sont propres à chaque opérateur et varient en fonction des pays. N'oubliez pas qu'à l'international vous êtes facturé aussi bien pour les appels sortants que les appels entrants. Ne papotez donc pas des heures en imaginant que c'est votre interlocuteur qui paie !
- ***Internet mobile :*** utiliser le wifi à l'étranger et non les réseaux 3G ou 4G. Sinon

on peut faire exploser les compteurs, avec au retour de voyage une facture de plusieurs centaines d'euros ! Le plus sage consiste à ***désactiver la connexion*** « données à l'étranger » (dans « Réseau cellulaire »). Il faut également penser à ***supprimer la mise à jour automatique de votre messagerie*** qui consomme elle aussi des octets sans vous avertir (option « Push mail »). Opter pour le mode manuel. Cependant, des opérateurs incluent de plus en plus de *roaming data* (donc de connexion internet depuis l'étranger) dans leurs forfaits avec des formules parfois spécialement adaptées à l'Europe. Bien vérifier le coût de la connexion auprès de son opérateur avant de partir.

Bons plans pour utiliser son téléphone portable à l'étranger

– ***Acheter une carte SIM/puce sur place :*** c'est une option très avantageuse pour certaines destinations. Il suffit d'acheter à l'arrivée une carte SIM locale prépayée chez l'un des nombreux opérateurs *(Bell, Telus, Virgin Mobile, Rogers...)*, représentés dans les boutiques de téléphonie mobile des principales villes du pays et souvent à l'aéroport. On vous attribue alors un numéro de téléphone local et un petit crédit de communication. Avant de signer le contrat et de payer, essayez donc, si possible, la carte SIM du vendeur dans votre téléphone – préalablement débloqué – afin de vérifier si celui-ci est compatible. Ensuite, les cartes permettant de recharger votre crédit de communication s'achètent facilement dans les boutiques de téléphonie mobile, les supermarchés, les stations-service, les drugstores... C'est toujours plus pratique pour trouver son chemin vers un *B & B* paumé, réserver un hôtel, un resto ou une visite guidée, et bien moins cher que si vous appeliez avec votre carte SIM personnelle.
– ***Se brancher sur les réseaux wifi*** est le meilleur moyen de se connecter au Web gratuitement ou à moindre coût. La quasi totalité des hébergements et une majorité de restos et bars disposent d'un accès au réseau, presque toujours gratuit.
– Une fois connecté grâce au wifi, à vous les joies de la ***téléphonie par Internet*** ! Le logiciel ***Skype,*** le plus répandu, vous permet d'appeler vos correspondants gratuitement s'ils sont eux aussi connectés, ou à coût très réduit si vous voulez les joindre sur leur téléphone. Autre application très pratique : ***Viber.*** Elle permet d'appeler et d'envoyer des sms, des photos et des vidéos aux quatre coins de la planète, sans frais. Il suffit de télécharger – gratuitement – l'appli sur son smartphone, celle-ci se synchronise avec votre liste de contacts et détecte automatiquement ceux qui ont *Viber.* Même principe avec ***WhatsApp,*** qui permet de téléphoner, de recevoir ou d'envoyer des messages photo, notes vocales et vidéos. De plus en plus de fournisseurs de téléphonie mobile offrent des journées incluses dans votre forfait, avec appels téléphoniques, SMS, voire MMS et même connexion internet en 3G limitée pour communiquer de l'étranger vers la France. Il s'agit de l'offre ***Origami Play*** et ***Origami Jet*** chez Orange, des ***Forfaits Sensation 3Go, 8Go, 16Go*** chez Bouygues Telecom ou encore du ***Pack Destination*** chez Free. Les destinations incluses dans votre forfait évoluant sans cesse, ne manquez pas de consulter le site de votre fournisseur.

En cas de perte ou de vol de votre téléphone portable

Suspendre aussitôt sa ligne permet d'éviter de douloureuses surprises au retour du voyage ! Voici les numéros des quatre opérateurs français, accessibles depuis la France et l'étranger :

– ***SFR :*** *depuis la France : ☎ 1023 ; depuis l'étranger : 📱 + 33-6-1000-1023.*
– ***Bouygues Télécom :*** *depuis la France comme depuis l'étranger : ☎ + 33-800-29-1000.*
– ***Orange :*** *depuis la France comme depuis l'étranger : 📱 + 33-6-07-62-64-64.*
– ***Free :*** *depuis la France : ☎ 3244 ; depuis l'étranger : ☎ + 33-1-78-56-95-60.*

Vous pouvez aussi demander la suspension de votre ligne depuis le site internet de votre opérateur.

Avant de partir, notez (ailleurs que dans votre téléphone portable !) votre numéro IMEI utile pour bloquer à distance l'accès à votre téléphone en cas de perte ou de vol. Comment avoir ce numéro ? Il suffit de taper sur votre clavier *#06# puis reportez-vous au site • *mobilevole-mobilebloque.fr* •

Internet et wifi

Wifi disponible gratuitement presque partout (hôtels, *B & B,* AJ, cafés, bars, restos...). En revanche, ***cybercafés*** en voie d'extinction.

TRANSPORTS

En métro et en bus

On circule facilement et rapidement dans toute la ville en combinant ces deux moyens de transports en commun.

Le métro est en service de 5h30 à 0h30 (1h le samedi). Plan gratuit dans les stations, indiquant également les connexions du métro avec la « ville souterraine » (à lire dans « Hommes, culture, environnement »). Près de 200 lignes de bus sillonnent Montréal et ses environs dans la journée. La nuit, on en compte une vingtaine. Métros et bus urbains sont gérés par la *STM* (même ticket).

Si vous n'avez que quelques trajets à effectuer, vous pouvez acheter un ticket à l'unité pour 3,25 $, deux unités pour 6 $ ou une carte de 10 tickets à 26,50 $; gratuit pour les moins de 5 ans. La *STM* propose aussi des ***cartes touristiques*** pour 1 jour (10 $) et 3 jours consécutifs (18 $). Également une formule de ***carte à puce rechargeable,*** la *carte OPUS,* en vente toute l'année dans pratiquement toutes les stations de métro, les centres d'informations touristiques et les tabagies (bureaux de tabac). Compter 6 $ pour l'achat de la carte, à recharger ensuite à sa guise. Ceux qui font un séjour prolongé pourront opter pour la carte hebdomadaire (lundi-dimanche) à 25,50 $ ou 15,50 $ pour les 6-17 ans et 65 ans et plus (ajouter 6 $ pour l'achat de la carte), voire pour la carte mensuelle (valide du 1er au 31 ; 82 $; réduc). Noter enfin l'existence d'une carte week-end (valable du vendredi 18h au lundi 5h ; 13 $), ainsi que la carte soirée, illimitée à partir de 18h au prix de 5 $.

Le ***métro*** de Montréal est sécurisé, simple et propre, mais il y fait toujours très chaud en toute saison. ***Les réseaux de bus et de métro sont entièrement interconnectés*** ; on passe de l'un à l'autre gratuitement (pensez à conserver vos titres de transport pour les correspondances). Attention quand même aux fréquences des bus, qui se font parfois attendre un peu. Des horaires sont affichés à presque tous les arrêts (en général, de 5h15 à 1h ou 2h selon la ligne et le jour). En principe et sous certaines conditions, les ***vélos*** sont autorisés dans le métro en semaine de 10h à 15h, et de 19h jusqu'à la fermeture, ainsi que les week-ends et jours fériés toute la journée, sauf en cas d'*achalandage,* autrement dit aux heures de pointe.

Plus de renseignements auprès des deux organismes qui gèrent le réseau des transports en commun, incluant les trains de banlieue :

■ ***STM (Société des transports de Montréal) :*** *☎ 514-786-4636.* • *stm.info* •

■ ***AMT (Agence métropolitaine des transports) :*** *☎ 514-287-8726.* • *amt.qc.ca* •

À vélo ou à rollers

Montréal peut se parcourir à vélo (avec quelques belles grimpettes). Pensez à porter un casque. La ville est équipée d'un très populaire système de ***vélos en libre-service, Bixi,*** totalisant 460 stations à travers la ville. Muni d'une carte de paiement, on s'enregistre à une borne, puis on retire un vélo. Cette formule revient néanmoins assez cher pour un touriste de passage : l'accès coûte 5 $/j. et 12 $ pour 3 j. ; la première demi-heure est gratuite, puis on paie 1,75 $ pour

la demi-heure suivante, 3,50 $ pour celle d'après et, au-delà de 90 mn, 7 $ pour 30 mn supplémentaires. Sachez que vous devrez faire un « dépôt de sécurité » de... 250 $ par carte de crédit ! Vous le récupérerez au bout de 10 jours, un peu rédhibitoire ! Plus d'infos sur : • *montreal.bixi.com* •
Les ***pistes cyclables*** sont bien aménagées et respectées par les automobilistes comme par les piétons. De plus, la circulation reste à toute heure étonnamment sage pour une ville de ce calibre. Le réseau cyclable de l'île de Montréal est relié à celui de la banlieue par des ponts aménagés, par un service de traversiers (bacs) ainsi que par le métro (vélos autorisés gratuitement en dehors des heures de pointe). L'office de tourisme délivre ***l'excellente carte Pédaler à Montréal*** pour 5 $. Sinon, vous pouvez consulter le site • *pedalmontreal.ca* • Au total, près de 680 km de pistes cyclables sillonnent l'île de Montréal.

Dans le Vieux-Montréal

■ ***Ça Roule Montréal*** *(zoom détachable Centre, D5,* ***13****)* **:** *27, rue de la Commune Est. ☎ 514-866-0633 ou 1-877-866-0633. • caroulemontreal.com • Ⓜ Place-d'Armes. Dans le Vieux-Montréal. En été, tlj 9h-19h (18h si mauvais temps) ; hors saison, selon conditions météo (tél avt de venir). En principe, fermé déc-fév (mars et nov slt sur résa). Tarifs : vélo env 30 $/j., tandem 70 $/j., rollers 20 $/j. Un peu plus cher les w-e et j. fériés. Plan des pistes cyclables, casque et antivol fournis.* Propose également des tours guidés à vélo avec **Guidatour** *(• guidatour.qc.ca •) Env 70 $/j. la balade, loc de vélo incluse. Résa indispensable. Départs à 9h30 (juil-août slt) ou 14h de la boutique.* Propose 3 ***tours thématiques*** d'une durée de 4h avec un guide professionnel qui vous expliquera toutes les « montréalités » de la ville, du Vieux-Port au Mont-Royal en passant par le Quartier latin, le parc La Fontaine et le Vieux-Montréal.

Sur le Plateau Mont-Royal

■ ***Bicycletterie J.R.*** *(zoom détachable Le Plateau, D3,* ***14****)* **:** *201, rue Rachel Est, à l'angle de l'avenue de l'Hôtel-de-Ville. ☎ 514-843-6989. • labicycletteriejr.com • Ⓜ Mont-Royal. Lun-mer 9h-18h (21h jeu-ven) ; w-e 10h-17h. Pause à midi. Loc de vélos env 15 $ pour 4h, 24 $/j., 65 $/sem (puis 50 $/sem supplémentaire), casque et antivol inclus.*

■ ***Le Vélodidacte*** *(zoom détachable Le Plateau, D3,* ***15****)* **:** *4468, rue Brébeuf. ☎ 514-522-5499. • velodidacte.com • Ⓜ Mont-Royal. Lun-mer 9h-18h, jeu-ven 9h-20h, sam 10h-16h, dim 10h-15h. Loc env 15 $ pour 3h, 30 $/j., casque et antivol inclus. Loue aussi des* Fat-bikes *env 25 $ pour 3h, 35 $/j.*

En taxi

Facile de trouver un taxi à Montréal. Contrairement à leurs collègues français, les taxis québécois ne facturent jamais leur trajet jusqu'à votre adresse lorsque vous téléphonez à un central : le compteur ne démarre que lorsque vous montez à bord ; il n'y a pas non plus de supplément de nuit.
Nous vous conseillons *COOP (☎ 514-725-9885),* une compagnie efficace dont les chauffeurs sont propriétaires de leurs véhicules et tiennent donc beaucoup à leur bonne réputation. Mais il y en a d'autres, notamment la grosse compagnie *Champlain (☎ 514-271-1111).* Et n'oubliez pas le *tip* si vous ne voulez pas vous faire enguirlander !

En voiture

Louer une voiture à Montréal est souvent plus difficile qu'ailleurs au Québec car, « en ville », beaucoup de gens ne possèdent pas de voiture et en louent le week-end. Néanmoins, ce ne sont pas les loueurs qui manquent.

Pour louer une voiture, il faut ***avoir au minimum 20 ans,*** mais la plupart des agences demandent un supplément quotidien (25-30 $/j.) aux chauffeurs de moins de 25 ans ; certaines refusent même de leur en louer. ***Quel que soit l'âge, avoir une carte de paiement est indispensable :*** elle est toujours exigée et sert de garantie aux loueurs. Le permis de conduire français est reconnu au Canada (1 an de permis minimum pour une location).

Louer depuis la France

■ ***BSP Auto :*** *☎ 01-43-46-20-74 (tlj).* • *bsp-auto.com* • Les prix proposés sont attractifs et comprennent le kilométrage illimité et les assurances. *BSP Auto* vous propose exclusivement les grandes compagnies de location sur place, vous assurant un très bon niveau de service. Les plus : vous ne payez votre location que 5 jours avant le départ. Remise spéciale de 5 % aux lecteurs de ce guide avec le code « ROUTARD17 ».

■ Et aussi : ***Hertz*** *(☎ 0825-861-861, 0,15 €/mn ; • hertz.com •),* ***Avis*** *(☎ 0821-230-760, 0,08 €/mn ; • avis.fr •),* ***Europcar*** *(☎ 0825-358-358, 0,15 €/mn ; • europcar.fr •),* ***Budget*** *(☎ 0825-00-35-64, 0,15 €/mn ; • budget.fr •).*

Louer à Montréal

■ ***Via Route :*** *☎ 1-888-842-7688. Plusieurs agences à Montréal, notamment au 5180, av. Papineau (☎ 514-521-5221).* • *viaroute.com* • Souvent des tarifs assez intéressants. Autre avantage : on peut faire un tour aux États-Unis avec le véhicule moyennant un petit supplément (kilométrage forfaitaire accordé).

Conduire une voiture automatique

Il n'y a pratiquement que cela au Canada. Voici la signification des différentes commandes internes :
P : Parking (à enclencher lorsque vous stationnez).
R : Reverse (marche arrière).
N : Neutral (point mort).
D : Drive (position de conduite que vous utiliserez quasiment tout le temps).
1, 2 et 3, ou I et L : vous sélectionnez votre propre rapport de boîte (bien utile en montagne ou dans certaines côtes mais ça consomme plus d'essence).
Il n'y a que deux pédales : le frein et l'accélérateur. Seul le pied droit est donc utile ! L'un comme l'autre sont assez sensibles, alors appuyez délicatement pour freiner ou accélérer ! Et lorsque vous passez de la position « P » à une autre, appuyez toujours sur le frein sinon vous risquez de faire un bond ! Les véhicules récents refusent de quitter le point « P » tant que vous n'avez pas posé le pied sur le frein, non mais !

Quelques règles de conduite

– ***Les feux tricolores :*** appelés « lumières », ils sont situés APRÈS le carrefour et non avant comme chez vous. Si vous marquez le stop au niveau du feu, vous serez donc en plein carrefour. Autant vous dire qu'après une ou deux incartades (et la frayeur qui va avec !), on prend vite le pli !
– ***Tourner à droite au feu rouge, à une intersection :*** strictement interdit sur l'île de Montréal.
– ***« Virage protégé au clignotement du feu vert » :*** aux intersections, cela signifie que vous êtes prioritaire et que vous pouvez tourner sans risque, la file d'en face étant à l'arrêt.
– La ***priorité à droite n'existe pas au Canada.*** Aux croisements dotés de stops pour toutes les voies (ou feux rouges clignotants), la règle veut que le premier arrivé passe en premier.

– Quand un ***bus scolaire jaune*** s'arrête, des feux rouges s'allument et un petit panneau « Arrêt » s'affiche sur la portière du conducteur. Toutes les voitures doivent s'arrêter, celles qui suivent comme celles qui viennent en face. Interdit de redémarrer avant que les clignotants s'éteignent, même s'il n'y a pas d'enfants... C'est l'une des infractions les plus graves au code de la route canadien et l'amende est très salée.
– Les ***parkings*** (pardon, les stationnements) sont toujours payants et assez chers, particulièrement ceux des hôtels. Mais, surtout, ***stationner dans une rue de Montréal*** est un véritable casse-tête pour le néophyte ! Ici, le stationnement est interdit le jeudi et le vendredi entre 9h et 10h d'avril à octobre. Là, c'est interdit le mardi avant 21h, et là c'est payant 24h/24, etc. Quant aux stationnements résidentiels (payant ou gratuits), certains sont autorisés mais également à certaines heures ou certains jours. Bref, ***bien lire les panneaux*** (des flèches sur ceux-ci indiquent la zone concernée). Même les Montréalais y regardent à deux fois avant de laisser leur véhicule en toute quiétude... Concernant les ***stationnements payants par horodateur,*** il faudra mémoriser son numéro d'emplacement et le saisir sur le clavier avant de payer. À Montréal, pas besoin de poser son justificatif de paiement sur le tableau de bord, le règlement est enregistré dans l'horodateur avec votre numéro d'emplacement. On peut également régler de son mobile, avec sa carte bleue. Attention, les contrôles sont très fréquents et l'amende pour défaut de paiement ou interdiction de stationnement va de 53 $ à plus de 100 $. Quant au stationnement sur une voie de bus, devant une entrée de bâtiment administratif ou d'une borne d'incendie, c'est direct une ***mise en fourrière*** ! Bref, utilisez les parkings publics, cela vous évitera bien des désagréments.

TRAVAILLER À MONTRÉAL

Il existe dans ce domaine des accords particuliers destinés aux 18 à 35 ans. Chaque année, plus de 10 000 jeunes Français peuvent ainsi partir travailler au Canada, ainsi qu'un nombre plus limité de jeunes Belges (de 18 à 30 ans) et Suisses.

Formalités pour ceux qui ont déjà trouvé un job temporaire

Toute personne qui n'a ni la citoyenneté canadienne ni le statut d'immigrant « reçu » et qui veut travailler ou étudier à Montréal doit être ***en possession d'un permis.*** Il faut savoir qu'au Canada un stage, même s'il est non rémunéré ou de courte durée, est considéré comme un emploi. Dans le cadre de l'accord de mobilité franco-canadien, l'*Expérience internationale Canada* (EIC) propose différents programmes, recoupant diverses options (emploi d'été pour étudiants, programme vacances-travail, jeunes professionnels, stage Coop international, etc.), qui permettent d'obtenir un visa de travail temporaire selon un système de quotas. La procédure de soumission des demandes de participation, détaillée sur • *canadainternational.gc.ca/France* •, se fait à l'occasion de plusieurs sessions ouvertes chaque année et selon le principe du premier arrivé premier servi (les quotas étant parfois atteints en moins de 30 minutes, la meilleure stratégie consiste à être prêt bien avant la date d'ouverture). La démarche, entièrement en ligne, comporte deux étapes.
Dans un premier temps, il vous faut déposer une demande de participation auprès d'*EIC,* via un formulaire en ligne (sur un compte « Kompass » préalablement créé sur leur site), accompagné des documents requis numérisés et du règlement des frais de participation (environ 160 €). Si votre demande est acceptée, vous aurez 15 jours pour procéder à l'étape 2 : adresser une demande de permis de travail à *Citoyenneté et Immigration Canada* (CIC) par l'intermédiaire d'un compte créé en ligne sur leur site (compte « MonCIC »). Après évaluation positive de votre dossier,

vous recevrez une lettre d'introduction au PDE (point d'entrée). Délai d'obtention du visa, si obtention il y a : 5 à 8 semaines.
Le permis de travail est délivré à votre arrivée à l'aeroport. Ceux qui obtiennent un visa de travailleur temporaire reçoivent une « carte fédérale », fournie par le gouvernement du Canada et qui donne droit à un numéro d'assurance sociale... et c'est tout. Une « carte provinciale » obtenue à la Régie de l'assurance maladie du Québec (pour le seul Québec, évidemment !) donne un autre numéro qui permet, lui, d'obtenir les soins gratuits.
– À Montréal, vous pourrez communiquer, si nécessaire, avec ***Immigration Québec*** : *☎ 514-864-9191 ; lun-ven 8h (10h30 mer)-16h30. • immigration-quebec.gouv.qc.ca •*

Organismes susceptibles de procurer un stage ou un job

■ ***Office franco-québécois pour la jeunesse (OFQJ) :*** *11, passage de l'Aqueduc, 93200 Saint-Denis. ☎ 01-49-33-28-50. • ofqj.org • Ⓜ Saint-Denis-Basilique. Infos téléphoniques lun-ven 9h30-12h30, 14h-17h. Centre de ressources sur rdv. Ateliers thématiques mar et jeu sur rdv.* Fondé en 1968, l'OFQJ accompagne plus de 10 000 jeunes chaque année de chaque côté de l'Atlantique, développant des programmes de mobilité professionnelle pour favoriser l'accès à l'emploi de tous les jeunes : stages obligatoires pour les étudiants, stages de perfectionnement pour les demandeurs d'emploi (banque de stages en ligne), emplois temporaires (listes d'entreprises) et missions de service civique. L'OFQJ propose également des missions thématiques pour les jeunes professionnels et des missions de soutien à l'export des entrepreneurs (appels à candidatures sur *• ofqj.org •* ou soutien aux projets déjà structurés). Sur le site de l'OFQJ, vous trouverez des infos pratiques sur les différents programmes et leur mise en œuvre, les offres de stage, les appels à candidatures, des renseignements sur la meilleure manière de se préparer et d'arriver au Québec, etc. Le Centre de ressources en ligne permet de s'inscrire aux ateliers thématiques (emploi, stage, PVT...) : *mar et jeu à 14h sur place (ou sur • go.ofqj.org •)* et donne accès à de nombreux contacts.

■ ***Expérience Internationale :*** *21, rue Frédérick-Lemaître, 75020 Paris. ☎ 01-43-15-09-48. • experience-internationale.fr • Ⓜ Jourdain.* Pour les jeunes professionnels de l'agriculture et les jeunes en formation dans les filières agricoles entre 18 et 35 ans qui souhaitent vivre une expérience de travail et de vie en milieu agricole à l'étranger. Stages de 3 mois à 1 an. Formation agricole et expérience (stage ou emploi) requises de 6 mois minimum. Permis obligatoire.

MONTRÉAL

INFORMATIONS UTILES 69
OÙ DORMIR ? 74
OÙ MANGER ? 83
OÙ SE SUCRER LE BEC ? 93
OÙ DÉGUSTER UNE BONNE GLACE ? 93
OÙ BOIRE UN VERRE ? OÙ S'ÉCLATER EN MUSIQUE ? OÙ DANSER ? OU LES TROIS EN MÊME TEMPS 94
ACHATS 100
À VOIR. À FAIRE 101

• Pour les plans de la ville et celui du métro, se reporter au plan détachable en fin de guide.

INFORMATIONS UTILES

• **Arriver – Quitter** 69
• En avion • En bus • En train • En minibus • En stop et covoiturage
• **Adresses utiles** 71
• Informations touristiques • Représentations étrangères • Services • Internet • Urgences, santé • Change • Compagnies aériennes • Tourisme • Culture • Loisirs

Arriver – Quitter

En avion

Tous les vols internationaux se posent à Montréal-Trudeau (anciennement Dorval), à 22 km au sud-ouest du centre de Montréal.

✈ ***Aéroport de Montréal :*** *☎ 514-394-7377 ou 1-800-465-1213. • admtl.com •* Site très complet (horaires des vols, des navettes, tarifs, etc.). À l'aéroport, les services habituels : consigne à bagages (niveau Arrivées ; fermée minuit-4h), *ATM,* bureau de change (taux peu intéressant)... Le bureau d'informations touristiques est ouvert 24h/24. Les agences de location de voitures sont situées dans le parking, face aux Arrivées.

➢ ***Bus express vers le centre-ville :*** *• stm.info • ☎ 514-786-4636.* Bus nº 747, bon marché et on ne peut plus direct ; départs ttes les 10-20 mn, 24h/24. Le *pass* coûte 10 $. Valable pendant 24h sur le réseau de transports publics urbains (métro et bus). Également forfait 3 jours, hebdo ou mensuel (lire « Transports » dans « Montréal utile »). Achat au distributeur (avec une carte *Visa* ou en liquide). Le bus remonte le boulevard René-Lévesque, desservant une dizaine d'arrêts pour finir à Berri-UQAM, centre névralgique de la ville (gare routière, nombreuses connexions). Compter 40 mn-1h selon trafic.

➢ ***Taxis :*** un employé vous indiquera la marche à suivre. Tarif fixe pour le centre-ville : 40 $.

En bus

Gare d'autocars de Montréal *(zoom détachable Centre, D4)* **:** *1717, rue Berri. ☎ 514-842-2281. • gamtl.com • Ⓜ Berri-UQAM.* Consignes et bureau de change. Pour de nombreuses destinations, il est préférable, soit d'acheter ses billets 1 semaine à l'avance (surtout vers New York), soit de se renseigner sur les forfaits touristes. Dans les deux cas, il est possible de gagner jusqu'à 40 % de réduction.

Plusieurs ***compagnies d'autobus grandes lignes*** :

■ ***Orléans Express :*** *☎ 514-395-4000 ou 1-888-999-3977. • orleansexpress.com •*

- **Limocar :** ☎ 866-692-8899. • *limocar.ca* •
- **Intercar :** ☎ 800-806-2167. • *intercar.qc.ca* •
- **Galland :** ☎ 450-687-8666. • *autobusgalland.com* •
- **Maheux :** ☎ 819-797-3200. • *autobusmaheux.qc.ca* •
- **Greyhound :** ☎ 800-661-8747. • *greyhound.ca* •
- **Megabus :** ☎ 705-748-6411 ou 866-488-4452. • *megabus.com* •

➢ ***Pour Trois-Rivières et Québec :*** nombreux bus quotidiens. Env 2h de trajet pour Trois-Rivières et 3h15 pour Québec.
➢ ***Pour la Gaspésie et le Nouveau-Brunswick :*** bus avec *Orléans Express*. Pour Gaspé, env 15h de trajet en bonne saison, avec changement à Rimouski.
➢ ***Pour les Laurentides :*** env 2-3 bus/j. avec les compagnies *Galland et Maheux*. Terminus à Mont-Laurier pour la première, à Rouyn-Noranda pour la seconde.
➢ ***Pour Lanaudière :*** une quinzaine de bus/j. pour Joliette (circuit 50), nettement moins pour Saint-Donat (circuit 125) avec les bus du Conseil régional de transport de Lanaudière *(départ du Terminus Radisson, 7155, rue Sherbrooke Est). Rens : • jembarque.com •*
➢ ***Pour Ottawa, Hull et Gatineau :*** bus ttes les heures 5h15-minuit avec *Greyhound*. Compter 2h30 de route pour Ottawa. Correspondances pour Toronto.
➢ ***Pour Toronto :*** bus ttes les heures 6h30-minuit avec *Megabus*. Compter env 6h de trajet.
➢ ***Pour Sherbrooke et les Cantons-de-l'Est :*** avec *Transdev Limocar*, env ttes les heures 6h-22h45. Env 2-3h30 de trajet.
➢ ***Pour New York :*** env 10 bus/j. 7h-minuit avec *Greyhound* et *Adirondack*. Prévoir 7h30-9h de route.
➢ ***L'épopée Montréal-Vancouver :*** 2 départs/j. avec *Greyhound*. Compter 75h de voyage ! Bref, c'est la grosse expédition, mais il faut bien penser aux fanatiques de *road movies*... Assez cher quand même : plus de 400 $, taxes comprises ; mais slt 150 $ env si on achète son billet 14 j. à l'avance...

En train

Gare centrale *(plan détachable, C4)* **:** *935, rue de la Gauchetière Ouest ; une autre entrée sur University et Belmont. ☎ 1-800-268-9503 ou 1-888-VIA-RAIL. • viarail.ca • Depuis les États-Unis : ☎ 1-800-872-7245 (Amtrak). Réduc de 30 % si résa 10 j. à l'avance et 20 % min 5 j. avt le départ (selon dispos) ; également des tarifs de dernière minute (jusqu'à - 50 % !).* Arrivées et départs depuis/vers le reste du Québec et du Canada, ainsi que depuis les États-Unis. Consignes *(lun, mar, jeu et sam 5h15-18h30 ; mer, ven et dim 7h30-19h)*. On peut laisser ses bagages pendant 24h max en présentant un billet de train valide.

➢ ***Pour la ville de Québec :*** env 4-5 départs/j. en été, 4 le reste de l'année, bien répartis dans la journée. Trajet env 3h30.
➢ ***Pour Ottawa et Toronto :*** 6-7 trains/j. Compter env 2h de trajet pour Ottawa et 5h pour Toronto.

En minibus

➢ ***Vers Gaspé : Taxi Fortin et Fils*** *(qui assure la liaison depuis 1949 !). ☎ 418-269-3454. Départs mar, jeu et sam en minibus (11 places). Résa conseillée 2-3 j. à l'avance. Compter env 110 $ pour Gaspé.* On vient vous chercher là où vous êtes dans Montréal, ce qui est bien pratique. Plus rapide que le bus (comptez quand même 12-14h pour Gaspé, arrêts pipi et repas inclus).

En stop et covoiturage

Ici, on dit : « Je vais sur le pouce à... »

- ***Allo Stop :*** • *allostop.com* • Inscription en ligne gratuite, mais commission de 4 $/pers pour mettre en relation conducteurs et stoppeurs. Montréal-Québec env 17 $, plus commission. En général, ça marche assez bien.

Allo Stop possède également deux concurrents, ***Amigo Express*** *(• amigoexpress.com •)* et ***Le Réseau de Covoiturage*** *(• covoiturage.ca •)*.

Adresses utiles

Informations touristiques

Centre Infotouriste *(Tourisme Québec ; plan détachable, C4,* **1**) **:** *1255, rue Peel, sur le sq. Dorchester. ☎ 514-873-2015 ou ☎ 1-877-266-5687. • tourisme-montreal.org • Ⓜ Peel. 9 mai-9 oct tlj 9h-18h ; le reste de l'année, 9h-17h, sf 25 déc et 1er janv.* Une mine de renseignements sur Montréal et les autres régions du Québec. Demander la « carte touristique officielle » de Montréal (plan très précis), *Le Guide Touristique de Montréal* – brochure très complète. En plus, accès à de nombreux services : résas d'hôtels, de gîtes, de certaines résidences étudiantes, visites guidées, location de voitures, plan des pistes cyclables de la ville et des environs...

Bureau d'accueil touristique Vieux-Montréal *(zoom détachable Centre, D4,* **5**) **:** *174, rue Notre-Dame Est (entre les rues Saint-Vincent et Jacques-Cartier). • tourisme-montreal.org • Ⓜ Champ-de-Mars. Tlj : mai et oct 10h-18h, juin-sept 9h-19h. Fermé nov-avr.* C'est le petit bureau saisonnier du Vieux-Montréal. Parfois débordé, mais toujours attentionné. Plans et brochures.

– **Cité Mémoire :** *ts les soirs de la tombée de la nuit à 23h (minuit mi-mai à mi-sept).* Appli gratuite à télécharger : « Montréal en Histoires ». Parcours urbain multimédia gratuit, en tout une vingtaine de tableaux projetés sur les murs, le sol ou même les arbres de la vieille ville, illustrant un fait marquant de l'histoire de Montréal, un personnage connu ou une tranche de vie.

• *375mtl.com* • Pour tout savoir sur les nombreuses animations prévues pour commémorer le 375e anniversaire de Montréal, tout au long de l'année 2017.

Représentations étrangères

Consulat de France *(plan détachable, C4,* **2**) **:** *1501, McGill College, au 10e étage, bureau 1000. ☎ 514-878-4385. • consulfrance-montreal.org • Ⓜ McGill. Bus no 24 (arrêt Sherbrooke – McGill-College) et no 15 (arrêt Sainte-Catherine-University). Lun-ven 8h30-12h (16h30 par tél).*

Consulat de Belgique *(plan détachable, C4,* **3**) **:** *999, bd de Maisonneuve Ouest, suite 1600. ☎ 514-849-7394 ou (slt en cas d'extrême urgence) 514-236-5402. • diplomatie.be/montrealfr • Ⓜ Peel (sortie « Metcalfe »). Lun-ven 8h-13h (16h30 par tél).*

Consulat de Suisse *(plan détachable, B4)* **:** *1572, av. du Dr-Penfield (angle Côte-des-Neiges). ☎ 514-932-7181. • eda.admin.ch/montreal • Ⓜ Guy-Concordia puis bus no 165 ou no 435. Lun-ven 10h-13h (12h ven).*

Consulat des États-Unis *(zoom détachable Centre, C4)* **:** *1155, rue Saint-Alexandre. ☎ 514-398-9695. • montreal.usconsulate.gov • Ⓜ Place-d'Armes ou Square-Victoria. Lun-ven 8h15-17h.* Prendre rendez-vous au préalable sur Internet.

Renouvellement du visa *(plan détachable, B4)* **: Citoyenneté et Immigration Canada,** *1010, rue Saint-Antoine Ouest, 2e étage. ☎ 1-877-858-3762 et 1-888-242-2100. • QC-Multi@cic.gc.ca • cic.gc.ca • Lun-ven 8h-16h. Sur place, slt sur rdv.* Fournit les formulaires à remplir pour les demandes de renouvellement du visa. Très difficile à joindre par téléphone. Commencer par consulter le site internet.

Services

✉ **Poste principale** *(plan détachable, C4)* **:** *800, bd René-Lévesque Ouest. Ⓜ Bonaventure. ☎ 1-800-267-1177. • postescanada.ca • Lun-ven 8h-17h30.* Tous les services, incluant philatélie et change. Les comptoirs postaux de *Poste Canada* présents dans certaines boutiques (pharmacies, supermarchés) ont des horaires d'ouverture plus longs.

Météo : *☎ 514-283-3010 ou 1-900-565-4000 (0,95 $/mn).* Prévisions enregistrées sur 5 jours pour la région de Montréal. Autre possibilité : • *meteomedia.com* • Pour des infos très précises, joindre directement un météorologue en appelant le numéro payant

MONTRÉAL

d'*Environnement Canada* : ☎ *1-900-565-4455 (2,99 $/mn + taxes).*

■ ***Infos neige et travaux routiers : Transports Québec,*** ☎ *511.* ● *mtq.gouv.qc.ca* ● Pour connaître les éventuels travaux (et donc bouchons) et l'état d'enneigement des routes.

Internet

Île sans fil, devenu *ZAP,* est le réseau wifi gratuit de l'île de Montréal. Maillage et points d'accès sur ● *zap.coop* ● ou ● *auth.ilesansfil.org/nodeextra/map* ● Sinon, ordinateurs en accès libre dans les AJ et bibliothèques publiques.

Urgences, santé

■ ***Nº d'appel en cas d'extrême urgence :*** ☎ *911.*

■ ***Centre antipoison :*** ☎ *1-800-463-5060.*

■ ***Hôpital Saint-Luc*** *(zoom détachable Centre, D4)* ***:*** *1058, rue Saint-Denis.* ☎ *514-890-8000.* Ⓜ *Champ-de-Mars.* C'est le CHU de la ville, très central et majoritairement francophone. Notez que les cliniques médicales coûtent moins cher que les hôpitaux, à préférer donc pour des problèmes bénins. D'autant que certaines reçoivent les urgences sans rendez-vous (pas le w-e en revanche), par exemple la ***Clinique En Route*** *(895, rue de la Gauchetière Ouest, au niveau de la gare ferroviaire ;* ☎ *514-954-1444 ; plan détachable, C4)* ou la ***Clinique Millénia*** *(150, rue Sainte-Catherine Ouest ;* ☎ *514-287-2683 ; zoom détachable Centre, C-D4).*

■ ***Pharmacie : Jean Coutu*** est l'enseigne la plus répandue. La rue Sainte-Catherine Ouest, certes très longue, possède plusieurs de leurs succursales. *Vous pouvez vous rendre aux nos 677, 980 et 1675. En général, leurs horaires sont les suivants : lun-mar 8h-19h, mer-ven 8h-21h, sam 10h-18h. Celle du nº 1675 est ouv tlj jusqu'à minuit (☎ 514-933-4221). Également au 865, rue Sainte-Catherine Est (☎ 514-842-9622 ; lun-ven 8h-22h, sam 9h-22h, dim 9h-21h) ou encore au 1058, rue Saint-Denis (☎ 514-287-7474 ; lun-ven 8h-18h).* ***Pharmaprix*** est l'enseigne concurrente.

Change

Vous pouvez choisir de changer vos euros avant votre départ ou à votre arrivée à Montréal. La bonne astuce est de commander vos devises en ligne avant de quitter la France comme le propose Travelex. Il est pratique d'avoir des devises sur vous dès votre arrivée pour avoir de quoi prendre un taxi ou un en-cas.
Sur place, mieux vaut aller dans les bureaux de change, que l'on trouve plutôt dans les quartiers touristiques (par exemple rue Notre-Dame, dans la vieille ville, rue Peel ou Sainte-Catherine dans le centre-ville, etc.).
Évitez celui de l'aéroport Trudeau, dont le taux est plutôt défavorable. Bureaux de change un peu partout dans les zones touristiques. La plupart des banques font le change, mais leurs horaires sont plus restreints. En cas de panne de distributeur, en revanche, elles peuvent délivrer de l'argent liquide sur présentation d'une carte de retrait et de 1 voire 2 pièces d'identité. Voir aussi la rubrique « Argent, banques, change » dans « Montréal utile ».

Compagnies aériennes

■ ***Air France :*** ☎ *1-800-667-2747 (tlj 8h-minuit).* ● *airfrance.fr* ● *Agence à l'aéroport Trudeau, tlj 13h30-19h (l'été, tlj sf dim 13h30-22h).*

■ ***Air Canada :*** ☎ *1-888-247-2262 et 514-393-3333.* ● *aircanada.com* ● *La billetterie d'Air Canada est à l'aéroport Trudeau (tlj 5h-22h30).*

■ ***Air Transat :*** *5959, bd de la Côte-Vertu (à côté de l'aéroport Trudeau).* ☎ *1-877-872-6728 ou 514-636-3630.* ● *airtransat.ca* ●

Tourisme

■ ***Aux Quatre Points Cardinaux*** *(zoom détachable Centre, D3,* ***7****)* ***:*** *551, Ontario Est.* ☎ *514-843-8116 ou 1-888-843-8116.* ● *aqpc.com* ● Ⓜ *Berri-UQAM (sortie station centrale de bus). Lun-mer 10h-18h, jeu-ven 10h-21h, sam 10h-17h.* Les grands spécialistes des cartes topographiques du Québec et du Canada. Tous les randonneurs leur rendront donc utilement visite.

■ ***Globe Trotter Aventure Canada :*** *1142, Notre-Dame, suite 100, à Lachine. ☎ 0-800-916-672 (gratuit depuis la France) ou ☎ 1-888-598-7688 (en Amérique du Nord). • aventurecanada.com • Ⓜ Papineau. Lun-sam 9h-17h.* Une agence dans la banlieue de Montréal spécialisée dans le tourisme d'aventure. Forfaits tout compris (guide, sac de couchage, transport, nourriture...) de la demi-journée à l'expédition de 24 jours. Également des « autotours ».

■ ***Club Voyages*** *(zoom détachable Centre, D4,* ***18****)* ***:*** *333, rue Notre-Dame E. ☎ 514-338-1160 ou 1-888-732-8688. • clubvoyages.com • Lun-ven 9h-17h30 (20h jeu-ven), sam 10h-17h.* Brade des places de dernière minute sur les vols charters et forfaits vols + hôtels, surtout à destination du Sud (Cuba, Mexique, Antilles...) et aussi de l'Ouest canadien (Vancouver, Calgary) et de l'Europe.

■ ***L'Autre Montréal*** *(zoom détachable Centre, C3,* ***17****)* ***:*** *3680, rue Jeanne-Mance, bureau 331. ☎ 514-521-7802. • autremontreal.com •* Propose des visites guidées payantes de certains quartiers pour découvrir la ville sous ses multiples facettes.

Culture

■ ***Cinémas Cineplex :*** *• cineplex.com • Tarifs réduits avt 18h, réduc le mar soir. Sinon, billet env 12 $.* Parmi les cinémas du réseau, signalons le ***Cineplex Odéon*** *(350, rue Émery ; zoom détachable Centre, D4)*, le ***Cinéma Banque Scotia*** *(977, rue Sainte-Catherine Ouest ; plan détachable, C4)* ou encore le ***Cinéma Starcité*** *(4825, av. Pierre-de-Coubertin ; plan détachable, G2).* En général, les cinés de l'est de la ville présentent des films en français seulement, alors qu'ils sont plutôt en anglais dans l'ouest. Signalons encore le beau ***Beaubien*** *(2396, rue Beaubien Est ; Ⓜ Beaubien ; plan détachable, E1 ; ☎ 514-721-6060 ; • cinemabeaubien.com •)*, spécialisé dans les films québécois et francophones.

■ ***Spectacles à tarif réduit :*** pour tenter à la dernière minute de dégotter des places de spectacle à tarif réduit, s'adresser à ***La Vitrine*** *(zoom détachable Centre, D4,* ***12****)* ***:*** *2, rue Sainte-Catherine Est. ☎ 1-866-924-5538 ou 514-285-4545. • lavitrine.com • Tlj 11h-20h (18h dim-lun).* Un service pratique, qui centralise les ventes pour tous les spectacles et festivals.

■ ***Radio :*** excellente musique rock et pop sur la station anglophone *CHOM* (97.7 FM). En français, on aime bien la station alternative communautaire *CIBL* (101.5 FM), ses émissions et sa programmation musicale éclectique, sans oublier *CHOQ*, la radio des étudiants de l'UQAM pour la qualité de sa programmation alternative et émergente *• choq.ca •*. Enfin, la station de variétés la plus populaire à Montréal, c'est *CKOI* (96.9 FM). La radio des tubes romantiques, c'est *Rouge FM* (107.3 FM). Enfin, la fréquence de *Radio-Canada* est 95.1 FM. Toutes ces radios peuvent aussi être écoutées en ligne sur leurs sites web respectifs.

Loisirs

■ ***Patinoires :*** une douzaine en plein air (non, pas l'été !). Sachez aussi que, même l'hiver, les patinoires peuvent fermer si les températures sont trop douces.

– ***Parc La Fontaine*** *(plan détachable et zoom détachable Le Plateau, D-E3)* ***:*** *3933, av du Parc-Lafontaine. ☎ 514-706-9627. Ⓜ Sherbrooke (puis 5-10 mn à pied vers l'est). En principe, janv-fév, tlj 10h30 (10h w-e)-22h. Loc de patins : 10 $.* On patine sur les eaux glacées d'un étang dans le cadre romantique et branché du Plateau.

– ***Vieux-Port, bassin Bonsecours*** *(zoom détachable Centre, D4-5)* ***:*** *☎ 514-496-7678 ou 1-800-971-7678. Ⓜ Champ-de-Mars. Déc-début mars ; lun-mer 10h-21h (22h jeu-dim). Entrée payante (env 6 $; réduc) et loc de patins sur place (10 $).* Vraiment magique, avec vue sur la vieille ville et le fleuve.

– ***Atrium Le 1000*** *(plan détachable, C4)* ***:*** *1000, rue de la Gauchetière Ouest (entre Mansfield et la cathédrale). ☎ 514-395-0555. • le1000.com • Ⓜ Bonaventure (à deux pas). Patinoire*

MONTRÉAL

couverte, ouv tte l'année, sous une grande verrière lumineuse. En été, tlj 11h30 (12h30 w-e)-18h (21h sam et en hiver). Entrée : 7,50 $; réduc. Loc de patins : 7 $. Petits restos sur place.

■ ***Piscines :*** *rens pour les loisirs de la ville de Montréal au ☎ 514-872-0311. • ville.montreal.qc.ca •* Montréal compte plus de 100 piscines extérieures et intérieures, et au moins autant de pataugeoires pour les tout-petits (notamment au parc La Fontaine) ! GRATUITES quand elles sont municipales (souvent ouvertes de 11h30 à 19h ou 20h). À part ça, signalons le complexe aquatique en plein air du parc Jean-Drapeau *(plan détachable, E5)* sur l'île Sainte-Hélène *(• parcjeandrapeau.com • Tlj 10h-20h en été ; entrée adulte : 7,50 $; forfait famille : 17 $)* et les piscines couvertes du Parc olympique *(• parcolympique.qc.ca • ; entrée payante ; plan détachable, G2).*

⛱ ***Plage Jean Doré :*** au sud du parc Jean-Drapeau, sur le lac de l'île Notre-Dame *(plan détachable, D6). ☎ 514-872-0199. Ⓜ Jean-Drapeau puis navette nº 767. De mi-juin à mi-août, tlj 10h-19h, puis 12h-19h jusque début sept. Entrée : 9 $; réduc ; gratuit moins de 3 ans.* Rafraîchissant lorsque Montréal fond sous la canicule. Également un complexe aquatique en été (lire « Piscines » ci-dessus). Une autre plage a été aménagée au Vieux-Port, au pied de la tour de l'Horloge *(zoom détachable Centre, D-E5)*, mais la baignade y est interdite. *De mi-juin à début sept, tlj 11h-21h (19h lun-mar) – plus tard en cas d'animation ; début juin, slt le w-e. Rens : • vieuxportdemontreal.com •.* Sur le sable blond, des transats avec vue sur le fleuve et la marina. On y est aux premières loges pour assister aux grands feux d'artifice estivaux.

OÙ DORMIR ?

- **Campings**......................74
- **Auberges de jeunesse**....................75
  - Dans le Vieux-Montréal
  - Dans le Quartier latin et le Village • Sur le Plateau Mont-Royal • Dans le centre-ville (Downtown)
- **Collèges et universités**.................77
- **Studios et appartements meublés**...........77
- **Gîtes touristiques**..........78
  - Dans le Quartier latin et le Village • Sur le Plateau Mont-Royal • Dans le centre-ville (Downtown)
  - À l'est de la ville (Jardin botanique)
- **Hôtels**............................80

Le ***Grand Prix de Formule 1,*** à la mi-juin, ouvre la saison des festivals et manifestations de toutes sortes qui remuent la ville jusqu'à fin septembre. Pendant cette période, ***réserver le plus tôt possible.*** La semaine du ***Festival international de jazz,*** de fin juin à début juillet, affiche parfois complet 1 an à l'avance !

Campings

Les Laurentides (et, dans une moindre mesure, ***Lanaudière***), situés à 1h-1h30 de route de la capitale, sont une alternative de séjour possible pour découvrir Montréal. Voir le chapitre « Les environs de Montréal » en fin de guide.

⛺ ***Campings du parc national d'Oka :*** *2020, chemin Oka, à **Oka.** ☎ 450-479-8365 ; résas au ☎ 1-800-665-6527. • sepaq.com/pq/oka • parc.oka@sepaq.com • À 55 km de Montréal. Centre d'accueil du parc, à 1,5 km avt le village d'Oka. De début mai à mi-oct (tte l'année en camping rustique). Résa conseillée en hte saison. Empl. 30-45 $. Tentes* Huttopia *120 $ la nuit (4 adultes et 1 enfant), équipées et confortables mais apporter son couchage. Chalets (été et hiver) dès 150 $. Douches payantes.* Aménagé dans le parc national d'Oka, ce camping est très (trop) populaire, car il est l'un des plus beaux de la région. À 30 mn de Montréal, ce sont déjà les lacs et les forêts, donc aussi nos amis les moustiques... Rien que 900 emplacements ! Mais attention, pas d'endroit spécifique pour planter sa tente et on campe dans une futaie assez sombre. Jolie plage surveillée au bord du lac des Deux-Montagnes (cafétéria et restos sur place). Plein d'activités (école de voile, canoë-kayak, embarcation à pédales, surf à pagaie, location de vélos, etc.). À notre avis, mieux vaut mettre le cap sur Lanaudière ou les Laurentides, d'autant que camper ici ne vous dispense pas de payer, chaque jour, le droit d'accès au parc *(8,50 $/j ; réduc).*

⛺ ***Camping Saint-André :*** *au sud de Montréal, au 73, rang Saint-André, à* ***Saint-Philippe-de-la-Prairie.*** *☎ 450-659-3451. • lecampingstandre.com • Par l'autoroute 15, sortie 38, à env 30 km de Montréal, tourner à gauche et rouler 2 km, puis tourner à droite dans le rang Saint-André. De mi-mai à mi-oct. Empl. 27-33 $.* Un très beau site naturel, situé à env 20 mn de voiture de Montréal. Abondamment arboré et bien aménagé, il dispose d'un petit plan d'eau charmant. Environ 90 emplacements pour les tentes, plaisants et au calme. Bon accueil de Jean-Guy et de Monique ou d'Étienne, le jeune proprio. Piscine, aire de jeux pour enfants, terrain de pétanque, buanderie. Ni resto ni dépanneur, mais un supermarché à Candiac, à 4 km de là.

Auberges de jeunesse

Dans le Vieux-Montréal

Auberge alternative du Vieux-Montréal *(zoom détachable Centre, C5,* ***30****) : 358, rue Saint-Pierre. ☎ 514-282-8069. • auberge-alternative.qc.ca • À 10 mn à pied du métro Square-Victoria. Lits 21-28 $/pers. Une double avec sanitaires communs 66-76 $ et 2 familiales pour 4 pers à 75-86 $. Petit déj bio en sus (5 $). Résa indispensable.* Très agréable auberge indépendante, installée dans un ancien entrepôt réhabilité, dans un coin tranquille du secteur historique. Un grand dortoir de 20 lits et 6 dortoirs de 4 à 10 lits, dont un réservé aux femmes. Tous sont très colorés, propres et joliment aménagés dans un chaleureux esprit récup. Pièce commune conviviale qui sert à tout : réception, salon, salle à manger et cuisine. Laverie et café équitable offert. Ambiance franchement sympa.

Dans le Quartier latin et le Village

M Montréal *(zoom détachable Centre, D4,* ***40****) : 1245, rue Saint-André. ☎ 514-845-9803. • m-montreal.com • Ⓜ Berri-UQAM. Lits en dortoir 20-50 $; doubles avec sdb privée 60-120 $; petit déj inclus.* En plein cœur du Village, une AJ version glamour. Le comptoir de la réception scintille sous un alignement de verres à pied, au sous-sol s'étend un immense bar semé de canapés baroques, régulièrement animé de concerts et autres événements branchouilles. Les dortoirs, de 4 à 16 lits (dont 3 réservés aux filles), sont plus banals mais vraiment impeccables, tous avec casiers, sanitaires et ventilo. Également des chambres privées avec un lit *queen-size* ou 2 petits lits. Cuisine, étincelante évidemment.

Auberge Alexandrie *(zoom détachable Centre, D4,* ***60****) : 1750, rue Amherst. ☎ 514-525-9420. • alexandrie-montreal.com • Ⓜ Berri-UQAM. Lits en dortoir 17-31 $; doubles 65-90 $; petit déj et taxes inclus.* Dans une grosse bâtisse de brique faussement déglinguée, une AJ pour trekkeurs urbains tendance *hipster.* Béton et ferraille apparents, numéros de chambres tagués, salle commune façon parking souterrain habillé. Un genre de squat dans lequel il faudrait payer... Côté hébergement, dortoirs basiques de 6 à 20 lits avec salle de bains privée ou non et sans clim, et chambres privées climatisées avec kitchenette pour certaines. Cuisine. Terrasse sur le toit.

Samesun Montréal *(zoom détachable Centre, D4,* ***33****) : 1586, rue Saint-Hubert. ☎ 514-843-5739. • samesun.com/fr/montreal/ • Ⓜ Berri-UQAM. Lits en dortoir 21-45 $; doubles avec sdb privée 85-160 $ (115-170 $ si jacuzzi) ; petit déj inclus.* Cette auberge de chaîne, remarquablement située, propose à la fois le basique du routard fauché (dortoirs de 4 à 8 lits, *lockers,* draps fournis) et celui du routard à l'aise côté pépettes (chambres tout confort, avec salle de bains, dont 2 avec lit *king-size*, jacuzzi et miroirs au plafond !). Ici, tout est fait pour les rencontres : belle cuisine commune, espaces à la fois lumineux et proprets, café gratis 24h/24, petit jardin sur l'arrière, soirées *bbq*, et tout un tas d'activités organisées.

Sur le Plateau Mont-Royal

Le Gîte du Parc La Fontaine *(zoom détachable Centre, E3,* ***31****) : 1250, Sherbrooke Est (angle Beaudry). ☎ 514-522-3910 ou 1-844-350-4483. • hostelmontreal.com • Ⓜ Sherbrooke. Juin-août slt. En dortoir 4-6 lits, 28 $/pers ; doubles 75-80 $; draps, petit déj et taxes compris ; réduc avec la carte internationale d'étudiant. CB refusées.* À quelques minutes à pied du centre, un hébergement à mi-chemin entre gîte et AJ, possédant une trentaine de lits répartis en dortoirs ou en chambres. Belle petite déco, propreté impeccable. Toutes les chambres (sauf une) sont équipées d'un lavabo. Cuisine (le soir seulement), buanderie, salle TV. Aux beaux jours, le petit déj se prend sur la terrasse. Ambiance très conviviale.

Le Gîte du Plateau Mont-Royal *(zoom détachable Centre, D3,* ***32****) : 185, Sherbrooke Est. ☎ 514-284-1276 ou 1-877-350-4483. • hostel montreal.com • Ⓜ Sherbrooke. Tte l'année. En dortoir 6-8 lits, à partir de 22 $/pers ; doubles sans ou avec sdb 60-100 $. Draps, petit déj et taxes compris.* Dans une grande maison victorienne, une AJ de 90 places tenue par les mêmes proprios que le *Gîte du Parc*. La grande pièce commune sert à la fois de réception, de cuisine, de buanderie et de salle Internet. Les couloirs labyrinthiques distribuent plusieurs dortoirs bien tenus (dont l'un aménagé sur le vaste toit-terrasse) et des chambres privées pour 1 à 4 personnes, toutes différentes, avec ventilo. Certaines ont un peu plus de cachet et possèdent une salle de bains individuelle. Celles sur l'arrière sont plus tranquilles. Sinon, plein d'activités organisées ; *pub-crawl* tous les vendredis soir ; souper gratuit le dimanche en hiver.

Auberge Chez Jean *(zoom détachable Le Plateau, D3,* ***34****) : 4136, av. Henri-Julien. ☎ 514-843-8279. • aubergechezjean.com • Ⓜ Mont-Royal. Nuitée 30 $/pers, petit déj et taxes compris.* Sur 3 étages, une AJ pas vraiment standard : ceux qui tiennent à leur nid douillet et intime passeront leur chemin ! Routard solitaire à la recherche d'un lieu convivial où faire plein de rencontres, cet endroit est peut-être pour toi. Matelas en mezzanine au-dessus de la petite salle commune avec piano, cuisine, et une « chambre » séparée par un rideau. Dans les étages inférieurs, quelques chambres privées pour 2 à 4 personnes et des petits dortoirs ou des lits disséminés dans des lieux ouverts ou des couloirs. L'été, également un matelas en mezzanine sous un auvent dans l'arrière-cour, et même dans un vieux van ! 3 salles de bains dans la maison, 2 autres à l'extérieur. Un lieu pas banal, donc, mais bien tenu.

Dans le centre-ville (Downtown)

L'Auberge Bishop *(plan détachable, C4,* ***62****) : 1447, rue Bishop. ☎ 514-508-8870. Résa recommandée en hte saison. Ⓜ Guy-Concordia. Dortoirs 4, 6 et 10 pers, 20-30 $/pers, doubles 60-70 $, petit déj continental compris.* AJ privée nichée dans une grosse demeure aristocratique du XIXe s dont on a su conserver le charme, les cheminées ouvragées du rez-de-chaussée, le superbe escalier en bois sculpté, les vitraux, etc. Toutes les chambres avec clim, *lockers...* Sanitaires nickel. Cuisine aménagée, chaleureuse salle commune avec bar et accueil très sympa.

Auberge L'Apéro *(plan détachable, B-C4,* ***64****) : 1425, rue Mackay (suite 2). ☎ 514-316-1052 ou 1-877-631-0021. Ⓜ Guy-Concordia. • aubergeapero.com • Dortoirs 25-30 $/pers, petit déj compris.* Avec seulement 30 lits, une AJ privée intime, fort bien tenue et confortable. Dortoirs lumineux de 6 et 12 lits, literie impeccable, grands casiers, sanitaires nickel. Cuisine équipée et buanderie. Café et thé à volonté. Pas de couvre-feu, ici, c'est toujours l'heure de l'Apéro !

Auberge de jeunesse de Montréal – Hostelling International *(plan détachable, B4, **70**) : 1030, rue Mackay. ☎ 514-843-3317 ou 1-866-843-3317. • hihostels.ca/montreal • Ⓜ Guy-Concordia ou Lucien-L'Allier. Lits en dortoir 20-45 $/pers avec la carte des AJ ; sans carte, ajouter 5 $. Draps fournis. Double env 100 $ avec la carte et 110 $ sans, petit déj compris.* Dortoirs de 4 à 10 lits, tous équipés de douche et w-c, et une vingtaine de chambres privées avec TV. C'est propre, simple et hautement convivial malgré la taille de l'endroit (près de 230 lits). On peut y faire sa cuisine. AC partout, consigne, laverie automatique, parking à vélos, resto-bar, salle TV et billard. L'AJ organise plein de virées, l'occasion de se faire des potes du monde entier !

Collèges et universités

La plupart ne fonctionnent que l'été et ferment leurs portes dès que les premiers étudiants pointent le bout de leur nez vers la mi-août ou même avant. On vous prévient, le cadre est rarement folichon.

Résidences universitaires de l'UQAM : *2 endroits : l'**Auberge de l'Ouest** (zoom détachable Centre, D4, **35**), au 2100, rue Saint-Urbain. ☎ 514-987-7747. Ⓜ Place-des-Arts. Et l'**Auberge de l'Est** (zoom détachable Centre, D4, **36**), au 303, bd René-Lévesque Est (angle Sanguinet). ☎ 514-987-6669. Ⓜ Berri-UQAM. Résas et infos sur • residences-uqam.qc.ca • De mi-mai à mi-août slt. Studios 75-95 $/j. pour 2 pers, F3 et F4 pour 3-4 pers, doubles 65-85 $, un peu moins cher si F8 (capacité 8 pers).* Très central, c'est son gros avantage. Chaque résidence universitaire possède plus de 300 chambres mais attention, elles ne sont pas climatisées. On peut y louer des studios et des appartements équipés d'une cuisine et d'au moins une salle de bains. À l'*Auberge de l'Ouest,* certaines chambres sont accessibles aux personnes à mobilité réduite. Draps, couvertures et serviettes sont fournis et on peut stationner à l'intérieur (cher).

Collège Jean-de-Brébeuf *(plan détachable, A2, **72**) : 5625, av. Decelles. ☎ 514-342-9342, poste 5135. • locations@brebeuf.qc.ca • Ⓜ Côte-des-Neiges. Fin mai-début août. Simple 33 $, double 45 $.* Prestigieux collège francophone, installé à deux pas des parcs et cimetières du Mont-Royal. Ambiance parpaing peint et néon. Cuisine bien équipée (plaques vitrocéramiques, micro-ondes, four, frigo) avec tout ce qu'il faut pour se faire une omelette (apporter quand même ses couverts pour assurer le coup). Chambres monacales gris souris avec lavabo, petit bureau, draps. Toilettes et douches à l'étage ainsi qu'un coin télé et laverie. Attention, uniquement des lits simples, même dans les chambres doubles.

Studios et appartements meublés

Hôtel Appartements Trylon *(zoom détachable Centre, C3, **37**) : 3463, rue Sainte-Famille. ☎ 514-843-3971 ou 1-877-843-3971. • trylon.ca • Studios 2 pers 100-140 $; appart 4 pers (2 pièces) env 150 $. Garage souterrain (15 $/j.). Tous ces tarifs sont dégressifs en fonction de la durée.* Il s'agit de tout un immeuble de studios ou d'appartements meublés (5 personnes maximum), à louer à la nuit comme à la semaine ou au mois. Les logements sont simples, la déco un peu formica, mais tous disposent de leur kitchenette équipée et d'une salle de bains. Certains ont même un petit balcon. Espaces communs à tous les résidents : terrasse sur le toit, piscine intérieure, sauna et buanderie. Ménage non compris dans le prix, mais on peut le faire soi-même.

Gîtes touristiques

Les prix varient selon la saison : nous vous donnons donc une fourchette indicative. Attention, nos meilleures adresses sont très courues : en haute saison, mieux vaut s'y prendre à l'avance pour la réservation. Le petit déj est toujours inclus.

■ ***Association de l'Agrotourisme et du Tourisme Gourmand*** *(plan détachable, G2,* ***4****) : 4545, av. Pierre-de-Coubertin. ☎ 514-252-31-38 et 88. • gitesetaubergesdupassant.com • terroiretsaveurs.com • Ⓜ Pie-IX. Lun-ven 8h30-12h, 13h-16h30.* Cette association s'occupe des réseaux des *Gîtes et Auberges du Passant* et des *Tables et Relais du terroir* du Québec.

Dans le Quartier latin et le Village

De prix moyens à chic

Gîte Le Simone et gîte Le Chasseur *(zoom détachable Centre, D4,* ***71****) : 1571, rue Saint-André. ☎ 514-524-2002 ou 1-800-451-2238. • lesimone.com • Ⓜ Berri-UQAM. Tte l'année. Doubles sans ou avec sdb 60-120 $.* À un jet de pierre du centre animé, dans 2 maisons anciennes. Murs de brique ou bien tout blancs, planchers d'époque et fenêtres à double vitrage ; leur intérieur, nouvellement réhabilité, est réussi. Au total, une vingtaine de chambres plutôt grandes et quelques apparts. Lumineuses, sobres, jouant sur les reflets et les textures, certaines chambres sont climatisées et possèdent leur propre salle de bains, d'autres pas. Les espaces communs sont plaisants : petit salon internet, cuisine, bibliothèque, grande terrasse à l'arrière. Une belle adresse et un accueil gentil.

Gîte Le Saint-André-des-Arts *(zoom détachable Centre, D4,* ***45****) : 1654, rue Saint-André. ☎ 514-527-7118 ou 1-866-527-7118. • bnb-montreal.com • Ⓜ Berri-UQAM. Doubles 90-115 $ (2 nuits min).* Dans une maison ancienne très bien tenue, 5 chambres simples mais coquettes (parquet) avec accès indépendant. 3 ont une salle de bains privée, les 2 dernières s'en partagent une. Micro-terrasse en hauteur qui donne sur un coin de verdure et sur les maisons du quartier : sympa à l'heure de l'apéro ! Buanderie et cuisine équipée à disposition, catalogue de films gratuits. Petit déj européen à base de produits maison. Très bon accueil.

Bed and Breakfast du Village *(zoom détachable Centre, E4,* ***41****) : 1279, rue Montcalm. ☎ 514-522-4771. • bbv.qc.ca • Ⓜ Beaudry. Doubles 115-135 $. Parking payant (10 $).* Situé dans une rue tranquille à deux pas de l'animation du Village, ce joli *B & B,* cosy et élégant, assume un style urbain chic, avec tons neutres et habillage de brique. Sur 2 niveaux s'alignent 5 chambres contemporaines et tout confort (clim), dont 2 partagent 1 salle de bains. En commun, un petit espace salon avec frigo (accès à la cuisine possible si besoin), et 2 terrasses ensoleillées donnant sur la cour à l'arrière. Bon accueil de Philippe et Nicolas.

Au Git'Ann *(zoom détachable Centre, D3,* ***47****) : 1806, rue Saint-Christophe. ☎ 514-523-4494. • augitann.com • Ⓜ Berri-UQAM. Doubles avec sdb partagée 80-145 $; suite avec sdb privée 145-200 $.* Dans une rue calme du centre-ville, une belle petite maison aux teintes chaudes proposant 4 chambres charmantes et climatisées mais pas bien grandes. Elles se partagent 2 salles de bains, et se répartissent sur 2 étages. Également une petite suite tout confort avec balconnet sur la rue, un peu plus chère. L'ensemble est très propre, la literie douillette, la cuisine et les espaces sont laissés à dispo des locataires par Anne, la proprio. Bon accueil.

La Conciergerie *(zoom détachable Centre, D4,* ***43****) : 1019, rue Saint-Hubert. ☎ 514-289-9297. • laconciergerie.ca • Ⓜ Berri-UQAM. Double env 135 $.* Entre le Village et le Vieux-Montréal, ce *B & B* réparti sur 2 maisons victoriennes est plus proche du petit hôtel, avec ses 17 chambres, dont 9 possèdent leur propre salle de bains.

Radiateur en fonte, tapis d'Orient, quelques œuvres d'art bien choisies confèrent à cette adresse une atmosphère des plus cosy. Salle de fitness et jacuzzi en accès libre, petites terrasses pour bouquiner, solarium pour bronzer. Bel accueil de Luc.

La Loggia *(zoom détachable Centre, D-E4,* ***51****) : 1637, rue Amherst. ☎ 514-524-2493 ou 1-866-520-2493. • laloggia.ca • Ⓜ Berri-UQAM. Fermé janv-fév. Doubles 120-200 $.* Ce gîte en plein quartier gay propose 5 chambres doubles (dont 2 avec salle de bains à partager situées en demi-sous-sol) charmantes et confortables. La déco, très réussie, conjugue beaux matériaux et couleurs chaleureuses, mais notre préférence va quand même à celle du jardin (accessible par l'arrière) ainsi qu'à la « romantique » située à l'étage. Cuisinette à disposition et petit déjeuner composé de produits locaux et bio que l'on peut déguster dans une cour à l'arrière, aux beaux jours. Bon accueil.

Sur le Plateau Mont-Royal

De bon marché à prix moyens

Gîte La Lanterne *(zoom détachable Le Plateau, D2,* ***63****) : 1016, bd Saint-Joseph Est (et Boyer). ☎ 514-219-2547. • lalanterne.net • Ⓜ Laurier. Doubles 80-90 $, petit déj en self-service. CB refusées.* Plaisante demeure particulière, dont les 4 chambres, méticuleusement tenues, portent des noms liés aux arts : cinéma, littérature, photo, avec un décor et des objets s'y référant. Toutes avec parquet, certaines avec vitraux des années 1930. L'une possède sa salle de bains privée, les 3 autres en partagent 2. Cuisine à disposition, buanderie, consigne à bagages... Petite terrasse arborée à l'arrière. Accueil chaleureux de Jo, le proprio.

Pensione Popolo *(zoom détachable Le Plateau, D2,* ***38****) : 4871, bd Saint-Laurent. ☎ 514-284-3804 ou 514-284-5691. • casadelpopolo.com • Ⓜ Mont-Royal ou Laurier. Doubles 65-100 $, appart 190 $.* À la frontière du Plateau et du Mile-End, juste au-dessus du bar *Casa del Popolo* (voir « Où boire un verre ? Où s'éclater en musique ? Où danser ? »). Si vous venez pour faire la fête, que vous avez peu de sous à dépenser et que le son d'un concert au bar du rez-de-chaussée ne vous dérange pas, alors cette adresse est pour vous. Vous y trouverez 4 petites chambres joliment refaites au 3e étage, avec salle de bains partagée ou privée (pour les 2 familiales), cuisine commune et concerts gratuits inclus ! Un bon plan pour les fêtards.

Le 9 et Demi *(zoom détachable Le Plateau, D3,* ***39****) : 4133, bd Saint-Laurent. ☎ 514-842-4451. • le9etdemi.com • Ⓜ Mont-Royal. Résa très conseillée. Doubles à partir de 80 $, taxes comprises (2 nuitées min exigées). Petit déj non compris. CB refusées.* Une adresse à l'esprit bohème et décontracté, très proche de la coloc', aménagée dans un appart à mi-chemin entre l'auberge de jeunesse et le gîte, avec 6 chambres colorées et décorées dans un style contemporain très cool. Cuisine en libre accès, 2 salles de bains communes et une terrasse pour jaser. **Annexe,** dans le même esprit : *6529, rue Saint-Denis (plan détachable, D1,* ***77****) ; Ⓜ Beaubien (à deux pas) ; même numéro (résa au gîte principal) ; mêmes tarifs.* Belle maison en brique avec véranda sur colonnes. Une poignée de chambres correctes avec parquet verni (dont 1 quadruple). Cuisine équipée.

De prix moyens à chic

Le Rayon Vert *(zoom détachable Le Plateau, D3,* ***42****) : 4373, rue Saint-Hubert. ☎ 514-524-6774. • lerayonvert.ca • Ⓜ Mont-Royal. Double env 115 $, taxes comprises. Réduc à partir de 4 nuits. CB refusées.* Dans cette grosse maison typique du Plateau, la gentillesse québécoise s'appelle Diane Bouchard. 3 chambres (plus une en dépannage) se partagent 2 salles de douches. Confortables et élégantes, avec de jolis meubles, du parquet et de beaux tissus. Petite préférence pour la « Victorienne », charmante avec ses moulures et son lustre. Exquis jardinet, que l'on admire de la salle des petits déj (bien copieux et bien bons, d'ailleurs) et depuis l'une des chambres.

La Petite Prune *(zoom détachable Centre, D3, **46**) : 3422, av. Laval. ☎ 514-289-4482. • lapetiteprune.ca • Ⓜ Sherbrooke ou Saint-Laurent. Doubles 100-130 $.* Idéalement situé entre le Plateau et le Quartier latin, dans l'une de ces belles rues calmes et ombragées, une poignée de chambres douillettes pour tous budgets. Les moins chères, plus petites, partagent la salle de bains ; les plus chères offrent un bon confort et pas mal d'espace. Toutes ont une déco soignée et sont climatisées. Copieux petit déj, style buffet, que l'on peut prendre sur la terrasse à l'arrière. L'ensemble est tenu par la discrète Akiko, une jeune Japonaise dévouée à ses hôtes.

Chez François *(plan détachable, E3, **73**) : 4031, av. Papineau. ☎ 514-239-4638. • chezfrancois.ca • À 10 mn à pied de la rue Saint-Denis par le beau parc La Fontaine. Ⓜ Mont-Royal ou Papineau. Doubles sans ou avec sdb 150-180 $, taxes comprises (un minimum de nuitées exigé à certaines dates). Parking privé gratuit.* Dans un quartier calme, une solide maison avec de typiques escaliers métalliques en façade. 5 chambres de standing bien insonorisées, méticuleusement entretenues. Parquet en bois blond et beaux matériaux pour une ambiance aussi chaleureuse que l'accueil, avec, en prime, vue sur les arbres du jardin ou du parc. Balcon commun et cuisine à dispo.

Dans le centre-ville (Downtown)

Au Cœur Urbain *(plan détachable, B4, **74**) : 3766, chemin de la Côte-des-Neiges. ☎ 514-439-4003 et 1-855-439-4003. • giteaucoeururbain.com • Ⓜ Guy-Concordia. Doubles avec sdb 130-150 $. Parking payant.* Cette belle et grande maison offre 5 chambres contemporaines d'excellent confort (AC, TV), décorées dans un style à la fois épuré et chaleureux. Chacune se drape d'une tonalité différente, évoquant le Québec, la Bretagne, le Japon, la Russie ou l'Afrique. Tous les draps et serviettes sont en coton bio équitable : la proprio a travaillé dans l'humanitaire. Le petit déj se prend autour d'une grande tablée commune. Excellent accueil de Carolle et François. Une très bonne adresse, au calme.

À l'est de la ville (Jardin botanique)

Gîte Dézéry *(plan détachable, F3, **50**) : 3545, rue Dézéry. ☎ 514-972-4654. • gitedezery.com • Ⓜ Préfontaine, puis env 7 mn à pied. Doubles 135-160 $.* Belle petite adresse bien au calme, proposant 4 chambres doubles super chouettes, toutes avec salle de bains, clim, balconnet, télé câblée, frigo et une déco de type magazine mais sans trop en faire. Les plus grandes donnent sur l'arrière. Dans les espaces communs, vous vous sentirez comme à la maison : fontaine à eau, frigo, cafetière à dispo, petit salon pour lire. Chez les Lord, c'est Gilles, toujours plein d'humour, qui prépare le petit déj, et il est bon !

Gîte Le Sieur de Joliette *(plan détachable, F3, **65**) : 2617, rue Joliette. ☎ 514-526-0439. • lesieurdejoliette.com • Ⓜ Joliette (sortie nord). Doubles 120-150 $.* Un poil excentré, mais le métro est à peine à 2 mn (ligne pour le centre-ville). Demeure particulière dans un quartier populaire tranquille. Dans son chez-lui un peu encombré, Marc propose 3 chambres douillettes, dont 2 avec salle de bains au rez-de-chaussée et une en demi-sous-sol avec jacuzzi. Terrasse et agréable jardin sur l'arrière. Si personne à votre arrivée, Dorothée, la voisine d'en face, viendra vous ouvrir.

Hôtels

Rappel, ***les prix indiqués ne comprennent pas les taxes.***

Prix moyens

Hôtel Abri du Voyageur *(zoom détachable Centre, D4, **52**) : 9, rue Sainte-Catherine. ☎ 514-849-2922 ou 1-866-302-2922. • hotelquartierdesspectacles.com • Ⓜ Place-des-Arts. Doubles 65-160 $, studios avec cuisine 140-250 $, petit déj léger* *compris pour les chambres slt. Pas de parking.* 💻 📶 En plein quartier des spectacles, un hôtel « économique » fraîchement réhabilité, à dimension humaine malgré ses 60 chambres. Intérieur mariant brique brute, parquets vitrifiés et déco étudiée pour créer du volume. Toutes différentes, celles d'entrée de gamme peuvent accueillir 2 à 4 personnes et se partagent les salles de bains. Les *superior,* elles, sont grandes et possèdent 2 lits *queen-size* et parfois un petit bureau. Ceux qui prendront racine dans le quartier choisiront les studios tout équipés, avec frigo, micro-ondes, gazinière, et la vaisselle qui va bien. Accueil sympa et pro.

Auberge YWCA et Hôtel Y *(plan détachable, C4,* ***75****) : 1355, bd René-Lévesque Ouest (angle Crescent). ☎ 514-866-9942. • ydesfemmesmtl.org • Ⓜ Lucien-L'Allier, Peel ou Guy-Concordia. Ouv 24h/24. À l'auberge* YWCA, *doubles 55-90 $; à l'hôtel* Y, *75-115 $.* 💻 📶 Situé près des gares, un peu à l'écart du centre. Un hébergement proposant 2 types de chambres à la déco tout à fait standard, suffisantes pour un court séjour. Salle de bains sur le palier pour les chambres économiques de l'auberge ; privée dans la partie hôtel. Cuisine, salon et buanderie à disposition. Un bon rapport qualité-prix. Les bénéfices de ces structures financent une association pour femmes en difficulté.

Hôtel Élégant *(zoom détachable Centre, D4,* ***54****) : 1683, rue Saint-Hubert. ☎ 514-521-9797. • hotelelegant.ca • Ⓜ Berri-UQAM. Doubles 45-80 $, petit déj léger inclus. Promos sur leur site.* 📶 Un hôtel basique et fatigué qui porte bien mal son nom, mais fonctionnel (clim, frigo, salle de bains) et à prix correct vu son emplacement, et c'est vraiment son seul atout. Dans la même rue, plusieurs autres hôtels du même genre pour dépanner.

Chic

Hôtel Ambrose *(plan détachable, C4,* ***76****) : 3422, rue Stanley (juste au nord de Sherbrooke). ☎ 514-288-6922. • hotelambrose.ca • Ⓜ Peel. Doubles 90-145 $. Promos sur leur site internet.* 📶 Une bien belle maison centenaire de style victorien, typiquement montréalaise, dans une rue tranquille. La modernisation des lieux a injecté une petite touche standard dans la déco, mais on a su conserver les jolies boiseries, les meubles anciens, les cheminées et la bibliothèque, d'où un charme certain. En tout, une vingtaine de chambres impeccables et tout confort (clim), dont les 2 moins chères sont tout de même assez étroites. Une suite familiale également. Excellent accueil.

Hôtel Armor Manoir Sherbrooke *(zoom détachable Centre, D3,* ***55****) : 157, Sherbrooke Est. ☎ 514-845-0915 ou 1-800-203-5485. • armormanoir.com • Ⓜ Sherbrooke. Doubles 110-150 $, petit déj basique compris. Réduc de 10 % si résa en direct (les appeler).* 💻 📶 Sur Sherbrooke, large artère passablement bruyante, une grande bâtisse en pierre grise à l'intérieur bien plus avenant. Une trentaine de chambres toutes décorées différemment, avec AC, moulures et mobilier de style. Sous les combles, 4 chambres moins chères et agréables, à éviter si vous êtes grand. Accueil souriant de la facétieuse Annick.

Château de l'Argoat *(zoom détachable Centre, D3,* ***56****) : 524, rue Sherbrooke Est. ☎ 514-842-2046. • hotel-chateau-argoat.qc.ca • Ⓜ Sherbrooke. Doubles 110-150 $, suite 170 $, petit déj et stationnement compris.* 💻 📶 Malgré sa situation sur une grande artère, le *Château de l'Argoat* propose des chambres calmes et cosy, avec salles de bains privées. Certaines avec un bain tourbillon, les plus chères avec un beau mobilier ancien. Accueil très gentil. Un bon rapport qualité-prix.

Hôtel-studio Anne Ma Sœur Anne *(zoom détachable Le Plateau, D3,* ***57****) : 4119, rue Saint-Denis. ☎ 514-281-3187 et 1-877-281-3187. • annemasoeuranne.com • Ⓜ Mont-Royal. Pour 2 pers en doubles ou studios 100-185 $, avec petit déj.* 📶 Un hôtel récent à taille humaine, très bien situé au cœur du Plateau. Les chambres disposent toutes d'une salle de bains, de l'AC et d'une cuisinette bien équipée. Le frigo contient tout ce qu'il faut pour faire son petit déj et des croissants sont livrés à votre porte chaque matin. Le lit mural se replie pour laisser place à une table. Bref, c'est fonctionnel, à défaut d'avoir du charme. Les 2 chambres les plus chères possèdent une terrasse privée, les « économiques » sont petites et donnent sur la rue (à éviter). Accueil attentionné.

Hôtel Zéro 1 *(zoom détachable Centre, D4,* ***44****) : 1, bd René-Lévesque Est. ☎ 514-871-9696 et 1-855-301-0001. • zero1-mtl.com • Ⓜ Saint-Laurent (le bus de l'aéroport, le n° 747, s'arrête juste devant). Doubles 160-230 $. Promos sur Internet.* Dans un ancien immeuble en brique remarquablement relooké, un de nos hôtels « tendance » les plus séduisants, bien placé qui plus est, à l'entrée de Chinatown et au début de Saint-Laurent. Originales idées architecturales, avec un design des plus fin s'harmonisant avec le béton brut. Plus de 100 chambres lumineuses, hyper plaisantes et de grand confort. Accueil pro.

Très chic

Hôtel Saint-Paul *(zoom détachable Centre, C5,* ***58****) : 355, rue McGill (angle rue Saint-Paul). ☎ 514-380-2222 ou 1-866-380-2202. • hotelstpaul.com • Ⓜ Square-Victoria. Doubles 200-370 $, petit déj continental compris.* Un bel hôtel design et branché aux portes du Vieux-Montréal. La façade 1900 de ce building historique cache un intérieur zen et épuré, non dénué de créativité mais que certains trouveront un peu froid. Superbe *lobby*, dont la pièce maîtresse est une monumentale cheminée en albâtre de style contemporain. Chambres et salles de bains (en pierre) au diapason. Une adresse haut de gamme qui tient ses promesses.

Le Petit Hôtel *(zoom détachable Centre, D5,* ***59****) : 168, rue Saint-Paul Ouest. ☎ 514-940-0360 ou 1-877-530-0360. • petithotelmontreal.com • Ⓜ Place-d'Armes. Doubles 200-400 $, petit déj compris. 2 nuits min le w-e en été.* Au cœur du quartier historique, superbe petit hôtel à la fois design et chaleureux. On y trouve une trentaine de chambres super confortables mais de tailles très différentes (S, M, L et XL, comme les fringues !), réparties sur 4 étages. Le mobilier contemporain se marie à merveille avec les volumes biscornus de ces vénérables bâtiments, qui abritaient jadis une manufacture de cuir et une usine de jouets. D'ailleurs, dans la plupart des chambres, il y a au moins un mur en pierres apparentes. Accueil très gentil et serviable.

Hôtel Nelligan *(zoom détachable Centre, D5,* ***53****) : 106, rue Saint-Paul Ouest. ☎ 514-788-2040. • hotelnelligan.com • Ⓜ Place-d'Armes. Doubles 200-450 $, petit déj continental 12 $.* La sobriété de la façade contraste avec l'élégance et la chaleur du décor intérieur de cet hôtel idéalement placé au cœur du Vieux-Montréal. Brique, boiseries, cheminées, jeux de lumières, fauteuils club... un charme fou et un confort optimal, conçus en hommage au poète québécois du début du XXe s Émile Nelligan. Abrite également le restaurant *Verses*, réputé pour son brunch du week-end ainsi qu'une terrasse sur le toit qui fait office de cabane à sucre en avril.

Hôtel et restaurant de l'Institut *(zoom détachable Centre, D3,* ***61****) : 3535, rue Saint-Denis. ☎ 514-282-5120 ou 1-855-229-8189. Resto : ☎ 514-282-5155. • ithq.qc.ca • Ⓜ Sherbrooke. Doubles 130-230 $ et suites dès 230 $, petit déj compris. Au resto (fermé sam midi, dim et le soir lun), table d'hôtes env 20 $ le midi et 25-45 $ le soir. Parking payant.* Derrière ce grand bâtiment design se cache l'*Institut de tourisme et d'hôtellerie du Québec*, accueillant un millier d'élèves. L'hôtel et le restaurant sont donc tenus par des apprentis (en période scolaire) ou par des stagiaires et employés (en été). Côté hôtel, les 40 chambres sont standard mais confortables et bien entretenues (la moindre des choses dans une école où l'on apprend le métier !). Toutes (sauf 2) ont un balcon. Côté fourneaux, les menus, servis dans l'agréable resto du rez-de-chaussée, sont concoctés par des étudiants en fin d'études, sous l'œil avisé de leurs professeurs.

OÙ MANGER ?

- Dans le Vieux-Montréal 84
- Dans le Quartier latin et le Village 85
- Dans le quartier chinois 87
- Sur le Plateau Mont-Royal 87
- Dans le Mile-End et plus au nord 91
- Dans le centre-ville (Downtown) et la Petite Bourgogne 92

Spécial petit déjeuner (« déjeuner » en québécois)

De nombreux restos populaires affichent des « ***spéciaux du déjeuner*** ». Vous pourrez avaler des œufs, du bacon, des rôties (du pain de mie grillé ; des toasts, quoi !), des « patates rôties » et du café pour moins de 10 $. Sachez aussi que la plupart des restos de Montréal affectionnent la formule du ***brunch,*** même en semaine.

L'Évidence *(zoom détachable Le Plateau, D3,* ***92****) : 3817, rue Saint-Denis. ☎ 514-847-2267. Ⓜ Sherbrooke. Tlj à partir de 8h. Petits déj 8-13 $; formule* Lève-tôt *moins chère servie jusqu'à 10h.* Petit bistrot contemporain prolongé d'une terrasse sur la rue, dont la carte aligne un large choix de bons petits déj aussi frais que copieux, servis jusqu'à 16h. Bien pratique pour les lève-tard !

Beautys *(zoom détachable Le Plateau, D2-3,* ***120****) : 93, av. du Mont-Royal Ouest (angle Saint-Urbain). ☎ 514-849-8883. Ⓜ Mont-Royal. Lun-ven 7h-15h ; w-e 8h-16h. Petits déj 8-13 $.* Ça ressemble à un *diner,* ça a l'atmosphère d'un *diner,* mais cette « luncheonette » possède un je-ne-sais-quoi qui en fait un incontournable. Son âge, peut-être, puisqu'elle est ouverte depuis 1942 ! Le dimanche, les fans de brunch (pourtant prévenus) s'y massent à la file, faisant pression du regard pour qu'une table se libère. Outre ses omelettes et autres incontournables de la cuisine populaire, on y vient pour ses spécialités juives, fraîches et appétissantes, comme ces bagels au saumon fumé nappés de *cream cheese*.

Chez Cora *(plan détachable, C4,* ***141****) : 1240, rue Drummond. ☎ 514-286-6171. Ⓜ Guy-Concordia. Tlj 6h (7h dim)-15h. Petits déj 12-15 $.* Cette chaîne ne vaut pas tant pour son décor de banale cafétéria que pour ses « déjeuners » gargantuesques. Pléthore de crêpes, brioches, œufs et autres assiettes recouvertes de montagnes de fruits frais. « Santé », comme on dit ici, mais tellement copieux qu'on n'est pas sûrs que ce soit très diététique !

L'Avenue *(zoom détachable Le Plateau, D3,* ***94****) : 922, av. du Mont-Royal Est. ☎ 514-523-8780. Ⓜ Mont-Royal. Brunchs, tlj 7h-16h, 7-13 $.* C'est LE spot pour le brunch du week-end, avec évidemment une file d'attente démentielle le dimanche matin ! Jolie déco et endroit idéal pour se mélanger à la foule branchée du Plateau.

Café Myriade *(plan détachable, B4,* ***140****) : 1432, rue Mackay. ☎ 514-939-1717. Ⓜ Guy-Concordia. Tlj 7h30 (9h w-e)-19h.* Un *coffee shop* de quartier en train de faire des petits dans la capitale *(1000, rue Sainte Catherine ; 251, rue Saint Viateur).* Ici, le p'tit noir est passé « à l'ancienne » dans des boules *Cona* (les vrais amateurs apprécieront) ou plus traditionnellement au perco, notamment pour les capuccinos. Sinon, muffins et autres viennoiseries à grignoter. Aux beaux jours, terrasse sur la rue (tranquille). Très populaire parmi les étudiants du coin.

Et aussi (voir plus loin) ***Resto du Village*** *(zoom détachable Centre, E4,* ***133****) : 1310, rue Wolfe. ☎ 514-524-5404. Ⓜ Beaudry. Tlj 24h/24.* Pour sa longue carte d'œufs, pains dorés, crêpes et autres poutines. ***La Boîte Gourmande*** *(zoom détachable Le Plateau, D2,* ***137****) : 445, av. Laurier Est. ☎ 514-270-5222. Ⓜ Laurier. Tlj 7h-19h (sam-dim 9h-16h).* Pour son brunch du week-end. ***La Binerie Mont-Royal*** *(zoom détachable Le Plateau, D2,* ***124****) : 367, av. du Mont-Royal Est. ☎ 514-285-9078. Ⓜ Mont-Royal. Mer-sam 6h (7h30 sam)-14h.* Fèves au lard, œufs, du typiquement québécois. ***L'Anecdote*** *(zoom détachable*

MONTRÉAL

Le Plateau, D3, ***98****) : 801, rue Rachel Est.* ☎ *514-526-7967.* Ⓜ *Mont-Royal. Tlj à partir de 11h (9h w-e).* Pour ses bénédictines (œufs pochés servis entre 2 tranches de pain rond toasté et nappés de sauce hollandaise).

Dans le Vieux-Montréal

Quartier historique bien réhabilité qui ne manque pas de charme même s'il demeure un peu trop « touristisé » à notre goût. Résultat : la carte de crédit se régale. Une consolation : nos adresses tiennent bien la route, c'est déjà ça...

Bon marché

|●| ***Olive et Gourmando*** *(zoom détachable Centre, C5,* ***104****) : 351, rue Saint-Paul Ouest.* ☎ *514-350-1083.* Ⓜ *Square-Victoria. Tlj 9h-17h. Plats 12-17 $. CB refusées.* Très chaleureuse boulangerie-resto tout en bois, repérable à l'heure du coup de feu du midi, quand la clientèle fait le pied de grue en attendant sa commande à emporter. Ici, délicieux sandwichs et paninis à la composition souvent originale, des salades de pâtes ou de légumes très créatives, des soupes fumantes... Et des brownies à tomber ! Bref, si vous voulez manger sain, c'est par ici que ça se passe, autour des grosses tables en bois dans ce gentil brouhaha !

Prix moyens

|●| ***Titanic*** *(zoom détachable Centre, C5,* ***106****) : 445, rue Saint-Pierre.* ☎ *514-849-0894.* Ⓜ *Place-d'Armes. Lun-ven 8h-16h. Sandwich env 10 $, formules à midi 15-20 $.* Une cantine un peu chic plébiscitée par les employés du coin pour leur pause déjeuner. La chaleureuse salle en demi-sous-sol, décorée d'antiquités et vibrante de discussions, rappelle une cambuse de bateau. Mais ce n'est pas ici que vous heurterez un iceberg, car le service est bien sympa. Quiches, lasagnes et assortiments d'*antipasti* permettent de s'en sortir à moindres frais par rapport aux restos du quartier. Possibilité de prendre un sandwich ou une « boîte à lunch » à emporter et à déguster sur le port.

|●| ***L'Usine de Spaghetti*** *(zoom détachable Centre, D4,* ***107****) : 273, rue Saint-Paul Est.* ☎ *514-866-0963.* Ⓜ *Champ-de-Mars. Juste à côté de la pl. Jacques-Cartier. Tlj 11h30-22h. Plats 15-25 $; assiette du jour 18 $.* Dans un décor boisé et émaillé d'antiquités, avec du beau parquet, des lustres kitsch et des croûtes sur les murs. Dickens aurait noirci des pages ici en 1842... Dans l'assiette, grand choix de pâtes bien cuisinées avec des sauces parfois originales. Quelques viandes également. Salades et pain à volonté.

De chic à très, très chic

|●| ***Méchant Bœuf*** *(zoom détachable Centre, D5,* ***108****) : 124, rue Saint-Paul Ouest.* ☎ *514-788-4020.* Ⓜ *Place-d'Armes. Tlj 17h-23h (0h30 jeu-sam, plus tard pour le bar). Plats 21-46 $; menu « bouffe-tard » après 23h : plats 15-25 $.* De la viande comme s'il en pleuvait ! Certes, les plus beaux morceaux (côtes de bœuf, filet mignon sur l'os...) sont aussi chers que juteux, mais les moins fortunés ne seront pas en reste, car les burgers de premier choix et les tartares au couteau sont très accessibles. Pour des entrées fraîches et fines, direction le « bar cru » et sa vitrine d'huîtres et fruits de mer. Le mariage de la brique et du bois baignant dans une lumière tamisée offre un cadre très chaleureux. Service suffisamment souriant et attentionné pour faire oublier une certaine lenteur. DJ en fin de semaine.

|●| ***The Keg*** *(zoom détachable Centre, D4-5,* ***111****) : 25, rue Saint-Paul.* ☎ *514-871-9093.* Ⓜ *Place-d'Armes. Ts les soirs 17h (16h w-e)-22h (23h ven-sam). Plats 27-40 $. Résa conseillée.* En plein quartier touristique, voici le paradis des viandards : du bœuf sous toutes ses formes et à la cuisson savamment maîtrisée. Côtes de bœuf, bavettes, côtes levées... c'est pour elles que la clientèle se presse dans ce décor typique des *steak houses*. Étonnant, d'ailleurs, qu'au milieu de toute cette bidoche quelques plats de poisson aient réussi

à se frayer un chemin ! Terrasse sur la rue passante.

Chez l'Épicier *(zoom détachable Centre, D4, **109**) : 311, rue Saint-Paul Est. ☎ 514-878-2232. Ⓜ Champ-de-Mars. Ts les soirs 17h30-22h. Carte env 60 $. Menu dégustation 7 services 85 $ (60 $ de plus avec accord mets-vins).* À la tête de ce restaurant gastronomique au décor séduisant d'épicerie chic (aussi bar à vins), le chef Laurent Godbout élabore une cuisine contemporaine s'inspirant autant du terroir québécois que de ses expériences française, espagnole et asiatique. Aïe, aïe, aïe, que c'est bon ! Et, vu la présentation, pas étonnant qu'on lui ait attribué l'invention du concept de « divertissement culinaire ». Les palais voyageurs peuvent même acheter des produits du terroir (et d'ailleurs). C'est l'avantage de prendre ses repas dans une épicerie...

Club Chasse et Pêche *(zoom détachable Centre, D4, **110**) : 423, rue Saint-Claude. ☎ 514-861-1112. Ⓜ Champ-de-Mars. Tlj sf dim-lun 18h-22h30. Plats 38-45 $ (repas env 85 $).* Ambiance rétro, éclairage savamment dosé, mariage des textures jouant sur les surprises et les contrastes. Bref, un décor à l'image de la cuisine de Claude Pelletier, tout en amour du gibier et de la truite arc-en-ciel. Un assemblage de produits de saison, à découvrir confortablement assis dans de profonds fauteuils en cuir, avec dans l'assiette cette pointe d'originalité qui marie le porcelet au risotto, le thon au Serrano, le riz noir à l'omble chevalier. Aux beaux jours, à midi, quelques tables au pied du château Ramezay. Une valeur sûre.

Dans le Quartier latin et le Village

Le bas de la rue Saint-Denis (du nº 1000 au nº 4000), que l'on appelle « Quartier latin », aligne une brochette de restos rapides et de bars à la fréquentation plutôt jeune et francophone : normal, l'université d'UQAM est le centre névralgique du quartier. Si le coin est loin d'être réputé pour sa gastronomie, on peut néanmoins s'y restaurer convenablement et à toute heure, avant ou après la tournée des bars. En poursuivant vers l'est, la rue Sainte-Catherine conduit au cœur du Village, le quartier gay de Montréal. Là encore, pas de grande table, mais de quoi se sustenter à tous les prix dans une ambiance festive et cosmopolite.

Bon marché

Resto du Village *(zoom détachable Centre, E4, **133**) : 1310, rue Wolfe. ☎ 514-524-5404. Ⓜ Beaudry. Tlj 24h/24. Plats 14-17 $, burgers 6-11 $.* Petit bistrot discret, tranquille et bien pratique quand on sort affamé de chez *Mado* (voir « Où boire un verre dans le village ? »). Un des rares vrais restos ouverts non-stop et offrant un rapport qualité-prix extra ! Salle plaisante et intime, pour une cuisine offrant pas mal de choix, affichés au tableau noir. Petite carte 7h-minuit, comportant des plats cuisinés, genre tourtière maison, steak, saumon... Sinon, passé l'heure du crime, ça se simplifie (salades, omelettes, etc.) et, surtout, ça dépend de l'humeur du cuistot...

Coop Café Touski *(plan détachable, E3, **105**) : 2361, rue Ontario Est. ☎ 514-524-3113. Ⓜ Frontenac. Lun-ven 8h-21h, sam 9h-21h, dim 9h-16h. Plats 6-10 $. Touski,* c'est une coopérative autogérée qui fonctionne à l'horizontale avec des revenus 100 % autonomes. Ici, le principe, c'est de manger sain pour le moins cher possible. Alors, évidemment, côté bouffe, ça va de la ratatouille aux burgers en passant par les soupes, les œufs, la cuisine *québ-mex* et quelques variations sur le sans gluten et le *vegan*. L'été, tables de pique-nique dans la cour, sous les érables ; l'hiver, dans l'une des petites salles au mobilier disparate. Brunch servi jusqu'à 15h30 en fin de semaine. Bonne ambiance, toujours...

Restaurant-Café Saigon *(zoom détachable Centre, D4, **97**) : 1280, rue Saint-André. ☎ 514-849-0429. Ⓜ Berri-UQAM. Tlj 11h-14h30, 17h-21h (lun-mar, le soir slt). Plats 10-20 $, formules pour 2 à partager 33 $. CB refusées.* Derrière une façade banale se cache un petit resto en demi-sous-sol très convivial. Accueil souriant, service vite expédié. Sur la carte, les poncifs de la cuisine vietnamienne.

Laissez-vous plutôt tenter par les variations au wok sur les thèmes de la crevette, du bœuf et du poulet (les végétariens demanderont la carte spécial tofus). Côté épices, pas de lézard, un petit piment vous avertit des risques d'incendie, mais pensez quand même à apporter votre bouteille de vin.

|●| ***Zyng*** *(zoom détachable Centre, D4,* ***96****) : 1748, rue Saint-Denis. ☎ 514-284-2016. Ⓜ Sherbrooke. Tlj 11h30-22h (plus tard le w-e). Plats 10-13 $.* Cette « nouillerie » au décor rafraîchissant sert une cuisine asiatique saine, goûteuse et franchement copieuse. Les soupes-repas calent bien leur homme. On peut aussi composer son bol en choisissant son type de pâtes (de blé, de riz...), ses légumes et éventuellement sa viande. Une adresse simple et sans prétention gastronomique, mais qui colle bien au style du quartier. Succursale : *1371, av. du Mont-Royal Est.*

|●| ***Cinko*** *(zoom détachable Centre, D4,* ***184****) : 1643, rue Saint-Denis. ☎ 514-903-1641. Ⓜ Berri-UQAM. Tlj 12h-minuit (22h dim-lun).* Le concept est simple, tous les plats sont à 5 $! De quoi faire du *Cinko* l'arrêt au stand privilégié des soiffards de la rue Saint-Denis, d'autant qu'il y a du choix (burger, *nachos,* poutine, saumon...) et que les affamés peuvent gonfler les portions pour quelques dollars de plus. Honnête, même si, assommé d'électro, plongé dans la pénombre, on ne vient pas ici disserter sur le tour de main du chef... Grande terrasse sur le pignon.

|●| ***La Panthère Verte*** *(zoom détachable Centre, D4,* ***90****) : 1735, rue Saint-Denis. ☎ 514-303-1313. Ⓜ Berri-UQAM. Tlj 11h-22h (minuit ven-sam). Moins de 10 $.* Un des rejetons d'une petite chaîne de fast-foods végétaliens, où manger sain et pas cher si on n'est pas trop pressé. Lire aussi plus bas « Dans le centre-ville ».

De prix moyens à chic

|●| ***Au Petit Extra*** *(zoom détachable Centre, E3,* ***99****) : 1690, rue Ontario Est (près de Papineau). ☎ 514-527-5552. Ⓜ Papineau. Un peu excentré vers l'est. Lun-ven midi et ts les soirs 17h30-22h (22h30 jeu-sam, 21h30 dim). Résa conseillée. Table d'hôtes 15-22 $ le midi ; repas à la carte 40 $ le soir.* Ce n'est pas si petit, mais c'est vraiment extra. Un sage bistrot aux faux airs de chic provincial, concoctant une cuisine classique et de qualité d'inspiration française (canard, gibier, boudin), avec tout de même quelques incursions dans le terroir québécois.

|●| ***Le Pèlerin-Magellan*** *(zoom détachable Centre, D4,* ***100****) : 330, rue Ontario Est. ☎ 514-845-0909. Ⓜ Berri-UQAM. Resto-bar lun-mar 11h-21h (22h mer, 23h30 le w-e), 16h-21h dim. Plats 16-23 $; table d'hôtes midi et soir 14-20 $. Le Pèlerin,* c'est une sorte de taverne de marins plutôt sobre, qui vaut surtout, aux beaux jours, pour sa belle terrasse verdurée sur l'arrière. La solide carte régulière ne fait pas d'étincelles (burger, bavette, tartiflette), mais chaque jour le chef propose quelques plats originaux selon l'inspiration du moment. Brunch le week-end, ambiance relax à toute heure. Bon choix de vins, de bières et de rhums.

Très chic

|●| ***Bouillon Bilk*** *(zoom détachable Centre, D4,* ***89****) : 1595, bd Saint-Laurent. ☎ 514-845-1595. Ⓜ Saint-Laurent. Lun-ven 11h30-14h30, 17h30-23h ; w-e le soir slt. Plats 15-22 $ à midi, 30-36 $ le soir ; menu dégustation 8 services 85 $. Résa indispensable le w-e.* On passerait devant sans s'arrêter si on n'était pas attiré par cette grande salle lumineuse où se coudoie une armée de cols blancs à l'heure du déjeuner. Mine réjouie, on les sent absorbés par cette cuisine nord-américaine contemporaine, qui revisite les classiques de l'assiette québécoise en leur apportant la persistance d'une épice, l'acidité d'un agrume... Et on ne vous parle même pas des desserts... Tout ça épaulé par une carte des vins à dérouter ceux qui se vantent d'avoir déjà tout bu ! Si votre porte-monnaie est du genre contrariant, essayez-vous d'abord au ***Restaurant Cadet,*** le bar à vins rejeton *(zoom détachable Centre, D4,* ***88****) : 1431, bd Saint-Laurent. ☎ 514-903-1631. Tlj 16h30-1h.*

MONTRÉAL

I●I ***Chez Ma Grosse Truie Chérie*** *(zoom détachable Centre, E3,* ***134****) : 1801, rue Ontario (angle Papineau). ☎ 514-522-8784. Ⓜ Papineau. Mar-sam 17h-21h ou 22h (plus tard le w-e et résa conseillée), et le midi mer-ven. Repas 40-60 $. Vins assez chers. Parking gratuit.* Impossible d'échapper à cette accrocheuse façade, annonçant un surprenant décor intérieur tout métal et mobilier de récup (les tables sont d'anciennes pistes de bowling), doublé d'une terrasse tout aussi originale. Ne pas escompter manger de façon intime, ici c'est longues tablées, chaises hautes et volume sonore poussé sur fort. Dans l'assiette, le cochon est roi, décliné en côtes, jarret, joues, pied... et en tout à la fois dans le Méga Cochon, à partager à 4. Sinon, steak au poivre, saumon ou moules de l'île du Prince-Édouard. C'est bien servi, sauces goûteuses, cuissons réussies... Miam !

Dans le quartier chinois

Le minuscule quartier chinois *(Ⓜ Place-d'Armes)* aligne plusieurs restos asiatiques typiques et bon marché. Ils se situent dans la rue Clarke et autour de la rue de la Gauchetière. Laissez-vous guider par vos narines, vos yeux et vos oreilles.

I●I ***Pho Bang New York*** *(zoom détachable Centre, D4,* ***103****) : 1001, bd Saint-Laurent. ☎ 514-954-2032. Ⓜ Place-d'Armes. Tlj 10h-21h30. Compter env 12 $.* Un peu à l'écart des restos chinois tape-à-l'œil, un petit vietnamien au décor dépouillé, très réputé pour ses excellentes soupes tonkinoises. Demandez la soupe au bœuf saignant, délicieuse ! L'endroit est certes bruyant, mais c'est une bonne valeur dans un quartier qui n'en compte pas tant que ça. Si c'est plein, le ***Pho Cali*** juste un peu plus haut, au nº 1011, n'est pas mal non plus.

Sur le Plateau Mont-Royal

Quartier à la fois résidentiel et animé, fief des Français expatriés, assez emblématique du Montréal qui bouge d'un point de vue créatif (boutiques de fringues, déco, livres, bijoux, etc.). Seul hic, pas mal de voitures et ça manque un peu de vert, comparé à Laurier, un peu plus au nord, avec son beau parc et ses petits restos. Cela dit, Mont-Royal reste quand même un quartier sympa pour magasiner.

Bon marché

I●I ***La Banquise*** *(zoom détachable Le Plateau, D3,* ***136****) : 994, rue Rachel Est. ☎ 514-525-2415. Ⓜ Mont-Royal. Tlj 24h/24. Poutine 8-16 $ (regular suffisante).* La poutine étant le plat de prédilection de la viande saoule, pas étonnant que l'on fasse la queue dès l'aube dans cette institution ouverte 24h/24. Cadre intérieur en brique coloré à souhait, agréable terrasse derrière. 30 sortes de poutine dont l'*Elvis*, la *T Rex*, l'*Obélix* (à la viande fumée), la *Mai 68* et grand choix de hamburgers, sandwichs, salades pour les anti-poutiniens ! Bonne sélection de bières artisanales. Si c'est complet, la rôtisserie portugaise en face, ***Ma Poule Mouillée,*** propose également une bonne poutine.

I●I ***Santropol*** *(zoom détachable Le Plateau, D3,* ***116****) : 3990, rue Saint-Urbain (angle de Duluth). ☎ 514-842-3110. Ⓜ Mont-Royal ou Sherbrooke. Tlj 11h-22h30. Sandwichs 10-12 $.* Une de nos adresses chéries dans le coin. Un lieu très fréquenté, plutôt *granola* (végétarien en jargon local), mais pas que. Décor foutraque et coloré, ambiance détendue. Cour intérieure bucolique avec des plantes, des petits jeux d'eau. Gros sandwichs, bonnes soupes, salades géantes, succulents gâteaux et cafés bio issus du commerce équitable torréfiés par la *Brûlerie Santropol (6337, rue Clark ; ☎ 514-840-1000).* Également des thés et des tisanes maison, de savoureux milk-shakes, etc.

I●I ***L'Anecdote*** *(zoom détachable Le Plateau, D3,* ***98****) : 801, rue Rachel Est. ☎ 514-526-7967. Ⓜ Mont-Royal. Tlj 11h (9h w-e)-22h (21h dim-lun, minuit ven-sam). Moins de 10-12 $.* Calé dans un angle, un petit resto de quartier, lumineux et vintage avec ses box, banquettes de moleskine et tables en inox.

Jolie sélection de sandwichs et burgers frais et originaux (steak de cerf, d'agneau, cari, menthe fraîche, etc.), glissés entre 2 tranches moelleuses de pain brioché maison. Également des salades colorées, des poutines et des bénédictines pour un petit déj tardif. Un bon plan pas cher.

|●| **Patati-Patata** *(zoom détachable Le Plateau, D3,* ***117****) :* *4177, bd Saint-Laurent (angle rue Rachel). ☎ 514-844-0216. Ⓜ Sherbrooke. Tlj 8h-2h. Moins de 10 $.* Une petite institution pour les jeunes affamés du quartier. Dans ce miniresto rapide, on sert poutines à gogo et petits burgers au bœuf comme au poisson. Depuis des années, la qualité et les prix restent stables, ce qui explique – en plus des horaires élastiques – que les fidèles fassent souvent la queue devant cette façade peinte à l'arrache. Quelques tables et un comptoir pour consommer à l'intérieur. Bons jus pressés et thé glacé maison. Sert aussi le petit déj.

|●| **La Boîte Gourmande** *(zoom détachable Le Plateau, D2,* ***137****) :* *445, av. Laurier Est. ☎ 514-270-5222. Ⓜ Laurier. Tlj 7h-19h (w-e 9h-16h). Petit déj 6 $ (« affamés » 8 $). Plats du jour 9-16 $. Excellent brunch le w-e.* Spacieuse et sympathique cafétéria de quartier. Comptoir en marbre ou tables bien séparées, musique discrète, atmosphère vivante et chaleureuse pour une bonne petite cuisine bien fraîche, à consommer sur place comme à emporter. Plats du jour servis à la portion ou à la demi-portion pour les petites faims, salades variées, quiches, omelettes et de délicieux gâteaux maison. Fait aussi petite boutique de produits équitables.

Saint-Viateur Bagel & Café *(zoom détachable Le Plateau, D2,* ***123****) :* *1127, av. du Mont-Royal Est. ☎ 514-528-6361. Ⓜ Mont-Royal. Tlj 6h-22h. 10-13 $.* L'adresse originale du *Saint-Viateur Bagel* est au 263, rue Saint-Viateur, dans le Mile-End. C'est une des institutions juives du quartier : depuis 1957, on y cuit 24h/24 des rangées entières de bagels dans le beau four à bois. La boutique du Mile-End n'est cependant que la boulangerie. Pour déguster les bagels « garnis », c'est ici. Préférez ceux au sésame et choisissez la garniture. Le « traditionnel » est simple et excellent : crème, saumon, câpres et citron. Celui au poulet n'est pas mal non plus. Plus original, le bagel « omertà », à l'italienne évidemment. Également des tartinades (moins chères), soupes, salades et gâteaux.

|●| **Schwartz's** *(zoom détachable Le Plateau, D3,* ***118****) :* *3895, bd Saint-Laurent. ☎ 514-842-4813. Ⓜ Sherbrooke. Tlj 8h-0h30 (1h30 ven, 2h30 sam). Viande chaude servie dès 10h30. Sandwichs moins de 10 $; assiettes garnies 10-22 $. CB refusées.* Une autre institution de la cuisine juive à Montréal (depuis 1928), réputée dans tout le Québec. Burt Lancaster, Nana Mouskouri (si, si) et tant d'autres se sont attablés ici. La queue sur le trottoir est presque permanente. Les vitrines croulent sous la *smoked meat* et les bocaux d'énormes cornichons, le sol est graisseux et l'accueil se fait à la chaîne, mais c'est pas grave. On vient ici pour un sandwich maison à emporter ou à manger sur place. S'il faut, on s'attable pour une assiette de viande fumée ou un gros steak cuit au charbon de bois. Pas d'autre alternative, ni dessert ni alcool. Autre spécialité, l'accueil expéditif de certains serveurs...

|●| **Maamm Bolduc** *(plan détachable, E3,* ***145****) :* *4351, rue de Lorimier (angle Marie-Anne). ☎ 514-527-3884. Ⓜ Mont-Royal. Un peu excentré. Tlj 7h30 (8h w-e)-22h. Plats 8-15 $.* Un resto-snack de quartier, sympathique, populaire et coloré, réputé pour ses brunchs (prévoir de l'attente ou pointez-vous dès l'ouverture). Mis à part la sempiternelle poutine, plein d'autres plats, genre pâté chinois, macaroni à la viande ou ragoût de boulettes, et des burgers variés et originaux ainsi que quelques plats végétariens et d'excellents gâteaux. Petite terrasse en bord de rue.

|●| **Rôtisserie Romados** *(zoom détachable Le Plateau, D3,* ***119****) :* *115, rue Rachel Est (angle Bullion). ☎ 514-849-1803. Ⓜ Mont-Royal. Tlj 6h30-21h (22h jeu-sam). 10-13 $.* Une rôtisserie portugaise dont la réputation a fait le tour de Montréal. Selon beaucoup, le meilleur poulet grillé de la ville, d'où souvent un peu d'attente. Également quelques plats (sardines...), du pain de

maïs et des tartelettes aux œufs dont les recettes viennent directement du pays. Certes, vu le cadre, c'est pas fait pour les amoureux... D'ailleurs, la plupart des clients commandent des plats à emporter.

🍽 ***Aux Vivres** (zoom détachable Le Plateau, D2, **121**) : 4631, bd Saint-Laurent. ☎ 514-842-3479. Ⓜ Laurier ou Mont-Royal. Tlj 11h (10h w-e)-23h. Brunch sam-dim 10h-16h. Plats 12-16 $.* Un resto-bar à jus végétalien au décor propret, très années 1950, avec une cour plaisante à l'arrière. Tous les plats sont préparés à base de légumes de saison bio, de tofu ou de *tempeh* (soja fermenté), le tout sans aucun produit d'origine animale (interdit de faire sa tête de cochon, par exemple). Salades, soupe du jour, tofu grillé, le fameux *végépâté* (un classique québécois), jus frais, smoothies sans lait, etc. Une expérience culinaire 100 % *vegan* que l'inventivité des cuistots et des sauces excellentes parviennent à rendre savoureuse. Vend aussi à emporter.

🥖 ***Boulangerie Hof Kelsten** (zoom détachable Le Plateau, D2, **91**) : 4524, bd Saint-Laurent. ☎ 514-840-9011. Ⓜ Sherbrooke. Mer-dim 8h-19h. Sandwichs 5-9 $. CB refusées.* La meilleure boulange de Montréal ! Pain au levain, au tournesol, au carvi, au kamut, mais aussi de délicieux sandwichs de saumon gravlax (mariné à la suédoise), de poitrine fumée, de poulet et même de foie haché ou végétarien. Grand comptoir pour déguster dans une salle en béton ciré avec vue sur le fournil du chef, Jeff Finkelstein, qui a travaillé dans de grands restos internationaux (dont le mythique *El Bulli* en Catalogne). Bon café et soupes pour compléter.

🍽 ***La Binerie Mont-Royal** (zoom détachable Le Plateau, D2, **124**) : 367, av. du Mont-Royal Est. ☎ 514-285-9078. Ⓜ Mont-Royal. Mer-sam 6h (7h30 sam)-14h, 17h-21h ; dim 7h30-15h. Repas complet 10-16 $.* Pour une dizaine de piastres (dollars, quoi !), accoudé au comptoir, vous pourrez expérimenter le déjeuner québécois traditionnel : soupe aux pois, haricots (fèves au lard) et l'« assiette maison » – tourtière, boulettes de viande, « patates pilées » et pouding chômeur. C'est copieux et très typique, à défaut d'être diététique et raffiné. N'hésitez pas à arroser le tout d'une bière d'épinette *Marco,* fameuse boisson gazeuse à l'ancienne. Un lieu minuscule et intact depuis son ouverture en 1938.

🍽 ***L'Avenue** (zoom détachable Le Plateau, D3, **94**) : 922, av. du Mont-Royal Est (entre Mentana et Saint-André). ☎ 514-523-8780. Ⓜ Mont-Royal. Tlj 8h-16h. Brunchs 7-13 $ (voir plus haut « Spécial petit déjeuner ») ; burgers, salades et pâtes 10-15 $.* Décor branché, avec banquettes en alcôve, mur de brique graffité, Harley-Davidson au plafond et chute d'eau. Le tout en musique, *high level* évidemment. Les portions généreuses en font un rendez-vous idéal pour les petits budgets et les affamés. Un bon plan, du moins quand on arrive à avoir une table !

MONTRÉAL

Prix moyens

🍽 ***Jano** (zoom détachable Le Plateau, D3, **118**) : 3883, bd Saint-Laurent. ☎ 514-849-0646. Ⓜ Sherbrooke. Tlj 16h-23h. Repas 20-30 $.* Un bon resto de grillades portugais, un vrai, avec des spécialités du *Ribatejo* en rafales, du lapin grillé, des *spare ribs,* du poisson sur charbon de bois. Copieux à défaut d'être très bon marché, et servi dans un décor sans prétentions par un *pessoal simpatico*.

🍽 ***Le Jardin de Panos** (zoom détachable Le Plateau, D3, **128**) : 521, rue Duluth Est. ☎ 514-521-4206. Ⓜ Mont-Royal ou Sherbrooke. Tlj 11h30-23h30. Plats 16-27 $; spécial « souper tôt » 15h-17h (16h w-e) env 20 $. On peut apporter son vin.* Une taverne grecque (communauté non négligeable à Montréal), servant de bonnes et copieuses spécialités : bel assortiment d'entrées suffisant pour 2, *souvlaki* (grillades marinées) bien juteuses et savoureuses. Jardin l'été. Accueil correct, mais tout dépend de l'affluence. Si c'est complet, le restaurant d'en face (au n° 506), ***Khyber Pass,*** propose de très bonnes spécialités afghanes (n'oubliez pas d'apporter votre bouteille non plus).

🍽 ***Robin des Bois** (zoom détachable Le Plateau, D2, **125**) : 4653, bd Saint-*

Laurent. ☎ *514-288-1010.* Ⓜ *Mont-Royal. Lun-sam 11h30-22h. Menus 15-25 $.* Dans une salle aérée et rustico-contemporaine, une cuisine 99 % maison aux parfums d'ici et d'ailleurs, avec ou sans gluten, végé ou non et des formules à partager... Mais on ne vient pas uniquement ici pour les plats car cette adresse est gérée en partie par des bénévoles (d'où le service un peu hésitant), et reverse ses profits à des organismes caritatifs.

|●| ***L'Express*** *(zoom détachable Le Plateau, D3,* ***129****)* **:** *3927, rue Saint-Denis.* ☎ *514-845-5333.* Ⓜ *Sherbrooke. Tlj 8h (10h w-e)-2h (1h dim). Plats 15-27 $.* Cette brasserie à la parisienne est une institution. Pour ses plats classiques et vraiment bien ficelés (tartare de bœuf, cailles farcies, foie gras...), mais aussi pour ses horaires étendus. Un vrai plus en fin de soirée ! Il n'est pas rare d'y croiser de nombreux artistes après les représentations. Atmosphère animée et décontractée, entretenue par une bonne carte des vins servis au besoin à la ficelle.

|●| ***Le Nil Bleu*** *(zoom détachable Centre, D3,* ***130****)* **:** *3706, rue Saint-Denis.* ☎ *514-285-4628.* Ⓜ *Sherbrooke. Tlj 12h-23h (pause 15h-17h en sem). Plats 14-20 $.* Cadre chicos décoré à l'africaine, version « aseptisée », pour déguster de délicieuses spécialités éthiopiennes, mais pas que. L'idéal est d'y aller à plusieurs, car le principe est de choisir chacun une spécialité différente (poulet, agneau... cuits dans des sauces plus ou moins épicées) et de partager. Ici, ni assiettes ni couverts, on mange avec l'*injira,* la traditionnelle crêpe éthiopienne à la farine de teff (donc sans gluten). Bon café.

|●| ***Les Entretiens*** *(plan détachable, E2,* ***138****)* **:** *1577, av. Laurier Est (angle Fabre).* ☎ *514-521-2934.* Ⓜ *Laurier. Tlj 9h-23h (22h pour la cuisine). Plats 10-25 $. Tables d'hôtes le midi 13-15 $.* Haut plafond ouvragé, ventilos, plancher bien usé et cuisine en partie ouverte sur la salle, un cadre spacieux et chaleureux pour des mets finement cuisinés mais chichement servis, il faut bien l'avouer. Goûtez cependant au burger d'agneau ou de saumon au confit d'oignons et pommes rissolées, complétés de suggestions du jour à l'ardoise. Pianiste et beau brunch le week-end. Service jeune et dynamique.

Chic

|●| ***Au Pied de Cochon*** *(zoom détachable Le Plateau, D3,* ***131****)* **:** *536, rue Duluth Est.* ☎ *514-281-1114.* Ⓜ *Mont-Royal ou Sherbrooke. Tlj sf lun-mar 17h-minuit. Plats 15-45 $.* Un joli bistrot qui ne désemplit pas, tant ce *Pied de cochon* est connu et reconnu. Si bien qu'il n'a même pas pris la peine de mettre une enseigne ! Excellente atmosphère dans un brouhaha permanent. Sa cuisine typiquement québécoise s'est élevée au rang de gastronomie. C'est l'un des rares restos où vous pourrez manger une poutine au foie gras ! Et bien d'autres plats alléchants et savoureux : langue de bison, tête de cochon, foie gras et boudin maison...

|●| ***Le Quartier Général*** *(zoom détachable Le Plateau, D-E2,* ***139****)* **:** *1251, rue Gilford.* ☎ *514-658-1839.* Ⓜ *Laurier. Tlj 11h30-14h30, 18h-22h (fermé à midi le w-e). Plats 26-31 $. Table d'hôtes midi env 25 $, soir env 40 $. Résa hautement recommandée.* Dans ce quartier calme et hors des sentiers battus, LA table des gastronomes et branchés du coin (apporter sa bouteille). Grande salle plutôt sobre, avec cuisine ouverte et plats inscrits au tableau noir (5-6 choix d'entrées, plats et desserts). Cuisine fusion appuyée sur de beaux produits, avec une touche de créativité et toujours la cuisson exacte. Seul petit défaut (propre à ce genre de lieu)... assez bruyant !

|●| ***Maison Publique*** *(plan détachable, E2,* ***122****)* **:** *4720, rue Marquette (angle Gilford).* ☎ *514-507-0555.* Ⓜ *Mont-Royal. Tlj sf lun-mar 18h-minuit, brunch le w-e 10h30-14h. Plats 12-29 $; repas min 45 $.* Un bistrot bobo-branché dans toute sa splendeur. Pas de carte, les suggestions sont écrites au mur, au fond de la salle. Plats originaux, goûteux et savoureux, mais peu copieux... ce qui incite à en commander plusieurs, et faire lourdement grimper l'addition ! Une adresse bistronomique de haut vol, qui fait le plein chaque soir.

|●| ***Lili.Co*** *(zoom détachable Le Plateau, C2,* ***125****)* **:** *4675, bd Saint-Laurent.*

☎ 514-507-7278. Ⓜ Mont-Royal ou Laurier. Mar-dim 17h-minuit (plus 11h-14h mer-ven). Brunch le w-e. Repas 35-40 $, menu dégustation 6 services 65 $. De grandes baies vitrées sur l'angle de la rue, une cuisine ouverte encadrée de longs comptoirs. Une table bien dans la veine de ces néo-bistrots qui fleurissent un peu partout en ville. Comme souvent dans ce genre de lieux, on ne commande pas un plat mais plusieurs, les portions sont chiches, façon tapas. Chaque mets est une petite création, fruit du marché du jour, mariant volontiers les produits d'ici aux goûts venus d'Asie.

Dans le Mile-End et plus au nord

Le Mile-End, qui occupe la partie nord-ouest du Plateau, concentre restos, bars et boîtes de nuit bien dans leur époque. Autrefois faubourg ouvrier, puis lieu d'accueil des immigrants juifs, portugais et grecs, il est devenu dans les années 1980 un véritable repaire d'artistes. Depuis, son esprit alternatif laisse peu à peu la place à une branchitude certaine, du genre barbe de bûcheron et chemise à carreaux (toujours eux !). N'empêche, on s'y promène avec un certain plaisir. Un peu plus au nord, le ***Marché Jean-Talon*** permet de se restaurer à prix plancher.

Bon marché

|●| ***Chez Claudette*** *(zoom détachable Le Plateau, D2, **87**) : 351, av Laurier Est (angle Drolet). ☎ 514-279-5173. Ⓜ Laurier. Dim-mer 7h-minuit ; jeu-sam 24h/24. Plats 8-13 $.* Immanquable petit resto de quartier à la façade jaune canari. Dans une ambiance très conviviale, on y sert une flopée de poutines qui passent pour être les meilleures du coin. Petite portion, grande portion, épicées ou pas, rien n'arrête l'imagination du cuistot. Quelques burgers végés aussi. Petite terrasse aux beaux jours.

|●| ***Comptoir 21*** *(plan détachable, C-D2, **146**) : 21, rue Saint-Viateur Ouest. ☎ 514-507-3474. Ⓜ Laurier. Tlj 11h30-23h (minuit jeu-sam). Plats 6-15 $.* Petit resto franchisé à l'esprit vintage où l'on s'installe autour d'un comptoir en forme de U pour jaser avec ses voisins. Copieuse chaudrée de palourdes, burger de poisson grillé et sûrement le meilleur *fish & chips* de Montréal ! Clientèle hétéroclite, ravie de se remplir la panse à prix riquiqui.

|●| ***Le Tartarin*** *(plan détachable, D1, **86**) : 7070, av Henri-Julien (dans le marché Jean-Talon). ☎ 514-906-1114. Ⓜ Jean-Talon. Tlj 7h-18h (non-stop). Plats 6-12 $. CB refusées.* Dans le temple montréalais des produits de bouche, *Le Tartarin* est une petite cantine aux plats appétissants d'un remarquable rapport qualité-prix. On zieute les propositions du jour, on commande au cuistot, on règle à la caissière et on file s'assoir sur une petite table pour mater le va-et-vient du marché. Pour le dessert, les occasions de se sucrer le bec aux alentours ne manquent pas.

|●| ***Le Cagibi*** *(plan détachable, C-D2, **101**) : 5490, bd Saint-Laurent. ☎ 514-509-1199. • bookinglecagibi@gmail.com • Ⓜ Laurier. Lun 18h-minuit, mar-dim 9h (10h30 sam-dim)-1h (minuit dim). Sandwich env 8 $.* Plafond décati, parquet défoncé, mobilier dépareillé, forêt de *laptops* déployés sur les tables en formica... Un repaire de *hipsters*, relax et branché, bien à l'image du quartier. À l'ardoise, bons gros sandwichs végétariens, café équitable et bières artisanales. Et, chaque soir ou presque, sur la petite scène de guingois, un show, un DJ, un petit concert (réserver par e-mail). Pour poursuivre la soirée, y a qu'à traverser la rue jusqu'au ***Waverly,*** décor chic vintage et zik électro.

De prix moyens à chic

|●| ***Hôtel Herman*** *(plan détachable, D2, **144**) : 5171, bd Saint-Laurent (et Laurier). ☎ 514-278-7000. Ⓜ Laurier. Tlj sf mar 17h-23h30. Plats 20-23 $. À la carte, compter 35 $ (mais vins assez chers).* Qualité des produits de terroir, excellente cuisine du marché et quelques bières bien choisies ont vite valu à ce genre d'ancien entrepôt reconverti une solide réputation. Décor

MONTRÉAL

minimaliste : long mur de brique, cuisine ouverte. Au milieu, un vaste comptoir en U qui, curieusement, semble avoir la préférence de la clientèle trentenaire lookée (quasi personne à table !). Pour une fois, niveau sonore raisonnable !

Dans le centre-ville (Downtown) et la Petite Bourgogne

Hors business et commerces de chaîne, le gros de l'animation se concentre autour de l'université McGill, avec beaucoup de restos à thème et de snacks pas trop chers. En allant vers le canal Lachine, la ***Rue Notre-Dame,*** épicentre de la ***Petite Bourgogne,*** ancien quartier ouvrier notoire de Montréal, est en train de céder à une forme de branchitude certaine (bars, restos hors de prix, boutiques). Le ***marché Atwater,*** lui, s'avère un plan sympa pour casser la croûte pour pas cher, le midi aux beaux jours.

Bon marché

|●| ***La Panthère Verte*** *(plan détachable, B-C4,* ***90****)* **:** *2153, rue Mackay. ☎ 514-903-4744. Ⓜ Guy-Concordia. Tlj 11h-22h (minuit w-e). Moins de 10 $.* Petit café végétalien et bio, lové dans un demi-sous-sol débordant de plantes. On y pioche à l'ardoise falafels, végéburger, soupes, salades et gourmandises saines, fraîches, et bon marché. Belle sélection de délicieux *smoothies* au lait de riz, de coco, au concombre, à l'eau de rose, etc. Petite terrasse. Une adresse qui fait des petits. Antennes dans le Quartier latin *(1735, rue Saint-Denis ; zoom détachable Centre, D4,* ***90****)*, le Mile-End *(101-160, rue Saint-Viateur Est)* et sur le Plateau *(145, av du Mont-Royal Est).*

|●| 🥖 ***Fou d'ici*** *(zoom détachable Centre, C4,* ***112****)* **:** *360, rue de Maisonneuve. ☎ 514-600-3424. Ⓜ Place-des-Arts. Lun-ven 8h-20h, sam 9h-18h. Plats 10-12 $.* Cette épicerie fine comprend un très beau rayon traiteur. Chaque jour, un menu différent affiché au centime près façon « promo d'hypermarché » est concocté à partir de produits de qualité : délicieux sandwichs, goûteuses salades, tartares, sushis, etc. Pâtisseries pour le dessert. Stratégiquement situé près des festivals d'été, c'est l'endroit rêvé pour se préparer un pique-nique. On peut aussi manger sur place (quelques tables).

🍔 ***Five Guys*** *(plan détachable et zoom détachable Centre, C4,* ***102****)* **:** *698, rue Sainte-Catherine Ouest. ☎ 514-393-4343. Ⓜ McGill. Tlj 11h-23h (4h jeu-sam). Burger-frites env 12 $.* Rejeton d'une chaîne américaine très populaire, ce petit fast-food sert pour pas bien cher de bons petits burgers accompagnés de frites fraîches. Sympa pour combler un creux en sortie de bar. Salle à l'étage.

|●| ***Gargotes du marché Atwater*** *(plan détachable, B5,* ***85****)* **:** *138, av Atwater. Ⓜ Lionel-Groulx. Aux beaux jours slt. Tlj 7h-18h (20h ven, 17h w-e). Moins de 10 $.* Côté nord du marché, nombreuses petites gargotes de produits du terroir : champignons, charcuterie, plats préparés (paella notamment), tacos, *bruschette,* brochettes, tapas, soupe miso, etc. Quelques maîtres glaciers ou chocolatiers pour les amateurs.

De prix moyens à chic

|●| ***Le Café du Nouveau Monde*** *(zoom détachable Centre, D4,* ***114****)* **:** *84, rue Sainte-Catherine Ouest (angle Saint-Urbain). ☎ 514-866-8669. Ⓜ Saint-Laurent. Lun-sam 11h30 (16h sam)-20h (minuit mar-ven). Résa conseillée. Plats 15-18 $ le midi, 17-25 $ le soir.* Dans le hall du *Théâtre du Nouveau Monde,* un sympathique café-resto bondé les soirs de représentation. Servis dans un cadre vaguement Art déco, chaleureux et sobre, en terrasse ou dans la véranda, un bon choix de salades, sandwichs et petits plats le midi, ainsi qu'une jolie carte de plats d'inspiration française le soir. Belle carte des vins.

🍔 ***M : BRGR*** *(plan détachable, C4,* ***143****)* **:** *2025, rue Drummond. ☎ 514-906-0408 et 2747. Ⓜ Peel. Lun-ven 11h30-23h (minuit ven-sam), dim 12h-22h. Compter 18-40 $ le burger-frites.* La Mecque du *burger* de luxe, toujours bondée ! Une quinzaine de recettes au choix, au bœuf triple A, que les portefeuilles gonflés pourront snober pour de la viande bio ou de Kobé. Brie, asperges, foie gras... les ingrédients tapent dans le haut de gamme, voire le très haut, avec foie gras et lamelles de truffe... Fait également bar à cocktails. Terrasse.

Le Milsa *(plan détachable, C4, **135**) : 1445 A, rue Bishop. ☎ 514-985-0777. Ⓜ Peel ou Guy-Concordia. Tlj à partir de 17h30 jusqu'au dernier client. Pour la terrasse, résa très conseillée. Repas 30 $ (en sem)-36 $ (le w-e), petit dessert et café compris.* C'est une minichaîne de restos brésiliens spécialisés dans la viande servie à volonté *(churrasco a rodizio)*... Jusqu'à ce que le client crie grâce ! Fort populaire et blindé le week-end. Agréable salle intérieure sous verrière, climatisée et ventilée. Autres formules : poulet entier de Cornouailles ou saumon à volonté.

OÙ SE SUCRER LE BEC ?

Boulangerie M. Pinchot *(zoom détachable Le Plateau, D3, **160**) : 4354, rue de Brébeuf. ☎ 514-522-7192. Ⓜ Mont-Royal. Tlj 7h-19h30.* Sieur Pinchot est peut-être la preuve vivante qu'un nom peut influer sur un destin. Excellentes viennoiseries (pains au chocolat, croissants, carrés aux dattes, etc.), pains spéciaux, sandwichs, bons fromages au lait cru, vente de sirop et de tire d'érable, crèmes glacées, etc. Que ça sent bon là-dedans !

Boulangerie Les Co'Pains d'abord *(plan détachable, E2, **170**) : 1965, av. du Mont-Royal Est. ☎ 514-522-1994. Ⓜ Mont-Royal ou bus n° 97. Lun-ven 7h-20h (19h sam), dim 8h-18h.* Une minichaîne de boulangeries née à l'orée du siècle et qui fait l'unanimité dans les quartiers où elle s'implante. Magnifiques croissants, macarons, éclairs, gâteaux au chocolat, tartes sucrées ou salées, sandwichs, pizzas, tartinades et quelques gâteaux bretons. Quelques tables pour boire un bon café équitable. Autres adresses : *418, rue Rachel E et 2727, rue Masson.*

Pasticceria Alati-Caserta *(plan détachable, D1, **171**) : 277, rue Dante (angle av. Saint-Julien). ☎ 514-271-3013. Ⓜ Jean-Talon. Lun 10h-15h30, mar-mer 8h-18h, jeu-ven 8h-19h, sam 8h-17h, dim 9h-17h.* Dans la Petite Italie et à proximité du marché Jean-Talon, une authentique pâtisserie italienne située face à une église où Mussolini est encore représenté à cheval dans l'autel ! La vraie pâtisserie sans fioritures (et parfois sans le sourire), mais les babas au rhum et les *cannoli siciliani* sont à se damner !

Juliette et Chocolat *(zoom détachable Centre, D3, **161**) : 3600, bd Saint-Laurent. ☎ 438-380-1090. Ⓜ Sherbrooke et Place-des-Arts. Tlj 11h-23h (minuit ven-sam).* « Du chocolat dans tous ses états », comme le dit la devanture (et pas franchement hors de prix, mais ça, c'est pas affiché !) : chaud, froid ou onctueux, sous forme de mousse ou de crème dans de délicieuses verrines, de gâteaux, de chocolats à croquer... Le tout servi dans une grande salle chic et élégante.

OÙ DÉGUSTER UNE BONNE GLACE ?

Avec le soleil fleurissent les glaciers artisanaux, en particulier dans le quartier du Plateau. Notre best of.

Le Bilboquet *(plan détachable, C2, **173**) : 1311, av. Bernard. ☎ 514-276-0414. Ⓜ Outremont. De mars à mi-mai, tlj 11h-21h ; de mi-mai à mi-sept, tlj 11h-23h30 ; de mi-sept à déc, tlj 11h-21h.* Considéré comme l'un des meilleurs glaciers de Montréal. Délicieuses crèmes artisanales et une bonne cinquantaine de parfums : à la tire d'érable, miel-lavande, chocolat

70 %, pamplemousse, etc. Face au succès, plusieurs annexes ont vu le jour, notamment au *1600, Laurier Est (plan détachable, E2, **173**) ; tlj 13h-22h.*

🍦 ***Havre-aux-Glaces*** *(plan détachable, D1, **165**) : 7070, av Henri-Julien (dans le marché Jean-Talon). ☎ 514-278-8696. Ⓜ Jean Talon. Ouv aux beaux jours, tlj 9h-22h.* Crèmes glacées artisanales, sorbets et *granite*. Excellente pistache.

🍦 ***Meu Meu*** *(zoom détachable Le Plateau, D3, **162**) : 4458, rue Saint-Denis. ☎ 514-288-5889. Ⓜ Mont-Royal. En été slt, tlj midi-minuit.* Minuscule glacier artisanal ne travaillant que des produits naturels – bon, excepté le Nutella... –, bio pour certains. En tout, une cinquantaine de parfums, crèmes et sorbets, classiques comme originaux (banane-pécan-caramel, hibiscus...), certains confectionnés avec du lait de soja.

🍦 ***Le Patio*** *(zoom détachable Le Plateau, D3, **163**) : 836, av. du Mont-Royal. ☎ 514-524-0792. Ⓜ Mont-Royal. De mi-mai à mi-sept, tlj dès 11h30.* Un petit « bar laitier » avec une terrasse de poche au cœur du Plateau. Crèmes molles et dures, lait fouetté et près de 50 parfums, la plupart artisanaux : aux fruits (bleuet/myrtille, cerise, etc.), à la tire d'érable, érable et noix, etc.

🍦 ***Ripples*** *(zoom détachable Le Plateau, D3, **164**) : 3880, bd Saint-Laurent. ☎ 514-842-1697. Ⓜ Sherbrooke. Ouv aux beaux jours tlj midi-minuit.* Crèmes glacées artisanales. Également du yaourt glacé et des sorbets. Des dizaines de saveurs différentes, du thé vert au capuccino.

OÙ BOIRE UN VERRE ? OÙ S'ÉCLATER EN MUSIQUE ? OÙ DANSER ? OU LES TROIS EN MÊME TEMPS...

- **Dans le Vieux-Montréal 95**
- **Dans le Quartier latin 95**
- **Dans le Village 96**
- **Sur le Plateau Mont-Royal et dans le Mile-End 97**
- **Dans le centre-ville (Downtown) et la Petite Bourgogne....... 99**

La vie nocturne à Montréal risque de vous laisser sur les rotules au bout de quelques nuits. Dire qu'elle est riche et intense ne suffit pas, c'est aussi l'une des moins friquées du monde occidental, au sens qu'il n'y flotte pas l'atmosphère viciée du profit maximum, ni le climat oppressant des lieux élitistes où l'on se sent de trop. Toute soirée digne de ce nom commence en général par un « ***5 à 7*** » en sortie de boulot, autour d'une pinte de bière ou un pichet de sangria, idéalement en terrasse l'été. Mais pas d'inquiétude, si les terrasses se replient avec les premiers frimas, l'animation des bars n'hiberne pas pour autant ! Vous serez surpris par la ***vitalité des cafés, bars et boîtes.*** Montréal est une ville ***cosmopolite*** qui bouge très fort, dans un bouillonnement culturel permanent francophone-anglophone. Il y en a pour tous les goûts, donc, mais pas de faux espoirs non plus, car au Québec, la tolérance vis-à-vis de la consommation d'alcool est hyper stricte et tous les bars ferment à 3h pétantes ! Bref, c'est pas Berlin ! Celles et ceux qui veulent faire la bringue jusqu'à pas d'heure risquent de rester sur leur faim...

Côté concerts, les amateurs de ***jazz*** ne sauront où donner de l'oreille, tant Montréal regorge de lieux dédiés à la *blue note*. Avec comme point d'orgue le *Festival international de jazz* (se reporter à la rubrique « Fêtes et festivals » dans « Montréal utile. Fêtes et jours fériés »).

Côté ***boissons,*** on sirote d'abord de la ***bière,*** bien sûr. Enfin, des bières, plutôt, tellement la gamme de mousses micro-brassées ou importées du monde entier semble sans limite. Des ***cocktails*** aussi, souvent créatifs, inventés pour le seul lieu qui les sert. Et puis, allez savoir pourquoi, de la sangria.

Pour les spectacles, concerts et boîtes, se reporter à l'hebdo culturel gratuit *Voir* (● *voir.ca* ●) disponible en format papier un peu partout (grands hôtels, restos, dépanneurs, cafés, librairies, etc.) ou sur le site ● *nightlife.ca* ●.
Rappel, il est ***interdit de fumer dans tous les lieux publics,*** y compris les bars et les boîtes ainsi qu'à proximité de certaines terrasses extérieures (c'est en général indiqué).

Dans le Vieux-Montréal

Éminemment touristique, ce n'est pas un quartier où l'on sort, même si quelques terrasses se révèlent bien agréables pour un verre entre 2 balades.

🍸 ***Terrasse de l'Auberge du Vieux-Port*** *(zoom détachable Centre, D5,* ***188****) : 97, rue de la Commune Est.* ☎ *514-392-1649.* Ⓜ *Champ-de-Mars ou Place-d'Armes. Terrasse accessible lun-ven 14h-22h, w-e 13h-23h ; mai-sept slt.* Dans le hall de l'*Auberge du Vieux-Port,* prendre l'ascenseur jusqu'au dernier étage et de là l'escalier qui mène au toit. Installez-vous et contemplez : le port de Montréal, le dôme de la Biosphère, le Saint-Laurent, les bateaux... la plus belle vue sur le port. Une pause appréciable dans le Vieux-Montréal. On peut y manger un morceau, mais c'est hors de prix.

🍸 ♩ ***Le Jardin Nelson*** *(zoom détachable Centre, D4,* ***189****) : 407, pl. Jacques-Cartier.* ☎ *514-861-5731.* Ⓜ *Champ-de-Mars. Tlj 10h-22h (plus tard quand il fait beau). Fermé nov-mars.* Situé sur la place principale du Vieux-Montréal, ce bar-resto, certes touristique, se distingue par son immense terrasse intérieure ombragée. Sessions de jazz tous les jours midi et soir, et toute la journée en haute saison. Agréable pour boire un verre en fin d'après-midi. Pousse néanmoins un peu à la conso... Fait aussi resto à prix moyens.

🍸 ♩ ***Les Deux Pierrots*** *(zoom détachable Centre, D5,* ***190****) : 104, rue Saint-Paul Est.* ☎ *514-861-1270. Programmation sur* ● *2pierrots.com* ● Ⓜ *Champ-de-Mars. Ven-sam et veille de fête 20h30-3h pour le spectacle. Entrée : env 7 $ (gratuit avt 21h30).* Une « boîte à chansons » doublée d'un bar, d'un resto et d'une terrasse avec vue sur le port. Atmosphère chaleureuse et décontractée. Chansons populaires dans le ronronnement des gens qui « jasent » de tout, de rien... Éminemment touristique mais sympa.

Dans le Quartier latin

Bar sur bar, bière sur bière, et des trottoirs envahis de – jeunes – fêtards, surtout rue Saint-Denis. Si ça, c'est pas un quartier qui bouge !

🍸 ♩ ♫ ***Les Foufounes électriques*** *(zoom détachable Centre, D4,* ***180****) : 87, rue Sainte-Catherine Est.* ☎ *514-844-5539.* ● *foufounes.qc.ca* ● Ⓜ *Saint-Laurent. Tlj 15h-3h (21h-3h à l'étage). Entrée payante pour les concerts (3-30 $) ; 4-8 $ pour la boîte de nuit. Bière bon marché.* Grand bar-boîte grunge aménagé dans une ancienne usine, qui reste année après année un haut lieu des nuits montréalaises alternatives (Nirvana s'y est produit en 1991). *Les Foufounes* (mot enfantin québécois pour désigner les fesses) attirent une meute gothique, punk, métalleuse, mais aussi des habitués propres sur eux, sans doute plus déjantés à l'intérieur qu'à l'extérieur. Terrasses devant et derrière, billard, baby-foot... Sur la piste, on alterne métal, rock, punk... Un must !

🍸 ♩ ***L'Escalier*** *(zoom détachable Centre, D4,* ***185****) : 552, rue Sainte-Catherine Est.* ☎ *514-419-6609.* ● *lescalier-montreal.com* ● Ⓜ *Berri-UQAM, sortie Sainte-Catherine. Tlj 12h-3h. Spectacles gratuits (musiques et shows variés) tlj 17h-21h.* Bar de quartier alternatif, sympathiquement bordélique, engagé, coloré, assez intime grâce à ses multiples petites salles de guingois. Fait aussi resto végétarien et bio. Bières pression, jus frais, cafés et thés équitables. Spectacles ou petits concerts chaque soir.

🍸 ***Le Sainte-Élisabeth*** *(zoom détachable Centre, D4,* ***203****) : 1412, rue Sainte-Élisabeth.* ☎ *514-286-4302.* Ⓜ *Saint-Laurent ou Berri-UQAM.*

MONTRÉAL

Tlj 15h-3h. Très grand pub « européen » réputé pour ses bières, mais surtout pour sa vaste cour-terrasse arborée derrière (et son mur de lierre de 45 m de haut !), prise d'assaut aux beaux jours. Grand choix de bières au fût : irlandaises, anglaises, belges et artisanales. Chouette ambiance avec rock et blues en fond sonore.

Le 4e Mur *(zoom détachable Centre, D3,* ***181****) : 2021, rue Saint-Denis, derrière la porte marquée « Agence de détectives ». • le4emur.com • Ⓜ Berri-UQAM. Mar-sam 20h-3h. Résa conseillée (par Internet). Cocktails 12-14 $.* Pas d'enseigne, seulement un portier comme indice. Trop facile, ça gâcherait presque le plaisir, celui de trouver la bonne brique, celle qu'il faut pousser pour faire pivoter le 4e mur, dévoilant ce speakeasy en sous-sol, bar réservé aux initiés inspiré des tripots clandestins de la prohibition. Décor rétro étudiée, serveurs en bretelles et nœud pap', fauteuils de cuir, courette à l'arrière, fox-trot en fond sonore. Pour parfaire l'ambiance, chanteuse ou show burlesque, en alternance selon les soirs. Et bien sûr des cocktails, inventifs, explosifs.

Eva B *(zoom détachable Centre, D4,* ***224****) : 2013, bd Saint-Laurent. ☎ 514-849-8246. Ⓜ Saint-Laurent. Tlj 11h-19h (12h-18h dim).* Méga boutique de fripes (voir rubrique « Achats », plus loin) qui offre une belle terrasse et de quoi se sustenter en buvant un coup.

Le Bistro à Jojo *(zoom détachable Centre, D4,* ***184****) : 1627, rue Saint-Denis. ☎ 514-843-5015. Ⓜ Berri-UQAM. Tlj 12h-3h. Concerts tlj vers 22h-22h30.* Un vieux bar à blues comme on les aime, bas de plafond et délicieusement sombre, aux murs de brique tapissés d'instruments de musique, de photos en noir et blanc. Concerts chaque soir, énergiques et électriques, dans une ambiance franchement sympa et décontractée.

L'Amère à Boire *(zoom détachable Centre, D3,* ***181****) : 2049, rue Saint-Denis. ☎ 514-282-7448. Ⓜ Berri-UQAM. Tlj dès 14h.* La meute s'entasse entres les murs de brique, déborde sur la petite terrasse, pour descendre des pintes de *lager* à l'allemande ou à la tchèque, d'*ale* à l'anglaise, ou d'*Ipa,* les unes comme les autres brassées sur place. Pour éponger, snacks et paninis. Ceux pour qui l'argument artisanal ne suffit pas à justifier une descente de mousse opteront pour le voisin, ***Randolph,*** « pub ludique » avec jeux de société en libre-service *(tlj à partir de 16h).*

La Distillerie *(zoom détachable Centre, D4,* ***95****) : 300, rue Ontario Est. ☎ 514-288-7915. Ⓜ Berri-UQAM ou Sherbrooke. Tlj 16h-3h.* Très réputé pour ses innombrables cocktails servis dans des bocaux en verre *Mason* et ses bières artisanales. Ambiance jazz. Devant le succès – presque plus de monde dans la file d'attente que dans le bar –, une autre *Distillerie* s'est ouverte : *2047, av. du Mont-Royal (angle Lorimier).*

Abreuvoir *(zoom détachable Centre, D3,* ***182****) : 403, rue Ontario Est. ☎ 514-843-5469. Ⓜ Berri-UQAM. Tlj 15h (18h dim)-3h. Soirées humour mer-jeu : 7-10 $.* Un bar bondé en soirée, qui vit au rythme d'une fidèle clientèle estudiantine attirée par la grande variété de bières de qualité à prix raisonnables (vendues aussi au gallon, soit près de 4 litres !). Autre atout, la terrasse à l'arrière, ouverte à l'année car chauffée en hiver. Soirées à thème (humour mardi et mercredi, DJ jeudi, etc.).

Le Metropolis *(zoom détachable Centre, D4,* ***187****) : 59, rue Sainte-Catherine Est. ☎ 514-844-3500. Ⓜ Saint-Laurent. • montrealmetropolis.ca • Concerts payants.* Une des salles de concerts les plus connues de Montréal, où se sont produits notamment David Bowie, les Rita Mitsouko, Björk, ou encore le Québécois Jean Leloup (qui y possède le record de représentations). Salle de 2 300 places. Programmation sur Internet ou dans les hebdos culturels gratuits.

Dans le Village

C'est le quartier gay de Montréal, qui s'étend le long de la rue Sainte-Catherine Est, depuis la rue Saint-Hubert jusqu'à la rue Papineau ; cette portion est rendue piétonne en été. Impossible de la rater... vu la concentration de *rainbow flags* qui flottent devant certaines devantures. On y a même vu, comble de surprise, une église *gay friendly* ! Voici quelques adresses, mais, pour en savoir plus, consulter le mensuel gratuit *Fugues (● fugues.com ●).*

🍸 ♩ ♫ ***Mado*** *(zoom détachable Centre, D-E4,* ***206****) : 1115, rue Sainte-Catherine Est. ☎ 514-525-7566. ● mado.qc.ca ● Ⓜ Berri-UQAM. Spectacle vers 23h, ts les soirs sf lun. Entrée : 5 $.* Fameux cabaret-spectacle où officie Mado, un sacré personnage menant pendant 1h environ une revue de *drag-queens* complètement déjantée. Façon *comedy club,* c'est plein d'énergie, d'humour ravageur (les Français se font bien chambrer !), de chansons, bien sûr... Juste après le spectacle, c'est danse à gogo jusqu'au petit matin. Meilleur soir, le mardi, mais les vendredis ne sont pas mal non plus, et les samedis aussi...

🍸 ♫ ***Complexe Sky*** *(zoom détachable Centre, E4,* ***200****) : 1474, rue Sainte-Catherine Est. ☎ 514-529-6969. ● complexesky.com ● Ⓜ Beaudry. Tlj 12h-3h (1h lun-mar). Fait également boîte ven-sam 22h-3h ; entrée : env 5 $.* L'un des bars les plus anciens du quartier, et donc un incontournable du parcours gay. Immense bar – et sa terrasse – au rez-de-chaussée. *Hip-hop room* et cabaret au 2e étage. L'été, de 12h à 3h, sur le toit, chouette terrasse avec piscine et jacuzzi. Idéal pour parfaire son bronzage ou exhiber ses beaux pectoraux ! Au 3e étage, *Sky Club* avec, en principe, soirées électro-pop les vendredi et samedi. En fait, il se passe toujours quelque chose au *Sky !*

Sur le Plateau Mont-Royal et dans le Mile-End

L'autre quartier qui bouge, vitalisé par le bouillonnement étudiant. Faune assez jeune, donc, mais plus mélangée que dans le Quartier latin, avec pas mal de trentenaires, voire de quadras, bien dans leurs pompes et leur porte-monnaie, venus flairer l'atmosphère bobo-branché voire alternative de certaines zones du Plateau. Le gros de l'animation se concentre le long de l'avenue du Mont-Royal et sur le boulevard Saint-Laurent (entre Saint-Joseph et Roy), où bars et boîtes alignés à touche-touche se font une concurrence d'enfer à coups de décibels. Mais ça bouge encore, et de plus en plus, jusqu'au nord, dans le Mile-End, le repaire hype de ceux qui se démarquent. C'est-à-dire beaucoup de monde...

🍸 ♩ ***La Casa del Popolo*** *(zoom détachable Le Plateau, D2,* ***38****) : 4873, bd Saint-Laurent. ☎ 514-284-3804 ou 0122 (bureau). ● casadelpopolo.com ● Ⓜ Mont-Royal ou Laurier. À la frontière du Plateau et du Mile-End. Tlj 12h-3h.* Cette « maison du peuple » attire une faune bigarrée, turbulente et décontractée. Petite scène pour les concerts (payants). Soirées DJ presque tous les jours (entrée gratuite). Courette fermée à l'arrière. On peut aussi y manger (plats et sandwichs végétariens), et même essayer de dormir au-dessus du bar (voir « Où dormir ? »). Une fois chauffé à blanc, direction le ***Centro Social Español,*** presque en face. Bar à tapas au 1er niveau (ouvre à 17h) et salle de concerts à l'étage, la *Sala Rossa* (fermé lundi ; entrée payante), rouge comme le plaisir, où se produisent de bons petits *bands* de toutes sortes (underground, country, rock...).

🍸 ♩ ∞ ***Quai des Brumes*** *(zoom détachable Le Plateau, D3,* ***202****) : 4481, rue Saint-Denis. ☎ 514-499-0467. Ⓜ Mont-Royal. Tlj 16h-3h.* Plafonds moulés, boiseries, brasseurs d'air et vitraux, l'ambiance Art déco apporte incontestablement un plus à ce bar réputé pour accueillir la scène émergente montréalaise. Chaque soir depuis 30 ans, la maison sert un spectacle à 22h. Musique indé, slam, poésie, performances visuelles, littérature... De quoi s'amarrer au *Quai des Brumes* pour un bon moment....

🍸 ***Dieu du Ciel !*** *(zoom détachable Le Plateau, D2,* ***212****) : 29, rue Laurier Ouest. ☎ 514-490-9555. Ⓜ Laurier. Tlj 15h (13h w-e)-3h.* Incontournable du Mile-End, cette microbrasserie renommée attire en masse les aficionados de bonnes mousses artisanales, au goût marqué voire inédit (mangue, hibiscus, etc.). Cadre tamisé, atmosphère bien houblonnée, au service d'une ambiance bourdonnante et décontractée. Possibilité de grignoter. Petite terrasse sur la rue.

Ping Pong Club *(plan détachable, C-D2,* ***197****) : 5877, bd Saint-Laurent (angle Bernard O). ☎ 514-272-7464. Ⓜ Rosemont. Tlj 15h-3h.* Bar de quartier à la déco façon hall de gare. Table de ping pong, évidemment, mais ici les échanges se passent plutôt autour des cocktails, à base de Fernet Branca, Campari et consorts, sans oublier la binouze... Sérieuses ristournes pour le 5 à 7, c'est leur signature. De quoi picorer ou se caler l'estomac à bon prix, aussi. Beaucoup de monde les soirs de match. Terrasse dans la rue.

Le Divan Orange *(zoom détachable Le Plateau, D3,* ***192****) : 4234, bd Saint-Laurent. ☎ 514-840-9090. Ⓜ Mont-Royal. • divanorange.org • Tlj sf lun 16h-3h. Droit d'entrée lors des concerts : 5-10 $.* Un café-concert réputé pour son excellente programmation, permettant de découvrir des groupes locaux en devenir ou déjà confirmés. Ça joue presque tous les soirs, plutôt du rock, mais aussi de l'électro, du folk... Agréable salle avec son long comptoir de bois et son vieux plancher usé. Sympa aussi pour boire un verre en fin d'après-midi.

Buvette Chez Simone *(zoom détachable Le Plateau, C2,* ***199****) : 4869, av du Parc. ☎ 514-750-6577. Ⓜ Laurier. Tlj 16h-3h.* Du vin, des bulles, et un joyeux brouhaha, le long de tables en bois biscornues plongées dans une semi-pénombre. Comme un pub de quartier pour trentenaires relax, simple et convivial, dans lequel on aurait préféré le pif à la mousse. Pour prolonger l'apéro, assiettes de charcut', de fromage et quelques petits plats de brasserie autour de 15 $.

La Quincaillerie *(zoom détachable Le Plateau, D3,* ***196****) : 980, Rachel Est. ☎ 514-524-3000. Ⓜ Mont-Royal. Tlj sf dim 17h-1h (3h ven-sam).* Un superbe décor issu de l'ancienne vocation des lieux (une vraie quincaillerie), tout en longueur, avec de beaux vestiges de son métallique passé. Sombre comme il faut pour bricoler dans les coins et suffisamment branché pour tenter quelques soudures... aidé par l'un des 100 cocktails proposés. Un très joli bar d'ambiance.

Majestique *(zoom détachable Le Plateau, D3,* ***191****) : 4105, bd Saint-Laurent. ☎ 514-439-1850. Ⓜ Sherbrooke. Tlj sf dim 16h-2h.* Un bar rétro un brin classe, à l'éclairage feutré, décoré de jouets anciens. On s'installe sur des tables hautes, sur de moelleuses banquettes ou au comptoir parmi les bobos et *hipsters* locaux. Pour accompagner son verre de vin ou son cocktail, des tapas et de bons (et dispendieux) petits plats comme des « bourgots » (escargots de mer) au beurre d'algues, un tartare de canard ou une assiette d'huîtres. Au final, on ne sait plus si c'est un bar ou un resto ! Bien surtout pour boire un verre au calme, car pour une fois la musique n'est pas trop forte.

Le Belmont sur le Boulevard *(zoom détachable Le Plateau, D3,* ***198****) : 4483, bd Saint-Laurent (angle de Mont-Royal). ☎ 514-845-8443. • lebelmont.com • Ⓜ Mont-Royal. Ven-sam 17h (21h sam)-3h. Parfois soirées spéciales. Entrée : 5-15 $. Le Belmont,* c'est à la fois un pub très anglais (table de billard, baby-foot, écrans vidéo...), une boîte et une salle de spectacles. En fin de semaine, on y crache tous styles de musiques (techno, house, hip-hop, hits...). Organise également des soirées d'improvisation théâtrale ou des séances de *speed-dating* ! Clientèle plutôt jeune.

Tokyo Bar *(zoom détachable Centre, D3,* ***194****) : 3709, bd Saint-Laurent. ☎ 514-842-6838. Ⓜ Sherbrooke. Jeu-dim 22h-3h. Entrée : 7-10 $.* Super boîte au cadre ultramoderne sur plusieurs étages. Grande salle envahie de jeunes de toutes origines qui dansent sur de la funk, house, *old school,* R & B, soul. Canapés « jacuzzi » étonnants. Toit-terrasse pour humer Montréal *by night.*

Appartement 200 *(zoom détachable Centre, D3,* ***194****) : 3643,* *bd Saint-Laurent. ☎ 514-880-3354. Ⓜ Sherbrooke. Tlj 19h-3h.* Reconnaissable à sa clientèle à moitié congelée qui attend dans la rue en hiver, un petit univers briqueté, genre *speakeasy* qui aurait pris de l'altitude... On s'y retrouve volontiers autour du billard ou des jeux d'arcade pour biberonner sa Corona ou écraser son citron vert au fond d'un cocktail en attendant que le DJ mette le feu au *dancefloor*. Ensuite, c'est « parté » gros calibre. Bref, l'*Appart'*, c'est comme à la maison mais sans les voisins du dessous qui donnent des coups de balais.

Bílý Kün *(zoom détachable Le Plateau, D3,* ***195****) : 354, av. du Mont-Royal Est. ☎ 514-845-5392. • bilykun.com • Ⓜ Mont-Royal. Tlj 15h-3h.* L'âge moyen grimpe d'un cran – voire de deux – dans ce joli bar branchouille qui ne désemplit pas, sans doute à cause de son élégante atmosphère, peut-être aussi grâce à son nom mystérieux (qui veut dire « cheval blanc » en tchèque) ; à moins que ce ne soit pour tous ces curieux cous d'autruches empaillés sur les murs... Chaque soir ou presque, de petits concerts jazz, blues et même du classique, soirées DJ. Grand choix de « boissons » : bières en fût, vins de tous les horizons et alcools bien forts. Petite restauration et terrasse sur le trottoir. Au-dessus du bar, *O Patro Vys,* une salle dédiée aux manifestations culturelles et notamment à la scène musicale émergente. *Rens : • opatrovys.com •.*

Monsieur Ricard *(zoom détachable Le Plateau, C2-3,* ***214****) : 4543, av. du Parc. ☎ 514-678-1862. Ⓜ Mont-Royal. Tlj 11h30-3h.* Le comptoir colle comme là-bas, le jaune coule à flots, les téloches retransmettent tous les matchs de Ligue 1 (OM compris, pardi) et, à la mi-temps, on tête le cochonnet sur le terrain de pétanque à l'arrière. Super convivial.

Le Cagibi et Waverly *(plan détachable C-D2,* ***101****) : lire plus haut « Où manger dans le Mile-End ? »* Enfilez votre chemise de bûcheron, et c'est parti pour un concert zarbi au *Cagibi* à débriefer autour d'un cocktail électro au *Waverly.*

Dans le centre-ville (Downtown) et la Petite Bourgogne

Comme il se doit, ce quartier d'affaires est presque déserté le soir. Il y a bien, si l'on aime le côté m'as-tu-vu, quelques bars et boîtes à la mode dans les élégantes rues Crescent et Stanley, et une série de bars assez standardisés sur la portion ouest de la rue Sainte-Catherine, une fois passé Guy. Rien à voir avec l'ambiance bon enfant du Quartier latin ou du Plateau. Quelques belles salles de concert, en revanche. Pour retrouver un peu d'animation, il faut gagner la *Petite Bourgogne,* dont l'épicentre est la rue Notre-Dame, aux abords du marché Atwater.

Upstairs *(plan détachable, B4,* ***211****) : 1254, rue Mackay. ☎ 514-931-6808. • upstairsjazz.com • Ⓜ Guy-Concordia. Tlj dès 20h. Plats 11-15 $ le midi, 18-30 $ le soir.* Ambiance appliquée, lumière tamisée, dans ce petit club de jazz réputé pour la qualité et l'éclectisme de sa programmation (pas mal de groupes anglophones, world, etc.). Un public attentif se serre autour d'une grillade ou d'un burger, profitant en connaisseur des 3 sets du soir. Mieux vaut arriver tôt, ou réserver.

Biermarkt *(plan détachable, C4,* ***201****) : 1221, bd René-Levesque. ☎ 514-864-7575. Ⓜ Lucien-L'Allier ou Peel. Tlj 11h30-minuit (2h jeu, 3h ven-sam). Plats 20-35 $.* Écrans géants sur boiseries lustrées, un *sportsbar* version chic, d'abord réputé pour sa large sélection de bières, plus de 150 mousses venues d'une trentaine de pays, toutes servies à la pression (les fûts s'entassent en vitrine). En haut de l'escalier grand style, un *Manneken-Pis* géant (en tout cas bien plus grand que l'original) domine les débats. À tout seigneur... Pour accompagner, *pub food* à la fois classique et soignée (*fish & chips,* travers de porc, *burger* au bœuf wagyu), huîtres et planches de fromage ou de charcuterie.

Mckibbin's Irish Pub *(plan détachable, B-C4,* ***204****) : 1426, rue Bishop. ☎ 514-288-1580. Ⓜ Peel.*

MONTRÉAL

Tlj 11h30-3h. Un vrai pub irlandais, avec tous ses attributs : brique, bois, vieux plancher usé, vitraux, lampes Tiffany et l'interminable comptoir de rigueur... Une douzaine de bières au fût, et énormément de choix pour manger (*burger,* salades, pâtes, *pies,* sandwichs). Les aventuriers pourront tenter le challenge local, avaler 12 piments indiens, dont le fameux *bhut jolokia* (ou piment serpent). Obligation de signer une décharge avant...

La Salsathèque *(plan détachable, C4,* ***210****) : 1220, rue Peel, au 3e étage. ☎ 514-875-0016. • clubsalsatheque.com • Ⓜ Peel. Jeu-dim 21h-3h. Entrée payante (env 10 $) ven-sam (orchestre).* Rythmes latinos, déhanchements sensuels et robes ultramoulantes de rigueur. Déco clinquante. Salsa, *baienato,* merengue, mambo, lambada et dance. La clientèle est cubaine, brésilienne et colombienne. Pas B.C.B.G. pour un sou.

L'Astral *(zoom détachable Centre, C4,* ***207****) : 305, rue Sainte-Catherine Ouest. ☎ 514-288-8882. • sallelastral.com • Ⓜ Place-des-Arts. Billetterie tlj sf lun 11h30-17h (21h les soirs de spectacle et jeu-ven). Tarifs selon affiche.* En plein quartier des spectacles, une belle salle rénovée de près de 900 places (seulement 300 assises), écrin du festival de jazz de Montréal et repaire pour les têtes d'affiches tout au long de l'année. Belle programmation, donc. Mitoyen, le bistrot *Balmoral* fait aussi jazz club *(tlj 11h30-minuit).*

La Drinkerie Sainte-Cunégonde *(plan détachable, B5,* ***205****) : 2661, rue Notre-Dame Ouest. ☎ 514-439-2364. • drinkerie.ca • Ⓜ Lionel-Groulx. Tlj 15h-3h. Plats 12-16 $.* Envie d'un 5 à 7 prolongé et pas trop dispendieux ? C'est ici que ça se passe ! Sur la dizaine de bières en fût que propose cette néotaverne à l'atmosphère gentiment houblonnée, les 3 premières de la liste sont à un tarif ras des pâquerettes dès l'ouverture et jusqu'à 21h. Du coup, c'est le lieu de rencontre incontournable. En cas de petite faim, salades et sandwichs, des burgers végétariens et pourquoi pas une belle assiette de fromages. Tout ça en provenance directe du marché Atwater ! Soirée vinyle le mercredi et DJ résident en fin de semaine.

ACHATS

Outre les adresses que l'on vous indique ici, on vous conseille de « magasiner » dans le quartier du Plateau Mont-Royal, très agréable pour la variété et l'originalité de ses boutiques : fripes, disquaires, librairies, médecine chinoise, etc. Bonne atmosphère.

Fou d'Ici *(zoom détachable Centre, C4,* ***112****) : 360, bd de Maisonneuve. ☎ 514-600-3424. Ⓜ Place-des-Arts. Lun-ven 8h-20h, sam 9h-18h.* Une épicerie fine qui réunit tous les meilleurs produits de la province. Grosse sélection de fromages et de charcuterie de qualité, biscuits, vinaigres artisanaux, sirop d'érable bio, thé du Labrador... De quoi rapporter plein de petites choses délicieuses à la maison. Fait aussi traiteur (voir « Où manger ? »).

Eva B *(zoom détachable Centre, D4,* ***224****) : 2013, bd Saint-Laurent. ☎ 514-849-8246. Ⓜ Saint-Laurent. Tlj 11h-19h (12h-18h dim).* Derrière la façade copieusement graffée de ce temple de la fripe aux odeurs de patchouli se cache un lieu à tiroirs avec un bistro-bar, une scène, un espace dédié aux créateurs, des tonnes d'objets vintage et un sous-sol rassemblant un fouillis de costumes plus extraordinaires les uns que les autres. Bref, de quoi y passer des heures...

HMV Mégastore *(plan détachable, C4,* ***230****) : 1020, rue Sainte-Catherine Ouest. ☎ 514-875-0765. Ⓜ Peel. Lun-ven 10h-21h, sam 9h-18h, dim 11h-18h.* CD innombrables à prix intéressants.

Complexe Les Ailes, Centre Eaton et Place Montréal Trust *(zoom détachable Centre, C4,* ***223****) : 677-705, rue Sainte-Catherine Ouest, entre McGill College et University.*

☎ *514-288-3759.* Ⓜ *McGill.* 3 centres commerciaux luxueux reliés entre eux, pour ceux qui veulent magasiner à l'aise à la montréalaise.

Plusieurs ***marchés*** à Montréal, les 2 plus grands sont ouverts toute l'année.

– ***Le marché Jean-Talon*** *(plan détachable, D1)* **:** *dans le quartier de Petite Italie au nord du Mile-End, au 7070, av. Casgrain (coin rues Henri-Julien et Jean-Talon).* Ⓜ *De Castelnau ou bus n° 55. Tlj 7h-18h (20h jeu-ven, 17h dim).* Le plus cosmopolite de Montréal. Coloré, bonne ambiance et pas cher. Si vous aimez faire des découvertes culinaires, allez-y absolument. Plein de petits stands avec des tables pour grignoter sur place, notamment, une épicerie fine *(Marché des Saveurs)* spécialisée dans les produits québécois artisanaux, mais aussi des stands sud-américains, du Moyen-Orient, de grillades, de poutines et même une crêperie à la française *(La Crêperie du marché)*...

– ***Le marché Atwater*** *(plan détachable, A-B5)* **:** *138, av. Atwater (au sud de la rue Notre-Dame Ouest, dans le quartier de la Petite Bourgogne).* ☎ *514-937-7754.* Ⓜ *Lionel-Groulx. Tlj 7h-18h (19h jeu, 20h ven, 17h w-e).* Un peu plus cher et moins « vie populaire » que le marché Jean-Talon. On peut y accéder par la piste cyclable du canal de Lachine. Endroit agréable pour un pique-nique en été, le long de l'eau et de la voie de chemin de fer. Location de vélos et de bateaux sur place. Marché plutôt B.C.B.G., favori des gourmets du Tout-Montréal. Fromages, fruits et légumes. Beaucoup de produits à base de sirop d'érable en mars et avril. C'est aussi un grand marché aux fleurs.

À VOIR. À FAIRE

- Le Vieux-Montréal 102
- Le Quartier latin et le Village 106
- Le Plateau Mont-Royal 107
- Le centre-ville (*Downtown*) 107
- La Petite Bourgogne et le canal de Lachine 112
- Dans le parc Jean-Drapeau 113
- L'Espace pour la vie et le Parc olympique 115
- Dans la périphérie de Montréal 117

Malgré son statut de métropole internationale, Montréal ne brille pas particulièrement par la magnificence de ses musées. Certains sont très agréables et instructifs, tandis que d'autres, plus petits et spécialisés, nous ont paru un peu « légers ». Nous indiquons ceux que nous trouvons les plus intéressants.

– ***La plupart des musées sont fermés le lundi,*** sauf si c'est un jour férié. À noter que ***le dernier dimanche de mai, tous les musées de la ville sont gratuits***.

– Si vous avez l'intention de visiter beaucoup de sites et musées, vous pouvez vous procurer la ***carte Musées Montréal,*** qui donne accès à 41 sites pour 75 $ sur 3 jours au choix dans une période de 3 semaines. Pour 80 $, vous devez l'utiliser sur 3 jours consécutifs, mais elle inclut également les transports en commun. Les tarifs ci-dessus comprennent les taxes. On peut l'acheter dans la plupart des musées, au *Centre Infotouriste (plan détachable, C4,* ***1****),* au *Bureau d'accueil du Vieux-Montréal (zoom détachable Centre, D4,* ***5****)* ou en ligne • *museesmontreal.org* •

DES ÉGLISES À UN JET DE PIERRE

Le nombre d'églises à Montréal est si important (260 !) que, il y a près de 1 siècle, l'écrivain américain Mark Twain notait qu'il était impossible de lancer une brique dans les rues de la ville sans briser un vitrail ! L'explication de cette profusion est très simple : la religion a longtemps servi de fondement à la société canadienne mais, les deux communautés principales (anglaise et française) n'ayant pas le même culte, les lieux de prière se voyaient du même coup multipliés par deux...

LE VIEUX-MONTRÉAL (zoom détachable Centre)

Ce quartier de 2 km² est délimité par les rues Saint-Antoine, Berri, de La Commune et McGill. C'est là que tout a commencé. Cependant, même si la rue Saint-Paul, rendue aux piétons l'été, conserve une belle homogénéité, n'allez pas imaginer une « vieille ville » à l'européenne, avec ses rues étroites et ses maisons anciennes. Ici, tout est très disparate quand bien même la ville s'est faite belle pour célébrer son ***375e anniversaire le 17 mai 2017.*** Les vieilles maisons sont dispersées au milieu des entrepôts réhabilités, des banques et bâtiments administratifs qui prirent leur place au XIXe s, mais aussi d'inévitables boutiques de fringues, d'antiquités et autres lieux de consommation. C'est autour de la place Jacques-Cartier que l'on trouve les maisons les plus anciennes. Les fortifications quant à elles, devenues inutiles, furent rasées en 1817 afin de gagner un peu de place. Rénové ces dernières années, très touristique, le Vieux-Montréal dégage néanmoins un certain charme et une joyeuse animation avec cafés et restos où les visiteurs se pressent en nombre durant la belle saison.

– ***Pour en apprendre plus sur l'histoire du quartier,*** possibilité de ***télécharger l'appli gratuite Montréal en Histoires*** (voir le paragraphe « Tourisme » dans « Adresses utiles » plus haut), une carte interactive détaillant une vingtaine de points d'intérêt au fil des vieilles rues. Possibilité également de faire un petit circuit en boucle autour du quartier avec le bus nº 715 à partir de l'office de tourisme (arrêt « Peel » sur Peel Avenue ; *plan détachable, C4*).

Le château Ramezay, musée et site historique de Montréal *(zoom détachable Centre, D4) : 280, rue Notre-Dame Est. ☎ 514-861-3708. • chateauramezay.qc.ca • Ⓜ Champ-de-Mars. En été, tlj 9h30-18h ; oct-mai, mar-dim 10h-16h30. Entrée : 11 $; réduc ; gratuit jusqu'à 4 ans. 50 % de réduc pour ceux qui veulent visiter le musée Stewart (marche dans les 2 sens) sur présentation du billet. Offre valable 10 j.*

Ce château, construit en 1705 par Claude de Ramezay (alors gouverneur de Montréal), devint tour à tour la résidence des gouverneurs de Montréal, le bureau de la *Compagnie des Indes* (à partir de 1745), puis la résidence des gouverneurs britanniques. Au XIXe s, il accueillit des fonctionnaires et diverses institutions (l'École normale, la faculté de médecine, ou encore la cour des magistrats). Premier bâtiment classé Monument historique au Québec (en 1929), il abrite aujourd'hui un musée.

Dans un écrin de boiseries anciennes (importées de Nantes à l'occasion de l'Exposition universelle de 1967), une petite collection retrace l'histoire du Québec et de Montréal depuis les Amérindiens jusqu'au début du XXe s : documents, costumes, tableaux, mais également de vraies reliques, comme la célèbre cloche de Louisbourg. Une visite à découvrir en passant d'une borne multimédia à l'autre. La cave renferme l'expo « Vivre à Montréal au XVIIIe s », avec meubles traditionnels d'époque et la reconstitution d'un intérieur typique de la Nouvelle-France. Également des expos temporaires. Voir aussi le jardin du Gouverneur.

Presque en face du musée se dresse le plantureux ***hôtel de ville,*** bâtisse néoclassique érigée entre 1872 et 1878. C'est de son balcon que De Gaulle lança son fameux « Vive le Québec libre ». Juste derrière, de la place Vauquelin, panorama sur les buildings de la ville nouvelle.

Le musée Sir-George-Étienne-Cartier *(zoom détachable Centre, D4) : 458, rue Notre-Dame Est. ☎ 514-283-2282 ou 1-888-773-8888. • parcscanada.gc.ca/cartier • Ⓜ Champ-de-Mars. De mi-juin à début sept, mer-dim 10h-17h ; sept-fin déc, ven-dim 10h-17h. Fermé de janv à mi-juin. Entrée : 4 $; réduc.*

C'est l'ancienne maison du père de la Confédération, Sir George-Étienne Cartier (1814-1873), et l'une des rares maisons victoriennes (1860) ouvertes au public à Montréal. Un très bel exemple d'intérieur bourgeois du milieu du XIXe s, dont l'ambiance a été bien recréée : mobilier d'origine, repas servi sur la table, produits de toilette dans la salle de bains... Une excursion pédagogique dans la vie de ce personnage qui fut le moteur de la création du Canada.

➢ La visite du Vieux-Montréal se poursuit avec la ***Maison Papineau*** (1785 ; *zoom détachable Centre, D4*), 440, rue Bonsecours, où habita Louis-Joseph Papineau, dirigeant de l'insurrection nationaliste de 1837. On ne peut pas y entrer. ***Rue Saint-Louis*** *(zoom détachable Centre, D4),* au n° 446, très belle maison à « logements » (1890) en brique rouge, avec corniche victorienne, lucarnes moulurées et deux escaliers sinueux grimpant sur les côtés.

➢ Plus loin, au 445, rue Saint-Paul Est, la ***Maison Dumas*** (1800 ; *zoom détachable Centre, D4*). À deux pas, la ***Maison Brossard*** (1827) et la ***Maison du Calvet*** (1770 ; *zoom détachable Centre, D4*), 401, rue Bonsecours, à l'angle de la rue Saint-Paul Est. Aujourd'hui transformée en un hôtel de charme très cher...

En prolongeant la rue Saint-Paul, vous remarquerez le ***marché Bonsecours*** *(zoom détachable Centre, D4),* bel édifice à dôme achevé en 1847 sur les vestiges du Théâtre royal, où se produisit notamment la troupe de Charles Dickens. Devenu ensuite le grand marché public de la ville, le bâtiment, admirablement éclairé la nuit, a perdu tout cachet historique intérieur, au profit d'une galerie marchande haut de gamme : boutiques de créateurs, designers, maroquiniers, bijoutiers...

➢ Plus à l'ouest, au 429, rue Saint-Vincent, la ***Maison Beaudoin*** (1780 ; *zoom détachable Centre, D4*), en piteux état.

➢ Autre centre historique, la ***place d'Armes*** *(zoom détachable Centre, D4)* où s'élèvent, à gauche de la cathédrale, le ***premier gratte-ciel de la ville*** et un autre qui rappelle, en beaucoup plus petit, la silhouette Art déco de l'Empire State Building. À droite de la cathédrale, le ***Vieux Séminaire*** (1684 ; *zoom détachable Centre, D4-5*) est le plus ancien bâtiment de Montréal ; hélas, il n'est pas ouvert aux touristes. Notez au passage le joli clocheton et son horloge. Le reste de la place d'Armes aligne les immeubles commerciaux du XIXe s. Le plus remarquable est celui de la ***Banque de Montréal*** *(zoom détachable Centre, D4),* directement en face de la basilique Notre-Dame. Déjà l'extérieur classique impressionne, mais c'est l'intérieur qui vous stupéfiera. Le plafond haut de 25 m s'appuie sur 32 colonnes corinthiennes. L'effet de grandeur et de puissance est très réussi. Et c'est gratuit, tout comme le ***musée de la Banque*** *(ouv lun-ven 10h-16h)* qui se trouve dans le hall. Numismates et billetophiles pourront faire un crochet par cette mini-expo retraçant l'évolution de la monnaie canadienne.

La basilique Notre-Dame *(zoom détachable Centre, D4)* **:** *110, rue Notre-Dame Ouest. ☎ 514-842-2925. • basiliquenotredame.ca • Ⓜ Place-d'Armes. En été, lun-ven 8h-19h (17h lun) ; sam 8h-16h, 18h15-20h ; dim 12h30-16h. Horaires réduits le reste de l'année. Entrée : 6 $, visite guidée incluse, ttes les 30 mn dès 9h ; réduc ; gratuit jusqu'à 6 ans. Messe le dim à 11h (permet d'entendre des chants et l'orgue remarquable).* La version actuelle de cette basilique néogothique date de 1829. Les tours ont été ajoutées en 1841 et 1843. En dépit de l'austérité de son aspect extérieur, plutôt quelconque, l'intérieur de la basilique surprend par la richesse et la chaleur de son décor, exécuté par Victor Bourgeau, un des architectes québécois les plus prolifiques dans le domaine de l'architecture religieuse. Première surprise, la largeur de l'édifice, pas très habituelle pour du néogothique. Ensuite, une certaine atmosphère chaleureuse se dégage de ce décor de bois richement sculpté, peint et doré à la feuille. Impression renforcée par la lumière bleutée des vitraux, qui retracent l'histoire religieuse de Montréal ainsi que les principales étapes de la fondation de la ville. Notez le gigantesque retable représentant des scènes du Nouveau Testament, la chaire abondamment sculptée, l'orgue (7 000 tuyaux !), mais surtout le sol en pente, l'architecte ayant conservé l'inclinaison naturelle du terrain (vers le Saint-Laurent). La basilique a vu défiler pas mal de célébrités : Céline Dion y a célébré son mariage avec René, puis les funérailles grandioses de ce dernier début 2016... À droite du chœur, la chapelle du Sacré-Cœur surnommée « chapelle des mariages », en partie détruite par un incendie en 1978. Seul un morceau a conservé l'authentique décor néogothique. À noter également : le grand retable en bronze de Charles Daudelin (artiste local) représentant l'« Arbre de vie ».

➢ En descendant vers le Saint-Laurent, jetez un œil à l'***ancienne Bourse,*** au 453, rue Saint-François-Xavier. Derrière son porche à colonnes corinthiennes officie, depuis plus de 40 ans, le théâtre *Centaure.*

Plus bas, la ***place d'Youville*** *(zoom détachable Centre, C5)* révèle de vieux bâtiments (1694-1765) très bien restaurés, comme l'ancien ***hôpital général des Sœurs grises,*** aujourd'hui appelé la ***Maison de Mère d'Youville*** *(zoom détachable Centre, C5 ; 138, rue Saint-Pierre ; ☎ 514-842-9411 ; fermé lun ; visite sur résa ; gratuit, mais donations appréciées).* Abrite un petit musée consacré à l'histoire de la maison, à Marguerite d'Youville (fondatrice des Sœurs grises) et aux frères Charon, qui ont fait édifier en 1693 cette maison de charité devenue ensuite l'hôpital général. Non loin de là, les ***écuries d'Youville*** (1827 ; *zoom détachable Centre, C5*), bel ensemble massif, trapu, aux fenêtres peu nombreuses. Pénétrez dans les jardins intérieurs au calme étonnant.

SŒURS GRISES... OU GRISÉES ?

Vous devez sans doute penser que le nom de « sœurs grises » fait référence à la couleur de leur habit. Eh non ! À l'époque, on soupçonnait ces nonnes de soigner leurs patients à grand renfort d'alcool. La fondatrice de l'ordre, Marguerite d'Youville, avait hérité d'une affaire de contrebande d'eau-de-vie après la mort de son peu vertueux mari. La gouaille populaire les surnomma alors les sœurs « grisées », c'est-à-dire ivres... Comme les gens sont méchants !

Le Centre d'histoire de Montréal (zoom détachable Centre, C5) **:** *335, pl. d'Youville. ☎ 514-872-3207. • ville.montreal.qc.ca/chm • Ⓜ Square-Victoria. Fin juin-début sept, mar-dim 10h-17h. Le reste de l'année, mer-dim 10h-17h. Entrée : 6 $; réduc ; gratuit jusqu'à 6 ans, famille (4 pers max) 15 $; audioguide gratuit, compter 1h30-2h de visite.* C'est le musée payant le moins cher de Montréal ! Cette ancienne caserne de pompiers abrite un petit musée chaleureux animé par une équipe dynamique et passionnée. L'exposition raconte de manière drôle et vivante les événements majeurs de l'histoire de Montréal en 6 étapes, depuis les premiers peuples amérindiens jusqu'à nos jours. Panneaux, vidéos, vieux objets, et parcours pour les enfants. Expos temporaires incluses dans le tarif d'entrée. N'hésitez pas à demander à l'accueil des infos sur le Vieux-Montréal, ils en connaissent un bout !

Pointe-à-Callière, Cité d'Archéologie et d'Histoire de Montréal *(zoom détachable Centre, D5)* **:** *350, pl. Royale. ☎ 514-872-9150. • pacmusee.qc.ca • Ⓜ Place-d'Armes. Fin juin-début sept, tlj 10h (11h w-e)-18h ; le reste de l'année, tlj sf lun 10h (11h w-e)-17h. Entrée : 20 $ (!) ; réduc ; gratuit jusqu'à 4 ans. Billet famille 44 $. Minivisites guidées à thème (« capsules d'animation historique ») en français tte l'année (3 à 4/j. en été, un peu moins en hiver).*
Cette visite, pas donnée, permet d'en apprendre un peu plus sur l'histoire du Québec en général et de Montréal en particulier. C'est à cet endroit précis que fut fondée la ville en 1642 par le Champenois Paul Chomedey de Maisonneuve. Composée de plusieurs édifices, dont le Pavillon de l'Éperon, la Maison des Marins et le pavillon spécialement construit pour le 375e anniversaire de la ville, le 17 mai 2017. On passe d'un bâtiment à l'autre en empruntant tantôt des souterrains, tantôt

les anciens collecteurs d'égout de la ville. Le musée de l'Ancienne Douane abrite un ensemble de fouilles archéologiques bien mises en valeur.
La visite débute par une séance multimédia présentant l'histoire de la ville dans une salle hyper moderne. Puis on visite les fondations au sous-sol. Pour la petite histoire, sachez que ces vestiges ont été découverts lors de la construction du musée ! Du coup, architectes et muséographes ont dû revoir leurs plans. Même si les fondations ne sont guère spectaculaires, la mise en scène interactive est très bien faite. On y observe les restes d'un ancien cimetière (le premier cimetière catholique de la ville), le lit de la petite Rivière Saint-Pierre et des vestiges amérindiens. La visite se poursuit avec une expo permanente qui traite de manière ludique et interactive des relations entre pirates et corsaires à l'époque des guerres de course. Vos enfants apprécieront.
Enfin, le musée accueille également deux expos temporaires de qualité chaque année. Elles se situent à l'étage du bâtiment l'Éperon et dans la Maison des Marins.
Au dernier étage, le café-resto ***L'Arrivage*** *(lun 11h30-14h, mar-dim 11h30-16h – cuisine jusqu'à 14h30 slt)* offre une belle vue sur le port. On peut accéder au belvédère situé au 3e étage sans payer l'entrée du musée.

Le Vieux-Port *(zoom détachable Centre, D5)* **:** tout comme le Vieux-Montréal, les bords du Saint-Laurent ont connu récemment une complète réhabilitation. Les Montréalais ont volontiers adopté ce quartier pour y faire leur jogging, du vélo, des pique-niques sur l'herbe. L'été, le port devient une vaste scène où l'on peut voir des spectacles, écouter des concerts, profiter de diverses animations et attractions (parcours acrobatique, tyrolienne, etc.) et même aller à la plage. Un parcours piéton agrémenté de panneaux explicatifs permet d'en apprendre un peu plus sur l'histoire portuaire de la ville.
Juste à côté de l'écluse, au pied de la silhouette fantomatique du gigantesque ***silo nº 5*** en attente de reconversion, s'est installé le premier ***spa flottant*** du monde, le *Bota-Bota (● botabota.ca ●),* un ancien bac traversier joliment réaménagé. On peut y prendre un bain à remous ou se faire masser en admirant le panorama. Plus loin, passé le *Centre des sciences de Montréal* (voir plus bas), on longe de rigolotes boutiques logées dans des containers, jusqu'à atteindre l'***île Bonsecours,*** accessible par une passerelle piétonne et qui accueille souvent des expos intéressantes. Son bassin se transforme en patinoire l'hiver. L'été, l'île accueille, près de la tour de l'horloge, une ***plage*** de sable fin donnant sur le fleuve (*zoom détachable Centre, D5* ; voir plus haut « Loisirs » dans « Adresses utiles »). On y lézarde mais on ne s'y baigne pas. De nombreuses autres activités invitent à la découverte du quartier : excursions en bateau-mouche, en *jet boat,* en bus amphibie, etc. Enfin, chaque été, le célébrissime ***Cirque du Soleil*** dresse son chapiteau sur le Vieux-Port. Se renseigner auprès du kiosque d'info du Vieux-Port ou sur *● vieuxportdemontreal.com ●*

Le Centre des sciences de Montréal *(zoom détachable Centre, D5)* **:** *quai King-Edward, sur le Vieux-Port. ☎ 514-496-4724 ou 1-877-496-4724. ● centredessciencesdemontreal.com ● Ⓜ Place-d'Armes. Horaires des expos : l'été, tlj 10h-17h ; de mi-sept à mi-juin, lun-ven 9h-16h. Entrée : 15 $ (23 $ avec l'expo temporaire) ; réduc. Film Imax : 12 $; réduc. Billet combiné expo permanente + 1 film Imax : 23 $ (31,50 $ avec l'expo temporaire) ; réduc.*
Grand complexe scientifique dont le principal objectif est de faire réfléchir aux enjeux de notre planète tout en s'amusant. Prévoir un peu de temps pour profiter des différentes activités.

Expositions permanentes
– ***Science 26 :*** 26 îlots, 26 lettres de l'alphabet pour expérimenter la science de A à Z. Derrière chaque lettre, une notion clé expliquée par diverses activités ludiques et expériences. Ou, par exemple, lettre W : comment utiliser les watts de la lumière pour déplacer un avion ?

– ***Cargo :*** exposition consacrée au port de Montréal, principalement sa logistique et l'organisation du transit des marchandises. Le Centre des sciences est en effet logé dans un ancien hangar maritime.
– ***Clic ! :*** espace de découvertes dédié aux 4-7 ans, qui pourront y construire une maison, des montagnes russes, assembler formes et couleurs, etc.
– ***Humain :*** nouvelle section axée sur le corps humain et ses transformations. Les enfants peuvent manipuler des objets et en apprendre plus sur notre fonctionnement tout en s'amusant.
Également plusieurs autres ***expos, temporaires*** cette fois, et un ***cinéma Imax*** avec une programmation de grande qualité (attention, certaines séances sont en anglais).
|●| Possibilité de se restaurer sur place pour pas trop cher.

Les Fantômes du Vieux-Montréal *(zoom détachable Centre, D5) :* *360, rue Saint-François-Xavier. ☎ 514-844-4021. • fantommontreal.com • Billetterie ouv 1h avt le spectacle. Départ à 20h30. Balades « Légendes et histoires » côté est du Vieux-Montréal : juil-août, ven, dim et mar-jeu ; de sept à mi-oct, tous les sam. Balades « Chasses aux fantômes » : horaires variables (19h ou 21h). Résa indispensable. Tarif : 23,50 $; réduc.* Une troupe d'acteurs et de conteurs vous fait découvrir de manière originale les légendes, les crimes et les fantômes qui hantent les coins de rue du Vieux-Montréal. Simple balade ou véritable jeu de piste muni d'un plan et d'une lanterne à la main. Très emblématique de la frénésie des Québécois pour les reconstitutions interactives, mais aussi de l'émergence d'une nouvelle génération de conteurs, dont certains, très populaires, font désormais profession. La même association propose des tours guidés à vélo (voir *Guidatour* dans les « Adresses utiles »).

LE QUARTIER LATIN ET LE VILLAGE
(zoom détachable Centre)

La colonne vertébrale du Quartier latin est la rue Saint-Denis dans sa portion comprise entre les rues Sherbrooke et Sainte-Catherine. Dans ce haut lieu de la vie nocturne, carrefour des étudiants francophones, des touristes et des marginaux, les cafés-terrasses, restos et boîtes sont à touche-touche et ne désemplissent pas, de jour comme de nuit. On doit notamment cette hyperactivité à la présence voisine de l'UQAM (Université du Québec à Montréal). Aux beaux jours, c'est vraiment la fête, tout le monde squatte bancs et terrasses et les artistes de rue s'en donnent à cœur joie, notamment sur la ***place Émilie-Gamelin,*** près du métro Berri-UQAM. Encore plus d'animation en période de festival, c'est-à-dire pratiquement tous les jours en juillet-août !
Quant au Village, quartier gay de Montréal, il s'articule le long de la rue Sainte-Catherine, entre Saint-Hubert et Papineau. Tout l'été, cette portion de « la Catherine » est entièrement rendue aux piétons et abrite une foule bigarrée de fêtards attirés par une animation intense et une ambiance très tolérante.

La Cinémathèque québécoise *(zoom détachable Centre, D4) :* *335, bd de Maisonneuve Est (pas loin de l'angle avec Saint-Denis). ☎ 514-842-9763. • cinematheque.qc.ca • Ⓜ Berri-UQAM (sortie « Saint-Denis »). Séance de film : 10 $; réduc. Expos gratuites sur le cinéma, tlj 12h (13h w-e)-21h. Médiathèque : mar-ven 9h30-17h.* LE grand centre de documentation cinématographique. Superbe programmation de films rares et de grands classiques, et l'une des plus importantes collections de films d'animation au monde. Deux salles de projection : appeler ou consulter le site web pour les horaires. À l'étage, passionnante expo permanente « Secrets et illusions » consacrée à l'histoire et l'évolution technologique des effets spéciaux. Tous les procédés sont détaillés, des effets d'optiques de Méliès à la *3D composing* et aux trucages numériques des films les plus récents. Café-bar de cinéphiles à l'arrière.

L'écomusée du Fier-Monde *(zoom détachable Centre, D3)* **:** *2050, rue Amherst. ☎ 514-528-8444. • ecomusee.qc.ca • Ⓜ Berri-UQAM. Mer 11h-20h, jeu-ven 9h30-16h (17h en été), w-e 10h30-17h. Entrée : 8 $; réduc ; gratuit jusqu'à 6 ans.* Un minimusée à deux pas du Village, auquel il appartient « dans l'esprit ». C'est d'abord son nom qui attire l'attention, puis son architecture, celle de l'ancien Bain Généreux de 1927 (du nom du généreux donateur), où l'on venait se laver en l'absence de salles de bains dans les logements ouvriers. Du bain réhabilité aux coursives qui le surplombent, l'expo retrace à travers photos et témoignages la dure condition ouvrière à la fin du XIXe s et au début du XXe s, notamment à l'usine de tabac *W.C. MacDonald Incorporated.* Dans le Nouveau Monde aussi, la misère était réelle... Juste en face, un marché de 1932 construit tout en brique et toujours actif.

Le quartier chinois *(zoom détachable Centre, D4)* **:** circonscrit dans le minuscule quadrilatère René-Lévesque, Saint-Laurent, Viger et Bleury. L'épine dorsale en est la rue piétonne La Gauchetière. Petit quartier très animé et plein de commerces typiques où l'on vend de tout et de rien. Le quartier survit, en quelque sorte, après avoir subi les outrages de la construction d'une autoroute et de grands développements urbains.

MONTRÉAL

LE PLATEAU MONT-ROYAL
(zoom détachable Le Plateau)

Paisibles par endroits, furieusement branchées ailleurs, les rues du Plateau, longtemps populaires, sont devenues un quartier résidentiel et commerçant où se mélangent tous les âges et classes sociales. La population, majoritairement francophone, habite de jolies maisons fleuries flanquées d'escaliers extérieurs métalliques souvent en colimaçon, sagement alignées le long de rues arborées aux façades graffées d'immenses fresques. Les adeptes de lèche-vitrine, que les escaliers laissent peut-être de marbre, seront plus intéressés par la longue avenue du Mont-Royal : boutiques de mode à tous les prix, disques et livres neufs et d'occasion, artisanat original, objets farfelus et insolites... Nombreux cafés décontractés pour un brunch ou une pause dans la journée. On peut prolonger la balade jusqu'au beau parc La Fontaine, sillonné par les joggeurs et les écureuils. Le soir, c'est au tour des bars, boîtes et salles de concert en tout genre de prendre le relais. Bref, c'est à la fois bobo, populaire et chic, Montréal sous son meilleur jour.

QUESTION POUR UN CHAMPION

D'après vous, dans un pays aux hivers si rigoureux, pourquoi les escaliers des vieilles maisons sont-ils si souvent construits à l'extérieur ? Au XIXe s, l'urbanisme exigeait l'installation d'un petit jardin, côté rue. Cette surface habitable perdue était alors récupérée en construisant l'escalier... dehors.

LE CENTRE-VILLE (Downtown ; plan détachable, B-C4-5 et zoom détachable Centre, C3-5)

À l'ouest du boulevard Saint-Laurent, au sud de la rue Sainte-Catherine, s'étend le centre-ville à proprement parler. *Downtown* américain pur jus, on se fraie ici un passage entre les *golden boys* et les cohortes de jeunes branchés assoiffés de grandes marques internationales. Mais si l'on prend la peine de marcher le nez en l'air, on trouvera bien quelques surprises. Les tours de verre ne donnent pas que dans le luxe prétentieux et derrière l'apparente géométrie se bousculent d'innombrables facéties architecturales. Rapidement l'œil s'habitue au chaos et s'amuse à organiser les blocs d'un puzzle formé au fil des décennies, finalement beaucoup plus surprenant que la monotonie haussmannienne. Plus on descend vers Atwater, plus le quartier affirme son identité anglophone... Tandis que, en revenant vers le boulevard Saint-Laurent, côté place des Arts, le feeling devient un peu plus européen.

La « Catherine » *(plan détachable, B-C-D4)* **:** la rue Sainte-Catherine, entre la rue Atwater et la rue Saint-Hubert. Ce sont les « Grands Boulevards » du coin, revus par les urbanistes américains. Mélange de populaire et de démesuré. Grands magasins, boutiques de mode, cinoches, trottoirs « chauds » à l'intersection de la rue Saint-Laurent... La parcourir à pied, pour mieux juger de la mutation de Montréal. Sur votre chemin, à la hauteur de Jeanne-Mance, vous croiserez la *place des Arts,* symbole de l'émergence culturelle du Québec des années 1960, avec son immense temple culturel comprenant de multiples salles de théâtre, de cinéma et de concert, ainsi que le musée d'Art contemporain. Ce secteur est le cœur de la *place des Festivals* (de jazz, de l'humour, Francofolies, etc.). Il a été grandement rénové, histoire de redonner un peu de lustre à ce quartier jadis laissé à l'abandon. La portion de la rue Sainte-Catherine située entre Jeanne-Mance et Saint-Dominique est désormais piétonne.

Le musée des Beaux-Arts *(plan détachable, C4)* **:** *1379-1380, rue Sherbrooke Ouest. ☎ 514-285-2000. • mbam.qc.ca • Ⓜ Guy-Concordia ou Peel. En été, tlj 10h-17h (21h mer pour les expos temporaires) ; le reste de l'année, fermé lun. Entrée collections permanentes : 12 $; réduc ; gratuit jusqu'à 30 ans, pour les seniors le jeu et pour ts le dernier dim du mois. Grandes expos temporaires : 20 $ (12 $ 13-30 ans). Audioguide : 5 $.*
Fondé en 1860, le musée des Beaux-Arts est composé de quatre édifices postés de part et d'autre de la rue et reliés par un souterrain. De quoi présenter un vaste résumé de l'art mondial à travers les siècles, la collection permanente permettant de parcourir les aspects les plus divers de la créativité artistique. Elle touche véritablement à tout, servie par une magnifique muséographie. Le musée organise aussi jusqu'à trois grandes expositions temporaires annuelles. Ne surtout pas rater ce riche mini-Louvre ! Impossible de tout citer, en voici les points forts :

Bâtiment principal (Art international)
– **4e étage :** la **peinture européenne du Moyen Âge au XIXe s. L'art primitif religieux,** avec de beaux vitraux catalans de Bernat Martorell (XVe s), la *Sainte Parenté* du maître du retable tardif de Salem (1500), couleurs éclatantes, visages très expressifs... *Christ dépouillé de ses vêtements* de Sigmund Holbein, remarquable composition, visages grotesques de la foule. Admirable Mantegna, détrempe et or sur toile de lin (façon grisaille), œuvres du Greco, du Tintoret, de Véronèse, de Bruegel le Jeune... Un coup de cœur : *Moïse frappant la roche* (1610), de Hendrick de Clerk (le plus important des maniéristes flamands), superbe composition, exaltation de la nature, maîtrise totale de la technique picturale...
Riche salle des paysages : Van Goyen, Ruysdael, Van de Velde. *Portrait de jeune femme* de Rembrandt et *Vieux Savant dans son cabinet* de Jan Lievens (distribution géniale de la lumière, « à la Rembrandt »). Beau *Saint Joseph* de Ribera et *Intérieur avec femme jouant du virginal,* d'Emanuel de Witte (remarquables effets de perspective et de lumière).
Magnifique *Siècle d'or hollandais,* notamment *Nature morte avec gibier* de Frans Snyders. Malgré la crudité du sujet, raffinement de la composition, effet subtil de verticalité et équilibre des couleurs. Et puis encore, Philippe de Champaigne, Millet, Poussin, Le Lorrain, Nicolas de Largillière (délicat *Portrait de Femme en Astrée*), Greuze... Côté italien, Tiepolo, *Intérieur de Saint-Marc* de Canaletto, un rare portrait de Guardi et une sublime *Tempête* !

Salle anglaise : Thomas Lawrence, Reynolds, Hogarth, Romney... Élégant portrait de *Madame George Drummond,* de Gainsborough (mais on peut dire ça de tous ses portraits !). Puis les orientalistes et un surprenant *Le Point du Jour à Auteuil,* de Luigi Loir composé de petites touches comme Boudin... Une vraie atmosphère pleine de brumes, de lumières subtiles teintées de mélancolie. Et encore les talentueux « pompiers » et académiques du XIXe s (Bouguereau...).
– ***1er étage : l'art moderne de Daumier à Picasso.*** Corot, Daubigny, Fantin-Latour... Des petits Renoir, petits Degas, petits Maurice Denis, petits Boudin... De remarquables Signac, Monet *(La Grande Allée à Giverny),* Cézanne, Vlaminck, Metzinger, Van Dongen *(Actrice dans le rôle de Hamlet),* Picasso *(Étreinte),* Modigliani, Otto Dix, Karel Appel, Léger, Miró et tant d'autres...
– ***S2 (sous-sol) : l'art contemporain.*** Sélection réduite avec, entre autres, *Le début de la chasse aux lions,* de Penck, s'inspirant aussi bien des peintres rupestres que du graffiti, et *Long Hair Hobo n° 2,* d'Allison Schulnik, travail délirant sur l'épaisseur de la matière.

MONTRÉAL

Cultures du Monde
– ***Salles africaines et précolombiennes** (niveau 1) :* riches salles ethnographiques, sans parcours cohérent (et on s'en fiche !), les salles se croisent, se décroisent... On passe aisément de l'Égypte millénaire à l'esthétique du XXIe s. Des œuvres moins nombreuses qu'en maints musées spécialisés, mais on apprécie la grande qualité de chaque objet et on évite à l'évidence les phénomènes de saturation. Côté Afrique, séduisante sélection, éclairages et mises en valeur top ! Masques, statuettes, fétiches Kongo, tambour à formes zoomorphiques... Côté précolombien, ils sont tous là, les Mayas, Zapotèques, Aztèques... superbes bijoux en or et statuettes en terre cuite. Petites sections égyptiennes et gréco-romaines, on gagne en intimité. Cratères, vases à figures rouges, amphores, mosaïques, sculptures, petits verres irisés...
– ***Section arts asiatiques** (niveau 2) :* tout l'art des temples, statues, disques rituels, petits bronzes, terres cuites, jades et céramiques. Superbe glacière à trois couleurs de la dynastie Tang (VIIIe s apr. J.-C.). Ne pas manquer aussi ce beau lit alcôve en bois ciselé polychrome du XIXe s...

Arts décoratifs et design
Couvrant une longue période, c'est l'éblouissement par l'intelligence de la muséographie, la luminosité des salles, le choix des objets et des meubles, la subtile et dynamique confrontation des styles... Un hymne joyeux à l'inventivité, aux formes et aux couleurs, aux télescopages du kitsch le plus débridé avec le design le plus épuré...

Art québécois et canadien
Beau et riche panorama de l'art canadien, démarrant au 4e étage avec les artistes contemporains Inuits sculptant sur stéatite, notamment Shorty Killiktee et son étonnant couple de caribous dressés sur leurs pattes arrière, ou encore l'angoissante migration de Joe Talirunnilik. En descendant les étages, on traverse ensuite les époques, en partant des premiers artistes québécois au début du XVIIIe s : art amérindien d'abord, puis portraits, paysages, scènes de vie dont les styles (classique, naturaliste, impressionniste, etc.) évoluent jusqu'aux diversités d'expressions de l'art contemporain, avec notamment le foisonnement créatif du groupe de Beaver Hall dans les années 1920.

***Le musée McCord** (plan détachable, C4) : 690, rue Sherbrooke Ouest. ☎ 514-398-7100. • musee-mccord.qc.ca • Ⓜ McGill. ♿ Tlj 10h-18h (21h mer-jeu en été, 17h w-e). Fermé lun l'hiver (sf lun fériés). Entrée : 15 $ (20 $ avec l'expo temporaire) ; réduc ; gratuit jusqu'à 12 ans (expo temporaire comprise) et pour ts le mer à partir de 17h (expo permanente slt, mais expo temporaire à 9,50 $).* Au XIXe s, David Ross McCord, un notable érudit d'origine irlandaise, rassemble et fait don d'une collection de 15 000 objets en provenance de toute la colonie. Un fonds largement enrichi puisque le musée possède aujourd'hui plus de 1 million d'objets dans ses réserves ! Cela dit, seule une petite sélection est visible. Suffisant pour présenter une expo permanente consacrée aux Premières nations du Canada (costumes, coiffures, etc.), doublée d'une section balayant l'histoire de Montréal, de sa fondation à nos jours. À l'étage, expositions temporaires historiques sur des thèmes variés.

Le musée d'Art contemporain *(zoom détachable Centre, C4)* **:** *pl. des Arts, 185, rue Sainte-Catherine Ouest (angle Jeanne-Mance).* ☎ *514-847-6226.* • *macm.org* • Ⓜ *Place-des-Arts. Mar-dim 11h (10h w-e)-18h (21h mer-ven). Fermé lun. Entrée : 15 $; réduc ; gratuit jusqu'à 12 ans et ½ tarif pour ts le mer dès 17h. Pas de nocturnes en janv et août. Visites commentées.* Juste à côté du complexe culturel de la place des Arts, ce temple de l'art lumineux et spacieux présente des expos temporaires d'artistes de renommée internationale. Elles s'avèrent souvent de très bonne qualité. Une partie du musée est dédiée aux collections permanentes de 1939 à nos jours. Au total, un fonds de quelque 5 000 œuvres, dont seule une infime partie est exposée : d'où le sentiment d'une visite parfois un peu trop rapide.

Grévin Montréal *(zoom détachable Centre, C4)* **:** *705, rue Sainte-Catherine Ouest, au 5e niveau du centre commercial* Eaton. ☎ *514-788-5211.* • *grevin-montreal.com* • Ⓜ *McGill. Lun-sam 10h-18h (dernier billet 17h), dim 11h-17h. Fin juin-début sept, tlj 10h-19h (18h dim), dernier billet 1h avt fermeture. Entrée (trop chère) : env 22 $; 16 $ 6-12 ans.* Inauguré en 2013, ce nouveau Grévin, bien dans la tradition des musées de cire, présente près de 120 personnages plutôt réussis dans de somptueuses mises en scène. Section originale, « Les coulisses » permet de se familiariser avec la technique de fabrication des figures de cire et de plonger dans l'ambiance d'un défilé de mode sous l'œil professionnel de Coco Chanel...
Café Grévin pour se restaurer et déguster de bons gâteaux.

LA MUSIQUE DE CHAMBRE DE JOHN ET YOKO

Le mythique hôtel Fairmont Queen Elisabeth, *situé au 900, bd René-Lévesque, a vu passer du beau monde : la reine d'Angleterre, Charles de Gaulle, Mandela, Gorbatchev... Mais deux clients firent un passage encore plus mémorable : John Lennon et Yoko Ono. Refoulés des États-Unis où ils comptaient tenir un « bed-in » contre la guerre du Vietnam, les jeunes mariés choisirent Montréal pour se mettre au lit pendant une semaine. Cette grasse matinée s'avéra productive, puisque c'est dans la chambre 1742 qu'ils enregistrèrent la magnifique chanson « Give Peace a Chance ».*

Le Centre canadien d'architecture *(plan détachable, B4)* **:** *1920, rue Baile.* ☎ *514-939-7026.* • *cca.qc.ca* • Ⓜ *Guy-Concordia (sortie « Saint-Mathieu »).* ♿ *Mer-dim 11h-18h (21h jeu, 17h w-e). Entrée : 10 $; réduc ; gratuit enfants et étudiants, ainsi que pour ts le jeu dès 17h30. Possibilité de visites guidées du bâtiment ou des expos en cours.* Bâti autour d'une ancienne maison victorienne, voici un édifice d'une modernité et d'un équilibre remarquables. Les expositions temporaires sur l'architecture moderne ou ancienne sont généralement d'une très grande qualité. Études, plans, dessins, maquettes, etc. Beaux jardins dépouillés et superbe librairie spécialisée, très fournie. Dans son genre, un lieu rare.

Le Centre Bell *(plan détachable, C4)* **:** *1909, rue des Canadiens-de-Montréal.* ☎ *514-932-2582.* • *centrebell.ca* • Ⓜ *Bonaventure ou Lucien-L'Allier.* Stade de 21 273 places, le plus grand de la *Ligue nationale de hockey,* où jouent les fameux, incontournables et mythiques Canadiens de Montréal. La saison régulière de hockey s'étend d'octobre à avril. Mais si l'équipe carbure bien, la saison peut se prolonger jusqu'en juin. Le jour même du match, 2 000 billets sont en vente. Cela laisse une petite chance de se procurer de bonnes places plutôt chères

(environ 100 $). D'autres moins bien placées mais plus abordables (environ 40 $). Pour être sûr de trouver de la place, mieux vaut réserver le plus tôt possible !
Pour qui voudrait voir un match pour moins cher (environ 10 $), l'autre option est d'assister aux ***rencontres universitaires*** à l'université McGill *(plan détachable, C4).* Matchs contre des équipes canadiennes et étasuniennes de bon niveau, puisque chaque année des étudiants passent pros. Au programme : hockey, bien sûr, mais aussi basket, baseball, football américain, etc. *Plus d'infos sur • mcgillathletics.ca •*

Le parc du Mont-Royal *(plan détachable, A-B-C2-3)* **:** *plan du parc au Centre infotouriste ou, dans le parc, dans les centres d'infos du belvédère et de la maison Smith.* À ne pas confondre avec le Plateau Mont-Royal, quartier à l'est du mont Royal (voir plus haut). Cette colline de 233 m de haut vit une longue amitié avec un parc de 200 ha densément boisé et sauvage par endroits, lieu de pique-nique traditionnel des familles. Inauguré en 1876, le parc est l'œuvre de F. L. Olmsted, qui a aussi dessiné Central Park à New York (les deux n'ont cependant rien de comparable).

À TOISE, TOISE ET DEMIE

Montréal n'aura peut-être jamais de véritables gratte-ciel, car en 1994, dans le but de préserver la ligne d'horizon, un règlement d'urbanisme a interdit la construction d'édifices plus hauts que Mont-Royal (233 m au-dessus du niveau de la mer). Le seul à avoir enfreint cette règle, c'est l'oratoire Saint-Joseph, mais on lui pardonne car il a été terminé en 1967 et, qui plus est, c'est la plus grande église du Canada et le 3e plus grand oratoire au monde. Amen !

Il abrite 700 essences végétales, 200 espèces d'oiseaux et une vingtaine de mammifères. Du belvédère, splendide panorama sur Montréal. Le mieux est peut-être d'y monter à pied depuis l'avenue du Mont-Royal (compter une bonne heure de grimpette) ou par l'escalier (256 marches) démarrant à l'angle des rues Pins et Peel, et de faire le retour en bus no 11 depuis le lac des Castors jusqu'au métro Mont-Royal. Ou alors l'inverse... Dans le parc, zapper les grandes artères pour les sentiers parcourant la forêt, notamment le *sentier de l'escarpement,* qui suit le flanc nord du parc au départ du belvédère, distribuant au passage plusieurs points de vue sur la ville. L'hiver, les chemins se transforment en pistes de ski de fond ou de raquettes et le *lac des Castors* (qui n'en a sans doute jamais vu la queue d'un) en patinoire.
En été, le **parc voisin Jeanne-Mance** *(plan détachable, C3 ; près du croisement entre l'av. du Parc et l'av. du Mont-Royal)* accueille chaque dimanche après-midi ensoleillé un rassemblement spontané de percussionnistes et autres artistes de rue : ***les Tam-tams du mont Royal*** s'accompagnent de danses, jongleries, et parfois même de joutes médiévales, le tout dans une ambiance fraternelle et endiablée. Juste à côté, petite scène musicale informelle. De l'électro, surtout...

Au pied du mont, sur son versant nord, se dresse l'***oratoire Saint-Joseph*** *(plan détachable, A3)* **:** *entrée par le 3800, chemin Queen-Mary. ☎ 514-733-8211. • saint-joseph.org • Ⓜ Côte-des-Neiges. Bus nos 165 ou 166. (Ascenseur). Parking payant sf pour les pèlerins. Tlj 7h45-21h. Concert d'orgues dim à 15h30.* La basilique, qui rappelle le *Duomo* de Florence, frappe par son immensité et son austérité. Lieu de pèlerinage très fréquenté, cet oratoire roman domine tout le nord de Montréal par son énorme dôme, le troisième plus grand dôme au monde, après Notre-Dame-de-la-Paix de Yamoussoukro et la basilique Saint-Pierre-de-Rome. L'oratoire Saint-Joseph témoigne de la foi catholique exceptionnelle des Canadiens francophones dans la première moitié du XXe s. Il en est encore certains pour monter l'escalier gris, que vous voyez au centre, à genoux. Plus prosaïque, la bénédiction des motos qui a lieu chaque année à l'oratoire le dernier dimanche de mai !

Autre témoin du quartier, l'immense ***cimetière Notre-Dame-des-Neiges*** qui s'étend sur l'autre versant, à côté du tout aussi impressionnant ***cimetière Mont-Royal.*** À l'origine, le premier était réservé aux catholiques, le second aux protestants. Depuis 1975, cette distinction n'existe plus, mais les styles respectifs restent perceptibles. Sachez que le cimetière Mont-Royal est, après celui d'Halifax, celui où repose le plus grand nombre de victimes du *Titanic* (une douzaine). Parmi elles, vous trouverez la tombe de Charles Melville Hays, président du chemin de fer Grand Tronc, dont le corps ne fut identifié que grâce à sa montre en or, gravée à son nom. Minutieusement entretenus, ces énormes espaces verts ne sont pas que des lieux de sépultures, ils sont devenus d'étonnantes pépinières d'espèces végétales et un refuge pour les oiseaux migrateurs.

Les quartiers résidentiels de Westmount et Outremont : si vous avez le mollet alerte (ou un véhicule) et que vous aimez les belles maisons victoriennes, le quartier de Westmount *(plan détachable, A-B-C2-3-4),* à l'ouest du mont Royal, devrait vous plaire. Quartier verdoyant, très chic, voire tape-à-l'œil, QG de la bourgeoisie anglophone. Maisons victoriennes, donc, entourées de pelouses tondues avec précision, mais aussi villas modernes avec des touches Art déco, néogothiques... Se balader notamment sur Summit Circle. Quant à Outremont *(plan détachable, B-C1-2),* au nord du mont Royal, c'est le quartier bourgeois francophone. Les maisons y sont plus sobres, mais d'une belle élégance quand même. Voir notamment le *parc Saint-Viateur,* sur Bloomfield (angle Bernard), avec son plan d'eau... et ses danseurs de tango le dimanche. Vous seriez d'ailleurs étonné de voir à quel point les Montréalais aiment le tango (beaucoup de cours collectifs dans les parcs aux beaux jours).

Pour une pause glace, allez donc au ***Bilboquet*** *(plan détachable, C2,* ***173****)* : *1311, av. Bernard.* Voir plus haut, rubrique « Où manger une bonne glace ? »

La ville souterraine et son cœur, la place Ville-Marie *(plan détachable, C4)* **:** le plus grand réseau souterrain au monde ! Une gigantesque toile d'araignée de 12 km^2, avec plus de 30 km de galeries qui suivent peu ou prou le tracé des lignes de métro 1 et 2. Ce réseau relie entre eux près de 1 500 commerces, dont 300 restos et bars, une dizaine d'hôtels, ainsi que des universités (McGill, UQAM...), des cinémas, des théâtres, le tout desservi par une dizaine de stations de métro. On peut errer des journées entières sans voir le jour, et l'hiver magasiner sans craindre le froid ! Pas moins de 500 000 personnes y circulent chaque jour.

Il existe près de 200 entrées pour accéder au Montréal souterrain, désormais appelé « RÉSO ». Son cœur historique – et aussi le segment le plus fréquenté – part de la place Ville-Marie (dessinée par l'architecte Pei, avec son gratte-ciel en croix qui a longtemps symbolisé le Montréal moderne). Mais on y entre aussi par les grands centres commerciaux de la rue Sainte-Catherine *(centre Eaton, Place Montréal Trust...),* par la gare ferroviaire ou encore les stations de métro Square-Victoria, Bonaventure, Place-d'Armes et Place-des-Arts. Consulter le plan de métro (gratuit) qui indique toutes les entrées possibles, repérables grâce au logo *RÉSO* (avec une flèche vers le bas dans le O).

– Signalons l'existence du festival ***Art Souterrain*** *(● artsouterrain.com ●),* qui se tient chaque année en février-mars : les couloirs du RÉSO se transforment alors en galeries d'exposition pour des dizaines d'artistes contemporains. Ce rendez-vous grandit d'année en année et le parcours artistique atteint désormais une dizaine de kilomètres.

LA PETITE BOURGOGNE ET LE CANAL DE LACHINE
(plan détachable, A-B5)

Plus ou moins parallèle au canal de Lachine, la rue Notre-Dame Ouest est en quelque sorte la colonne vertébrale de la Petite Bourgogne. Ancien quartier d'ouvriers noirs, plutôt prospère, avant qu'il ne plonge consécutivement à la fermeture du canal de Lachine en 1970, l'ancien « Bronx montréalais », terre natale du jazzman Oscar Peterson, connaît aujourd'hui une seconde jeunesse avec ses restos pour fines gueules, ses bars branchés et ses boutiques originales. Si le marché Atwater demeure l'un de ses temps forts pour une partie des habitants de Montréal vivant dans les quartiers sud-ouest, le canal de Lachine, lui, est une véritable bouffée d'oxygène pour l'ensemble des Montréalais.

Le quartier de la Petite Bourgogne *(plan détachable, B-C4-5)* **:** ancien quartier ouvrier et populaire qui s'était greffé autour du canal de Lachine et de ses usines. Délimité au nord par la rue Saint-Antoine, à l'est par la rue de la Montagne, à l'ouest par l'avenue Atwater, au sud par le canal de Lachine. Accès par les stations de métro Lucien-L'Allier *(plan détachable, C4)* et Lionel-Groulx *(plan détachable, B4-5).* C'est aussi la balade à vélo idéale car le trafic est très modéré. Au fond se détache la silhouette massive de la brasserie *O'Keefe.* Pratiquement toutes les vieilles HLM et maisons ouvrières ont été démolies pour céder la place à de pimpants ensembles de brique rouge. Emprunter la ***rue Coursol*** *(plan détachable, B4),* l'un des derniers paysages urbains typiques de la Petite Bourgogne. Alignement homogène de maisons ouvrières fort bien rénovées et vestiges de l'architecture du XIXe s. Dans le coin, beaucoup de familles noires (héritières de celles qui construisirent le chemin de fer vers 1850) et d'immigrés haïtiens. Dans le prolongement de la rue Coursol, après le boulevard Georges-Vanier, joli alignement de maisons montréalaises typiques et colorées. Plus au sud, la rue Notre-Dame est en passe de devenir une des rues les plus en vue à Montréal.
Enfin, plus près du canal, le ***marché Atwater*** *(plan détachable, A-B5),* de style Art déco (à l'architecture un peu mussolinienne !). C'est le plus apprécié de Montréal, avec celui de ***Jean-Talon*** au nord de la ville.

Une ***superbe piste cyclable*** goudronnée aménagée à l'embouchure du ***canal de Lachine*** court le long du canal de l'Aqueduc et jusqu'au Vieux-Port. Une autre piste longe le fleuve, la bien nommée « piste des Berges ». Les abords du canal ont été réaménagés pour mettre en valeur cette voie de communication qui fut si importante au XIXe s et au début du XXe s. Jusqu'à l'ouverture de la voie maritime, elle permettait l'accès aux Grands Lacs et au Midwest états-unien et participa ainsi largement à l'expansion économique du pays. Voir nos adresses de location de vélos dans « Adresses utiles » pour faire cette balade. Pour le plan des pistes, consulter le site • *pistescyclables.ca* • qui propose une carte interactive et de nombreuses infos sur les excursions guidées et les activités nautiques (location de bateaux sans permis, kayaks, etc. avec *H2O Aventures* ; • *aventuresh2o.com* •).

DANS LE PARC JEAN-DRAPEAU
(plan détachable, E5-6)

Le parc Jean-Drapeau : *☎ 514-872-6120.* • *parcjeandrapeau.com* • *Accès en voiture à l'île Notre-Dame par le pont de la Concorde (parking obligatoire et cher, env 20 $/j). Accès à l'île Sainte-Hélène par le pont Jacques-Cartier (Ⓜ Jean-Drapeau) ou bus n° 769 du métro Papineau (quand la Ronde est ouv). Au départ du métro Jean-Drapeau, le bus n° 767 offre une visite agréable (dessert notamment la Ronde et la plage des îles). De mi-juin à mi-sept, pour piétons et cyclistes, accès par la navette fluviale, 4,25 $ l'aller, du quai Jacques-Cartier dans le Vieux-Port (☎ 514-281-8000 ; départs ttes les heures 11h-19h ; 9h-22h w-e). Plan du parc au centre d'info, à la sortie du métro Jean-Drapeau.*
Nommé d'après celui qui fut maire de Montréal pendant 30 ans, le parc Jean-Drapeau regroupe les îles Sainte-Hélène et Notre-Dame, formant ainsi un espace vert d'environ 2,6 km² dédié au divertissement et au sport. De l'Exposition universelle qui s'y tint en 1967, il ne reste que des jardins et quelques pavillons, dont celui de la France et du Québec, absolument magnifique, transformé en casino (entrée gratuite, pertes payantes !), et celui des États-Unis, qui est devenu la Biosphère.

Le parc, paisible, cerné par le Saint-Laurent et presque exempt de circulation, fait l'objet d'une balade très agréable, surtout sur l'***île Sainte-Hélène,*** qui rassemble en fait la majorité des choses à voir (dont un complexe aquatique – lire plus haut « Adresses utiles - Loisirs »). L'***île Notre-Dame*** est, pour sa part, plutôt réservée aux activités sportives : vélo, « patins à roues alignées » (rollers), embarcations à pédales, canots, etc. On y trouve également une jolie plage pour pique-niquer et se baigner dans l'eau – filtrée – du Saint-Laurent *(plan détachable, D6 ; tlj de mi-juin à fin août 10h-19h, puis 12h-19h jusque début sept ; entrée : 9 $, réduc,* pass *famille 22,50 $).* C'est aussi là qu'on trouve le circuit Gilles-Villeneuve qui accueille le ***Grand Prix du Canada*** vers la mi-juin. Par bonheur, on peut marcher librement, et même faire du roller ou du vélo sur le bitume destiné aux courses de Formule 1. Environ un mois avant le Grand Prix, on installe les grillages, tribunes et autres stands, à ne pas manquer si vous êtes fan de F1 !

MONTRÉAL

L'Homme *(plan détachable, E5)* **:** à la pointe ouest du parc, l'une des plus grosses sculptures *(stabiles)* de Calder, située sur un promontoire. On embrasse de là une vue surprenante sur la ville. La puissance sauvage du fleuve impressionne. Les dimanches d'été (de 14h à 22h), beaucoup d'ambiance lors des *Piknic electronik* qui attirent une foule hétéroclite venue pique-niquer sur fond d'électro *(• piknicelectronik.com •).*

BIDONNAGE

Sur chaque sommet du pont Jacques-Cartier, on peut déceler une petite tour Eiffel (de 6 tonnes quand même !). On prétend qu'elles devaient servir à l'érection d'une grande tour Eiffel. Rien n'est plus faux car ces embouts étaient prévus sur les plans originaux.

Le musée Stewart *(plan détachable, E5)* **:** *dans le dépôt fortifié britannique de l'île Sainte-Hélène, 20, chemin du Tour-de-L'Isle. ☎ 514-861-6701. • stewart-museum.org • Ⓜ Jean-Drapeau, puis env 10 mn de marche. Fin juin-début sept, mar-dim 10h-17h ; en hiver, mer-dim 10h-17h. Entrée : 10 $; réduc ; gratuit jusqu'à 12 ans. 50 % de réduc pour ceux qui veulent visiter le château Ramezay (marche dans les 2 sens) sur présentation du billet. 5 visites guidées gratuites 10h-16h (en été slt). Parking payant.*
Une moitié de ce bâtiment tout en longueur construit entre 1820 et 1824 accueille des expos temporaires, et l'autre, l'expo permanente *Histoire et mémoire* qui retrace l'exploration et l'histoire du Canada du XVe s à 1840 pour l'essentiel, plus une petite section contemporaine. À l'extérieur du bâtiment, en son centre, une tour en verre (vue sur la ville assez jolie du sommet) dessert les différents espaces d'expo. Au cours de la visite, qui commence au 2e étage et se termine au 1er, vous pourrez admirer de nombreuses cartes anciennes. La plus vieille (1528) est un portulan du cartographe Visconte de Maggiolo ; son état de conservation (les couleurs notamment) est étonnant. La vie en Nouvelle-France est aussi abordée sous différents angles (la place de la religion et de l'Église, les divertissements, l'hygiène, la mode), avec quelques objets pour illustrer le propos. Également une magnifique maquette interactive de Montréal en 1760. Bref, l'endroit idéal pour revoir (ou voir) son histoire du Canada et de Québec.

La Biosphère d'Environnement Canada *(plan détachable, E5)* **:** *160, chemin du Tour-de-L'Isle. ☎ 514-283-5000 (standard) ou 514-496-8435 (billetterie). • biosphere.ec.gc.ca • Ⓜ Jean-Drapeau. ♿ Juin-début sept, tlj 10h-17h ; début sept-début déc, mer-dim 10h-17h ; le reste de l'année, jeu-dim 10h-17h. Fermé début déc-début janv. Entrée : 15 $; réduc ; gratuit jusqu'à 17 ans. Parking payant.*
Édifiée par l'architecte américain Buckminster Fuller pour le pavillon américain de l'Expo de 1967, puis offerte à la ville de Montréal, la sphère demeure un symbole architectural de la ville et reste l'édifice de ce type le plus important au monde. Cette grosse boule se compose de milliers de tétraèdres, mesure près de 63 m de haut pour un diamètre de 76 m et pèse environ 600 t. D'abord utilisée comme

une oasis florale doublée d'une volière, la « peau » en acrylique de la sphère brûla en 1976... C'est en 1995 que le projet de Biosphère voit le jour. Géré par le ministère canadien de l'Environnement, il s'agit d'un centre d'éducation et d'un lieu de rencontres scientifiques. Les expos, régulièrement renouvelées, peuvent durer plusieurs années, mais les thématiques restent les mêmes : environnement, météorologie, pollution, abordées à travers vidéos, expos interactives et expériences en laboratoire pour petits et grands. Également un film en 4D, projeté à 360° avec quelques effets sensoriels (vent, bruine), ode à l'inventivité de la nature... et à son recyclage par l'industrie ! Ou comment poursuivre sur le même modèle en le verdissant un peu... Un peu léger, donc, et vite parcouru.

La Ronde *(plan détachable, E-F4-5) : 22, chemin MacDonald. ☎ 514-397-2000. • laronde.com • Ⓜ Jean-Drapeau. Bus nos 767 ou 769 (à partir du métro Papineau). Sur la pointe est de l'île Sainte-Hélène. De mi-mai à fin mai et sept-oct, slt le w-e 11h-19h ; l'été, tlj, en principe 11h-21h. Horaires très variables, disponibles sur Internet : dim jusqu'à 19h ou 21h, sam jusqu'à 21h ou 23h. Fermé de nov à mi-mai. Entrée : env 60 $; réduc. Parking payant (22-26 $ selon l'événement).* Grand parc d'amusement avec montagnes russes (le *Goliath*, parmi les plus hautes d'Amérique du Nord), cabaret, spectacles pour enfants, resto, etc. Chaque année, de nouvelles attractions et animations voient le jour. Affluence bien répartie qui limite l'attente aux diverses attractions (*Passes Flash* possibles quand même). Spectacles de bonne qualité. En juin et juillet, grand concours de feux d'artifice. Pour y assister, on peut aussi se placer gratuitement sur le pont Jacques-Cartier, fermé à ces occasions.

MONTRÉAL

L'ESPACE POUR LA VIE ET LE PARC OLYMPIQUE
(plan détachable, G2)

Derrière son nom un peu naïf, l'*Espace pour la vie* regroupe au sein du parc Maisonneuve (l'ancien Parc olympique des Jeux de 1976) 4 sites consacrés à la nature et aux grands défis écologiques de l'humanité. Une vaste esplanade piétonne relie l'ensemble, au centre duquel trône l'emblématique Tour de Montréal, la tour penchée la plus haute du monde. Pour éviter les longues files d'attente (particulièrement l'été), on conseille de ***réserver en ligne ses billets,*** en outre possibilité de billets combinés et ***forfaits incluant la visite de plusieurs sites.***

Le Biodôme *(plan détachable, G2) : juste à côté de la tour du stade olympique, 4777, av. Pierre-de-Coubertin. ☎ 514-868-3000. • espacepourlavie.ca • Ⓜ Viau. ♿ Mars-fin juin, tlj 9h-17h ; en été, tlj 9h-18h ; le reste de l'année, tlj sf lun 9h-17h. Prévoir au moins 1h30 pour la visite. Entrée : 20 $; 5-17 ans 10 $; famille 55 $ (5 pers max).* ***Billet couplé*** *(valable 1 mois, 1 visite slt) avec le Jardin botanique/Insectarium, ou avec le planétarium Rio Tinto Alcan.* ***Forfait 2 sites :*** *34,25 $/adulte, 5-17 ans 17 $, famille 94 $ (5 pers max).* ***Forfait 3 sites :*** *respectivement 49, 24 et 132 $.* ***Forfait 1 site + Tour de Montréal :*** *39, 20 et 102 $.* ***Forfait 2 sites + Tour de Montréal :*** *54, 27 et 143 $.* ***Forfait 3 sites + Tour de Montréal :*** *68,50, 34 et 182 $. Audioguide.*
À ne pas confondre avec la Biosphère du parc Jean-Drapeau. Le Biodôme est un vaste site de 7 000 m², recouvert, comme son nom l'indique, d'un grand dôme. Il a été créé dans l'enceinte de l'ancien vélodrome des Jeux olympiques de Montréal de 1976, en réutilisant notamment l'ancienne piste de compétition inclinée à 45°. À l'intérieur sont reconstitués quatre écosystèmes d'Amérique : la forêt tropicale, la forêt laurentienne, le golfe du Saint-Laurent et les régions subpolaires. Environ 250 espèces d'animaux, dont certaines en semi-liberté. Un ensemble superbement recréé, surtout pour les deux forêts, mais qui manque d'animaux (beaucoup sont peu ou pas visibles !). Mention spéciale malgré tout au bassin du Saint-Laurent et aux fascinants animaux marins de l'Arctique et l'Antarctique (manchots,

guillemots, macareux moines...). La visite se termine par une collection de fossiles et un spectacle conté pour enfants dans un amphithéâtre *(pdt les vac scol slt).*

Le Jardin botanique et l'Insectarium *(plan détachable, G2)* **:** *entrée pour les voitures au 4101, rue Sherbrooke Est. ☎ 514-872-1400. • espacepourlavie.ca • Ⓜ Pie-IX. Pour ceux qui viennent en métro, entrée à l'angle nord-est de Sherbrooke Est et de Pie-IX. Parking payant (12 $/j.). De mi-mai à début sept, dim-mer 9h-18h (19h jeu-sam) ; sept-oct, tlj 9h-21h ; le reste de l'année, tlj sf lun 9h-17h. Entrée : 20 $; 5-17 ans 10 $; famille 54 $. Billets couplés : voir précédemment le Biodôme. Possibilité de visites guidées du jardin en hte saison (rens à l'entrée).*

Ses 22 000 espèces, sa trentaine de jardins thématiques et ses 10 serres répartis sur 73 ha en font le deuxième jardin botanique au monde après celui de Londres. À voir si possible à la belle saison, en prévoyant de passer au moins une demi-journée sur place, car le parc est immense. On conseille la balade à pied, même si, en été, il existe deux petits trains gratuits, l'un fait le tour du jardin et permet d'en avoir un aperçu complet en 40 mn, l'autre fait la liaison en continu avec la *Maison de l'Arbre* au bout du parc. Au hasard de vos déambulations, vous découvrirez : jardin chinois, jardin japonais et sa remarquable collection de bonsaïs (certains plus que centenaires !), jardin des Premières Nations, jardin alpin, plus d'un millier de variétés d'orchidées, en fleurs de fin janvier à avril, dont certaines très rares...

À l'entrée, ne pas oublier de faire un tour à l'***Insectarium,*** surtout si vous avez des enfants. La collection de papillons est particulièrement impressionnante, voir notamment les fameux monarques, ces papillons migrateurs qui partent chaque hiver en vacances au Mexique. Aquariums d'insectes (phasmes, araignées, scorpions...), fourmilière en activité, observation de bêbêtes à la loupe... des milliers d'insectes vivants ou *punaisés* sous verre, et d'autres encore, dans la *Cour aux insectes,* à l'extérieur. Le tout didactique et ludique.

Restaurant du jardin : *près de l'entrée principale et des serres d'exposition. Plat env 10-12 $.* Hamburgers, paninis, pizzas... Pratique après la visite, d'autant que la terrasse est bien agréable.

Le planétarium Rio Tinto Alcan *(plan détachable, G2)* **:** *4801, av. Pierre-de-Coubertin (stationnement 3200, rue Viau). ☎ 514-872-4530. • espacepourlavie.ca • Ⓜ Pie-IX et Viau. Entrée : 20 $; 5-17 ans 10 $; famille 55 $ (5 pers max). Billets couplés : voir précédemment le Biodôme. Projections en continu, ttes les 30 mn. Expo sur les météorites en accès libre.*

Avec sa toiture végétalisée et ses deux canons braqués vers le ciel, le planétarium est un modèle du genre. Ses deux théâtres bénéficient des dernières technologies en matière de projections immersives : c'est la promesse d'un voyage bluffant à travers ciel et espace, à destination des apprentis astronomes et des simples curieux. Deux spectacles avec animateurs en live.

Le Parc olympique et la Tour de Montréal *(plan détachable, G2)* **:** *3200, rue Viau. ☎ 514-252-4141 ou 1-877-997-0919. • parcolympique.qc.ca • Ⓜ Viau. L'ascenseur de la Tour de Montréal fonctionne fin juin-1er sept, tlj 9h (13h lun)-20h ; jusqu'à 18h (voire 17h) le reste de l'année ; fermé lun en hiver. Bien vérifier les horaires d'ouverture, susceptibles de changement à cause de sérieux travaux dans les années qui viennent. Entrée tour : 24 $; 5-17 ans 12 $; famille 5 pers max 58 $. Billets combinés avec le Biodôme, le Jardin botanique/Insectarium et le planétarium : voir précédemment le Biodôme.*

C'est le site des Jeux olympiques de 1976, qui virent le sacre de la jeune gymnaste roumaine Nadia Comaneci. L'architecture audacieuse et, à l'époque, furieusement moderne, est due au Français Roger Taillibert. La structure est étonnante. Il a fallu pas moins de 400 000 m³ de béton, 400 000 t d'acier, 225 km de câbles... Impressionnant, certes, mais pas très solide : le toit du stade a déjà été changé trois fois. De gros travaux d'entretien des structures sont programmés dans les années à venir. Enfin, ne manquez pas la grimpette en haut de la Tour de Montréal, la plus haute tour inclinée au monde (165 m) ! Un impressionnant ascenseur-funiculaire mène au sommet. Vue exceptionnelle sur la ville et les installations.

DANS LA PÉRIPHÉRIE DE MONTRÉAL

Le Cosmodôme, camp spatial du Canada *(hors plan détachable par A1)* **:** *2150, autoroute des Laurentides, Laval. ☎ 450-978-3600 ou 1-800-565-2267. • cosmodome.org • Ⓜ Montmorency et bus nos 61 ou 70. À 30 mn de voiture du centre de Montréal (si tt va bien). Pour y aller, autoroute 15 Nord ; sortie 8, bd Saint-Martin Ouest, puis à droite au 2e feu du bd Pierre-Péladeau et tt droit jusqu'à l'av. du Cosmodôme ; vous ne raterez pas l'entrée : une réplique de la fusée Ariane s'y dresse. Fin juin-début sept, tlj 9h-17h ; le reste de l'année, tlj 10h-17h. Entrée (expo + 1 mission de 60 mn) : 15 $ (réduc), forfait famille env 40 $. Expo + 2 missions de 60 mn : 27 $ (réduc), forfait famille 72 $.*

Un grand centre vraiment bien conçu, dédié à l'espace et à son exploration. On y rencontre tous les grands hommes qui ont fait avancer l'humanité vers la connaissance de l'Univers. Le décor met tout de suite dans l'ambiance : un système solaire reproduit à l'échelle (enfin presque, sinon Pluton serait à Vancouver !), des répliques de sondes et de satellites, un scaphandre de la mission Apollo... Mais l'accent est surtout mis sur l'interactivité, notamment pour le jeune public (9 à 15 ans). On embarque carrément pour une mission spatiale (virtuelle, évidemment), avec un objectif à réaliser au fil de nombreuses salles de préparations, qui se termine par un petit tour dans une réplique de la navette Endeavour, comme pour de vrai ! Ces camps spatiaux durent de 24h à 6 jours (on dort et on mange carrément sur place ; réservation obligatoire). Au programme, de quoi travailler ses méninges et des simulateurs d'entraînement identiques à ceux utilisés par les astronautes dans la réalité ! Bref, de quoi vous faire regretter d'être un adulte !

UN CAILLOU À PRIX D'OR

Trésor national des States, la roche lunaire prêtée par les États-Unis au Cosmodôme fait l'objet d'un contrat renouvelable tous les 4 ans. Son assurance atteint les nues et sa manutention exige un protocole des plus strictement militarisé, car ce petit morceau de Lune rarissime est le seul au monde à être accessible au public. Souriez, vous êtes filmé !

Descente des rapides de Lachine *(hors plan détachable par A4)* ***: Les Excursions rapides de Lachine,*** *8912, bd Lasalle, à LaSalle. ☎ 514-767-2230 ou 1-800-324-RAFT. • raftingmontreal.com • Ⓜ Angrignon, ligne verte et autobus no 110. À 20 mn du centre-ville, autoroute 20 Ouest, sortie 63 Pont Mercier ; puis sortie 2 Clément, et suivre les indications « rafting sur le Saint-Laurent ». Résa obligatoire. Rafting pdt 2h15 47 $, 13-18 ans 40 $, 6-12 ans 29 $, famille (parents, 2 enfants) 129 $;* jet-boating *(gros Zodiac avec lequel on fait des dérapages... sensations garanties ; durée 1h15) 56 $, 13-18 ans 46 $, 8-12 ans 36 $, famille 154 $. Arriver 30 mn avant le début de l'activité, âge minimum 6 ans.*

L'excursion de rafting dure 2h15 aller-retour, et celle du *jet-boating* 1h15. Départs tous les jours de 9h à 18h de mai à septembre, plus ou moins fréquemment selon l'affluence. Malgré les équipements fournis sur place, on revient totalement trempé car le Saint-Laurent est du genre lessiveuse (rapides type Colorado), donc prévoir des vêtements de rechange.

– Quelques surfeurs iront se frotter aux ***vagues de rivière*** (les vagues statiques du Saint-Laurent, au nombre de deux ou trois, à des endroits précis). *Rens auprès de KSF (Kayak Sans Frontières) : 7770, bd Lasalle. ☎ 514-595-7873. • ksf.ca • Fin avr-début oct.* Organise aussi des randos en *paddleboard* et du kayak de mer, notamment pour aller voir le feu d'artifice de La Ronde.

À voir également à ***Lachine,*** près du canal, le petit ***musée du Commerce de la fourrure*** *(1255, bd Saint-Joseph ; ☎ 514-637-7433)* installé dans un ancien entrepôt en pierre de 1803. L'expo tient dans une seule pièce, mais on apprend pas mal de choses sur le business de la fourrure et la Compagnie de la Baie d'Hudson. *De mi-juin à début sept tlj 10h-17h. Entrée : 4 $; réduc ; stationnement 1,50 $.*

CASTOR SENIOR !

Le feutre en poil de castor était apprécié pour sa souplesse et son imperméabilité. Mais ce n'est pas tout, car de nombreuses croyances étaient liées au castor. On pensait notamment qu'arborer un feutre en poil de castor rendait plus intelligent, que les sourds portant de tels couvre-chefs recouvraient l'ouïe, ou encore que masser le cuir chevelu avec de l'huile de castor favorisait la mémoire !

Plus haut, le ***musée de Lachine*** *(1, chemin du Musée-de-Lachine ; ☎ 514-634-3478 ; ouv avr-nov, mer-dim 12h-17h et aussi mar en été ; GRATUIT)* est situé dans la maison LeBer-LeMoyne, un ancien poste de traite des fourrures de 1669. On y voit quelques objets amérindiens et coloniaux trouvés pendant les fouilles archéologiques, qui d'ailleurs se poursuivent. Sculptures contemporaines dans le jardin.

LES ENVIRONS DE MONTRÉAL

VERS L'EST 119
VERS LE NORD-OUEST : LES LAURENTIDES 120
VERS LE NORD-EST : LANAUDIÈRE 125
SUR LA ROUTE D'OTTAWA 128

VERS L'EST

🔭 ***Le Centre de la nature du Mont-Saint-Hilaire :*** *422, chemin des Moulins,* ***Mont-Saint-Hilaire*** *; à 20 mn à l'est de Montréal par l'autoroute 20 Est (sortie 115), puis la 229 Sud. ☎ 450-467-1755. • centrenature.qc.ca • Situé dans la vallée du Richelieu (région touristique de la Montérégie). Parc ouv tlj dès 8h jusqu'à 16h ou 20h selon saison. Entrée : 6 $; réduc ; gratuit jusqu'à 5 ans.*

Une des vieilles montagnes montérégiennes. Plusieurs sentiers pédestres de différents niveaux mènent à des belvédères qui, par temps clair, offrent une vue spectaculaire sur la vallée du Richelieu et sur Montréal. Le Centre de la nature du Mont-Saint-Hilaire, classé Réserve de la biosphère par l'Unesco, appartient à l'université McGill (université anglophone de Montréal). Balades au milieu d'arbres centenaires, lac peuplé d'oiseaux aquatiques, loutres, chevreuils, rapaces... Au pied du mont, des vergers et cidreries où les citadins viennent s'adonner aux joies de l'« autocueillette » des pommes.

🔭🔭🔭 👪 ***Le fort Chambly :*** *à* ***Chambly*** *(30 mn au sud-est de Montréal par l'autoroute 10 Est). ☎ 450-658-1585. • pc.gc.ca/fortchambly • De mi-mai à fin juin et de début sept à mi-oct, mer-dim 10h-17h ; fin juin-début sept, tlj 10h-18h. Fermé de mi-oct à mi-mai. Entrée : env 6 $; réduc dont tarifs famille env 14 $ (2 adultes et 5 enfants jusqu'à 17 ans).*

Cet élégant fortin, tout d'abord bâti en bois (1665), a été reconstruit en pierre (1711) et soigneusement restauré par la suite. Installé au bord d'un magnifique et tumultueux cours d'eau, il servait à défendre l'accès au Saint-Laurent contre les incursions des Iroquois et des Anglais. Sa visite est particulièrement intéressante, car il ne reste presque plus de grands ouvrages militaires français au Canada. Qui plus est, le musée qu'il renferme est à la fois agréable et pédagogique, avec un parcours émaillé de citations, de vidéos, de cartes et d'objets détaillant l'enjeu des guerres qui faisaient rage à la fin du XVIIIe s entre Français et Anglais, attendu que les échauffourées avec les Amérindiens ont pris fin dès 1701. On apprend aussi des tas de choses sur le quotidien de la garnison et sur la rude vie des paysans qui trimaient pour le compte des seigneurs. Le staff du musée, adorable et passionné, organise des activités en relation avec le costume et l'architecture. Le départ de ces visites, irrégulier (selon affluence), est annoncé au micro. Après avoir vu le fort, baladez-vous un peu dans le parc. Sur Chambly même, trois parcours « patrimoine » à découvrir avec un audioguide couvrant une durée totale de 4h. Renseignements au ***Point d'accueil touristique de Chambly*** : *1900, av. de Bourgogne, à deux pas du fort. ☎ 450-658-0321. Tlj 10h-18h. Loc audioguide 7 $, pièce d'identité en guise de caution.*

🍴 ***Les Grillades du Fort :*** *1717, av. de Bourgogne, à deux pas du fort. ☎ 450-447-7474. Tlj midi et soir (brunch le dim). Table d'hôtes 16-24 $ le midi, 27-42 $ le soir. Plats 20-25 $.* Une jolie maison en bois avec terrasse surplombant le fleuve. De quoi prendre l'air et profiter d'un panorama apaisant tout en dégustant la bonne cuisine de la chef portugaise, Patricia Atunes, notamment... les grillades (on s'en serait douté) et des tapas.

Les Cantons-de-l'Est *(ou l'Estrie)* **: *Tourisme Cantons-de-l'Est,*** *20, rue Don-Bosco Sud, à* ***Sherbrooke.*** *☎ 819-820-2020 ou 1-800-355-5755. • cantons delest.com* • On traverse cette région quand on descend vers les États-Unis par l'autoroute 10. Une très belle région vallonnée parsemée de lacs tièdes et de villas d'artistes autour de la ville de Magog et de villages environnants. De nombreux Montréalais y ont leur résidence secondaire. Pas mal d'activités sportives ou autres en été, ski à Bromont et au Mont-Orford l'hiver. Avis aux gourmands : la région des Cantons-de-l'Est compte une kyrielle d'auberges et de restaurants gastronomiques. Ceux-ci sont douillettement installés dans de belles maisons victoriennes, vestiges de l'époque des loyalistes, ces fidèles à la couronne d'Angleterre qui peuplèrent la région après l'indépendance américaine.

VERS LE NORD-OUEST : LES LAURENTIDES

- Sainte-Adèle 121
- Val-David 121
- Sainte-Agathe-des-Monts 123

Parcs nationaux et régionaux, pourvoiries et réserves fauniques émaillent ce territoire d'une superficie de 22 000 km² situé à moins de 1h30 de route du centre de Montréal. Dans le cadre absolument sublime d'une nature sauvage qui change au gré des saisons, les amateurs de rando, de sports en eaux vives, de vélo de montagne (VTT) et d'activités hivernales (motoneige, ski, raquette, pêche blanche, etc.) seront comblés. Qui plus est, les Laurentides, c'est aussi un catalogue d'hébergements aussi originaux que variés, servis par de bonnes tables axées sur la cuisine du terroir. Bref, une vraie destination vacances !

Comment se rendre dans les Laurentides et s'y déplacer ?

En bus

Autobus Galland : *départ tlj à 7h30 et 14h ainsi que 17h55 les dim, lun, jeu et ven. Horaires sur • galland-bus.com* • Au départ de Montréal vers Mont-Laurier, dessert Saint-Jérôme (début de la piste cyclable du *P'tit Train du Nord*), Sainte-Adèle (1208, rue Valiquette), Val-David (arrêt 1417, Rte 117, devant le marchand de fruits et légumes), Sainte-Agathe, Saint-Faustin, Mont-Tremblant, Labelle et Rivière-Rouge.

Autocars Maheux : *Rens : ☎ 819-797-3200. • autobusmaheux.qc.ca* • Liaison Montréal-Rouyn-Noranda, desservant au passage Saint-Jérôme, Sainte-Agathe, Mont-Tremblant et Mont-Laurier.

Service de Transport adapté et collectif des Laurentides : *rens au ☎ 819-774-0485. • transportlaurentides.ca • citso.org* • Service de navettes entre Mont-Tremblant et Saint-Jérôme, environ 6-8 fois par jour en semaine *(3 bus/j. slt le w-e et j. fériés).* Pratique car ***on peut prendre le bus avec son vélo.*** Également un service de Taxibus et d'autobus pour gagner les villages isolés situés en dehors de cet axe, mais lun-ven slt.

Service de Transport collectif de la MRC de Matawinie : *rens au ☎ 450-834-5441, poste 7065. • mrcmatawinie.org* • Liaisons entre Saint-Donat-de-Montcalm et Sainte-Agathe-des-Monts, 2 fois/j. *(mat et ap-m)* en semaine.

À bicyclette

C'est l'épine dorsale d'un séjour dans les Laurentides. ***Le P'tit Train du Nord*** reprend le tracé d'une ancienne voie ferrée. Ce parcours est une piste cyclable l'été et une piste de ski de fond l'hiver (motoneige sur certains tronçons). Long d'environ 230 km, il relie Saint-Jérôme à Mont-Laurier. Sur cet itinéraire, taillé dans la plus vieille chaîne de montagne du monde, nous avons relevé quelques étapes situées à distance raisonnable de Montréal. Mais la région, qui ne manque pas d'attraits, est étendue, aussi les lecteurs curieux sauront-ils pousser au-delà du Mont-Tremblant, au pays de l'ours noir, de la truite arc-en-ciel et de l'orignal. • *laurentides.com* • ou • *pistescyclables.ca* •

Pour faire plaisir à ses mollets, l'***autobus Le P'tit Train du Nord*** assure le transport des bagages d'étape en étape. *Rens : ☎ 450-569-5596 ou 1-888-893-8356.* • *autobuslepetittraindunord.com* •

SAINTE-ADÈLE (12 627 hab.)

À une soixantaine de kilomètres au nord de Montréal, Sainte-Adèle déploie ses petits chalets autour de son lac tout rond. Petite station de sports d'hiver (et d'été), appréciée pour sa table, elle recèle aussi l'un des plus vieux cinémas du Québec.

Où dormir ? Où manger ?

Gîte Pantoufles et Pamplemousse : *1408, rue Archambault. ☎ 450-229-5312 ou 514-441-7683.* • *pantouflespamplemousse.com* • *Depuis le bd de Sainte-Adèle, au niveau du n° 1365, prendre la rue Pilon, puis à droite la rue Archambault. Tte l'année. Double env 120 $, petit déj et taxes compris.* Dans une maison bourgeoise construite pendant la Seconde Guerre mondiale, Lise et Claude, aussi affables qu'attentionnés, vous reçoivent dans les 3 chambres qu'ils ont aménagées avec goût. Plancher en fines lattes de pin, stores vénitiens, tissus fleuris, lits doubles ou lits jumeaux, toilettes et lavabo privés... Tout ça respire fraîcheur et propreté, alors on s'accommodera sans histoire du fait de partager la douche. Accès indépendant, terrasse extérieure, et, au petit déj, pas moins de 4 services !

Bar-Lounge Garçons ! : *1049, rue Valiquette. ☎ 450-745-1566. Dans le centre-ville. Tte l'année. En été, tlj à partir de 17h ; fermé lun et mar en hiver. Menus 3 services en sem env 23 $, le w-e 25-30 $.* Nicolas le Nantais et Jean-François le Québécois se sont rencontrés aux cours de sommellerie. Il en résulte cette adresse tout en saveurs, où, dans un cadre décontracté façon bistrot, les 2 compères servent une cuisine du marché d'inspiration française : morue au beurre nantais, tartare de saumon... Ici, la viande est si tendre qu'on la mange à la cuillère ! Si, si, essayez !

VAL-DAVID (4 639 hab.)

Ceint de collines et de bois, à la fois point de ralliement des amateurs de grimpe et des artistes plasticiens en quête de notoriété, Val-David fait partie de ces petits villages où il fait bon se décontracter quand arrive la fin de semaine. Les Montréalais ne s'y sont pas trompés. À l'instar des touristes nationaux qui déboulent ici en famille dès que le mercure se sent pousser des ailes, ils rappliquent pour se mettre au vert, égrener les galeries d'art ou chiner sur le marché d'été.

Adresses utiles

Bureau d'accueil touristique de Val-David : *2525, rue de l'Église. ☎ 819-324-5678 ou 1-888-322-7030, poste 4235.* • *valdavid.com* •

De mi-mai à mi-sept et de mi-déc à fin mars, tlj 9h-17h. Docs sur les Laurentides, cartes et topos d'escalade à vendre. Excellent accueil de Lyne.

Roc & Ride Sports de Montagne : *2444, rue de l'Église. ☎ 819-322-7978. • rocnride.com • Tte l'année ; mars-oct tlj 9h-17h (18h jeu, ven), fermé lun en hiver. Compter 50-60 $/24h pour un vélo de montagne (VTT) ; tarifs en ligne.* Boutique spécialisée. Loc de vélos pour adultes et enfants, de route ou de montagne et une flopée d'accessoires.

Où dormir ? Où manger ? Où sortir ?

Village Suisse : *1175, rue de la Sapinière. ☎ 819-322-2205 ou 1-877-978-4773. • villagesuisse.ca • Chalets rustiques avec 2 à 3 chambres pour 2 pers : 165-265 $.* Un village de chalets construits dans les années 1950, répartis autour d'une petite piscine, non loin du lac de la Sapinière, à 10 mn du centre. Salon, cuisine équipée, espace extérieur privé. Bois fourni, accès au lac, piscine, glissade. « Plus » non négligeable : la livraison de bon pain frais tous les mardis, jeudis et samedis. Possibilité aussi de commander une fondue suisse et de louer des jeux de société à la réception.

Général Café : *1303, rue de la Sapinière. ☎ 819-322-6348. Tlj 8h-16h. Petit déj 6-12 $, sandwichs 8-15 $.* Un magasin général version XXIe s, tenu par une équipe de gourmets. Dans la petite salle, un peu les uns sur les autres, ou sur la petite terrasse. Les petits déj, servis toute la journée, sont inspirés de recettes anciennes. Le midi, sandwichs, quiches, soupes, salades originales et pâtisseries prennent le relais, à base de produits du terroir. Beaucoup de monde lors du brunch dominical !

Auberge et Microbrasserie Le Baril Roulant : *2434, rue de l'Église (pub) ; ☎ 819-320-0069 ; tte l'année, tlj : sept-mai 15h-1h, juin-août 12h-1h (ferme plus tard le w-e). 1430, rue de l'Académie ; ☎ 819-322-2280 (auberge) ; même saisonnalité que le pub mais resto ouv tlj 17h-22h en basse saison (à partir de 12h le w-e) et tlj 11h-22h en été. • barilroulant.com • À l'auberge, doubles avec sdb privée 110-120 $ (petit déj inclus), lit en dortoir 26-42 $ (pas de petit déj) ; plats 10-20 $.* Au départ, c'était un bar ambulant roulant, puis c'est devenu une microbrasserie festive et gourmande, mettant en scène bières et produits du terroir tout en enchaînant les événements... Aujourd'hui, *Le Baril* a roulé sa bosse et il est divisé en 3 lieux : le pub, où une vingtaine de bières sont servies à la pompe (plus quelques snacks pour éponger !) et où ont lieu les concerts et autres soirées jeux ; l'auberge, qui propose le gîte (propre mais un peu chérot quand même pour des chambres situées au-dessus du resto) et le couvert (agréable terrasse avec vue sur la rivière). On y sert une cuisine créative et éclectique, à base de bons produits locaux. Et enfin, la microbrasserie. Bref, une affaire qui tourne !

Le Mouton Noir : *2301, rue de l'Église. ☎ 819-322-1571. • bistromoutonnoir.com • Tte l'année lun-mer 8h (10h w-e)-21h (23h jeu-ven). Plats 10-15 $, tapas env 5-6 $.* Dans ce *diner* un peu déglingué règne une ambiance bon enfant et plutôt familiale. Si, sur la carte, la poutine et le poulet tiennent le haut du pavé, on y découvre aussi quelques soupes et un assortiment de tapas, pas renversantes, mais bien faites. Le service, en revanche mériterait d'être plus efficace. Remarquez, en attendant, si le soleil est de la partie, les sofas de la terrasse extérieure vous tendent les bras ! Pour les spectacles, programmation sur leur site.

À voir. À faire

À l'Abordage ! : *2268, rue de l'Église (derrière le garage* Fix Auto*). ☎ 819-322-1234 • activites-plein-air-laurentides.com • Fin juin-sept tlj 9h-16h30 (dernier* *départ) ; basse saison le w-e slt 10h-16h. Forfait kayak + vélo env 40 $/pers ; réduc, notamment si inscription avt 10h.* Une belle façon de découvrir les Laurentides en famille. Le principe est simple comme bonjour. Vous embarquez à bord d'un kayak ou d'un canoé (simple ou double) pour une petite descente de rivière sur 7 km. Ensuite, vous repartez à vélo par la piste du *P'tit Train du Nord*. Compter 3h en tout. Les fatigués peuvent rentrer en navette pour le même prix.

Parc Régional de Val-David – Val-Morin : *1165, chemin du Condor. ☎ 819-322-6999 (chalet Anne-Piché) ou 819-322-2834 (chalet Far Hill) • parcregional.com • Tte l'année. En été, forfait d'accès au parc 8-10 $ selon activité ; réduc. En hiver, compter 10-16 $; réduc. Matériel non fourni. CB refusées.* Parois et blocs d'escalade, vélo de montagne (VTT), sentiers de rando. Tout un panel d'activités de pleine nature à partager avec vos loupiots hiver comme été.

SAINTE-AGATHE-DES-MONTS (10 582 hab.)

Ville grise au premier abord, Sainte-Agathe laisse apparaître, dans un second temps, un joli petit centre de maisons de brique rouge, avec une rue principale qui glisse en pente douce vers le lac. Son patrimoine architectural à vocation balnéaire du début du XXe s lui confère un certain charme. Comme Sainte-Adèle et Val-David, Sainte-Agathe est desservie par le *P'tit Train du Nord*. L'hiver, on dénombre plus de 50 km de pistes de ski de fond.

Adresses utiles

Hôpital Laurentien : *234, rue Saint-Vincent. ☎ 819-324-4000 ou 1-855-766-6387.*

Bureau d'information touristique de Sainte-Agathe-des-Monts : *24, rue Saint-Paul (dans l'ancienne gare de style* Queen Anne*). ☎ 819-326-0457 ou 1-888-326-0457. • sainte-agathe.org •* Demander la brochure du circuit patrimonial qui détaille quelques vénérables demeures du début du XXe s, du temps où la ville comptait plusieurs sanatoriums. Compter 1h de visite. Sinon, docs sur les activités à faire sur le lac et dans les environs.

Où dormir ? Où manger ?

Chez Girard : *18, rue Principale Ouest. ☎ 819-326-0922 ou 1-800-663-0922. • aubergechezgirard.com • Tte l'année. Doubles 100-120 $, petit déj compris ; ½ pens, ajouter 35 $/pers ; table d'hôte 25-38 $.* Dans leur grande maison blanche de style balnéaire, Annick et Marco ont aménagé 3 chambres avec salle de bains privée. Clim en été, foyer à bois en hiver, déco thématique. Notre préférence va à la suite « Versailles » situé à l'étage. Bain thérapeutique (à air) dans certaines, frigo et micro-ondes dans toutes. Le resto, quant à lui, fleure bon les années 1960, avec ses tables dressées à l'ancienne. On y déguste une bonne cuisine du terroir. Excellent accueil.

Auberge aux Nuits de Rêve : *14, rue Larocque Ouest. ☎ 819-326-5042 ou 1-888-326-5042. • reve.ca • Tte l'année. Doubles 170-230 $, petit déj compris (promos en ligne).* Envie d'une chaude nuit ? Cet établissement, idéalement situé au bord du lac, propose des chambres à thème spécialement conçues pour les couples qui veulent s'éclater. De la *Tarzan & Jane* à la *César & Cléopâtre* en passant par la *Adam & Ève* et la *Suite James Bond* (notre préférée), la déco vous en met plein les mirettes. Évidemment, tout un tas d'extras : service traiteur livré en chambre, papouillothérapie et quelques gadgets étudiés. Aussi un beau jacuzzi format « olympique » ouvert sur le jardin. Accueil gentil.

I●I ***La Table Ludique :*** *81, rue Saint-Vincent.* ☎ *819-774-0750.* ● *latableludique.com* ● *Tte l'année. Mar-sam 11h-21h. Plats 15-25 $.* Dans un resto lumineux style « bistrot français » comme disent les Québécois, une adresse qui satisfera à la fois vos neurones et vos papilles. Le concept est simple : on dîne en jouant (mais on n'est pas obligé). Sur place, de nombreux jeux de société (boutique au sous-sol) et des soirées-jeux organisées régulièrement. Dans l'assiette, ces grands voyageurs proposent une « cuisine d'ici et d'ailleurs » plutôt bien faite, où toute attention est portée à la sélection des meilleurs produits. Vins de petits producteurs, bière de microbrasserie. Une adresse sympathique.

Où dormir dans les environs ?

Plusieurs B & B dispersés un peu partout dans le coin. Aussi des gîtes perchés, mais rien de bien folichon. Pour dormir dans les arbres, mieux vaut pousser vers Lanaudière.

Gîte & Café de la Gare : *362, rue de la Gare,* ***Saint-Faustin-Lac-Carré.*** ☎ *819-688-6091 ou 1-888-550-6091.* ● *gitedelagare.com* ● *Tte l'année. Double 115 $, petit déj compris ; table d'hôtes (4 services) 33 $/pers.* Dans une vieille demeure typique du coin, 3 chambres, toutes avec salle de bains (parfois sur le palier). Escalier grinçant, intérieur propret et déco passe-partout. La chambre « locomotive », située à l'étage, a notre préférence. Agréable verrière où sont servis le petit déj et le souper. Terrasse extérieure. Plein d'activités à faire dans le coin. Accueil courtois de Normand Caron, le proprio.

Auberge Archambault Inn : *221, rue Aubin, à 100 m du lac et de sa plage, à* ***Saint-Donat-de-Montcalm.*** ☎ *819-424-3542.* ● *auberge-archambault.com* ● *Au cœur du village. Doubles 65-95 $, petit déj complet compris.* Une auberge spacieuse tenue par Véronique et Prosper. Une douzaine de chambres propres, fraîches et dotées, pour la moitié d'entre elles, de salle de bains. Organisent des séjours à la carte suivant la saison (balades en traîneau à chiens, à raquettes, à ski, en quad, à cheval, etc.). L'été, barbecue, piscine.

À voir. À faire à Sainte-Agathe et dans les environs

Plage Major : *chemin du lac des Sables (en face du camping. Ouv 9h-20h. Adultes 10 $; réduc ; gratuit moins de 5 ans.* Belle plage offrant de nombreuses activités (école de voile, location de kayaks, beach-volley). 2 autres plages à Sainte-Agathe : la plage Tessier et la plage Sainte-Lucie.

Tyroparc : *400a, chemin du Mont Catherine.* ☎ *819-324-2002 ou 1-844-324-2002.* ● *sports-nature-laurentides.com* ● *Du centre de Sainte-Agathe, prendre la rue Demontigny en direction du nord, passer sous l'autoroute, puis à droite le chemin de Château-Bleu (c'est fléché). Tte l'année (motoneige en hiver). Forfaits 60-125 $; réduc.* Des tyroliennes parmi les plus hautes et les plus longues du Canada ! Et tout un panel d'activités encadrées par des pros, pour se faire des petites montées d'adrénaline : *via ferrata,* escalade, descente en rappel, etc. Et même des nuits « *bed-in* », c'est-à-dire dans un hamac suspendu à plus de 100 mètres au-dessus du sol !

Le parc national du Mont-Tremblant : *à env 40 km au nord-ouest de Sainte-Agathe. Infos :* ☎ *819-688-2281. Résas :* ☎ *418-890-6527 ou 1-800-665-6527.* ● *sepaq.com/pq/mot* ● *Tlj : de mi-mai à sept, 7h-21h ; d'oct à mi-mai,*

9h-16h. Entrée : 8,50 $; gratuit jusqu'à 17 ans. Voici 2 des 5 points d'accès au parc : accueil de la Diable (3824, chemin du Lac-Supérieur, ***Lac Supérieur.*** *☎ 819-688-2281) ; accueil de la Cachée (1002, rue du Lac-Caché,* ***La Macaza.*** *☎ 819-686-1880). On peut s'y rendre aussi directement de Montréal pour une excursion à la journée avec la* Nana *(Navette Nature). Rens et tarifs : • navettenature.com •* Superbes collines boisées agrémentées de centaines de lacs et de cascades. Compte tenu de sa relative proximité de Montréal, le parc est assez fréquenté, ce qui n'empêche pas de croiser de nombreuses biches peu farouches. En dehors des nombreux sentiers de randonnée qui sillonnent le parc, plein d'activités à faire : canot (et même canot-camping avec réservation d'emplacements de camping le long de la rivière), kayak, baignade, pêche, *via ferrata...* Si vous êtes dans le coin en automne, c'est à ne pas manquer, pour les couleurs fauves et mordorées des arbres. Fantastique ! En hiver, vous pourrez aller skier à la station de Tremblant.

VERS LE NORD-EST : LANAUDIÈRE

• Carte Lanaudière-Laurentides *p. 127*

Bordée à l'ouest par les Laurentides et à l'est par la Mauricie, Lanaudière est une région agricole active aux portes de Montréal. Toute habillée de vert, offrant un paysage de vallées secrètes et de forêts, elle est aussi pleine de ressources pour le touriste en mal de grand air. Prisée hiver comme été, Lanaudière est aussi moins résidentielle que les Laurentides, si bien qu'il y souffle encore un parfum d'aventure...

➢ ***Pour s'y rendre en voiture :*** accès direct par l'autoroute 40, en direction de Trois-Rivières.

Comment se rendre dans Lanaudière et s'y déplacer ?

En bus

Joliette, le chef-lieu, est bien desservi à partir de Montréal. Sinon, une douzaine de sociétés de transport se partagent la primeur des usagers. Sur certaines lignes, de mi-avril à fin octobre, il est possible de ***voyager avec son vélo***. *Rens : ☎ 450-759-5133 ou 1-866-755-2917. • jembarque.com • citso.org •*

Adresse utile

🅸 ***Tourisme Lanaudière :*** *3568, rue Church,* ***Rawdon.*** *☎ 450-834-2535 ou 1-800-363-2788. • lanaudiere.ca • Au rez-de-chaussée du centre psychiatrique. Juin-sept slt : lun-jeu 8h15-12h, 12h30-16h30, ven 8h-12h.* Toutes les infos sur la région et notamment sur les activités à faire autour de Rawdon (en québécois, prononcer « Randeune »).

Où dormir ? Où manger ?

⛺ ***Camping Summum de Saint-Côme :*** *2340, rang Versailles,* ***Saint-Côme.*** *☎ 450-883-1968 ou 1-800-559-1968. • campingsummum.com • Tte l'année. Empl. 1 tente 30 $; + 20 $ la tente en sus. Dépanneur et* *petit resto sur place (menu du jour 10 $).* Camping pas désagréable à la sortie de Saint-Côme, dont la piscine est accessible aux résidents extérieurs. Emplacement pour planter sa guitoune en limite du boisé, sinon quelques résidents à l'année. Bon accueil.

Le gîte Le Vallon : *2221, rang Versailles,* ***Saint-Côme.*** *☎ 450-883-1346. • gitelevallon.com • Un peu à l'écart du village, sur la Rte 347, direction Saint-Donat. Tte l'année. Double avec sdb privée 80 $, petit déj et taxes compris + 20 $/pers supplémentaire. Possibilité de souper pour 20 $ (réserver à l'avance).* Attention les yeux, ici on sert le meilleur petit déjeuner qu'on ait jamais mangé au Québec ! Thérèse, retraitée pleine d'énergie, propose 5 chambres plutôt grandes et agréables, quand bien même 4 d'entre elles se trouvent en demi-sous-sol (certaines se partagent une salle de bains). Salon télé, jardinet pour prendre le frais en été (et le rendre au poêle en hiver), on se sent bien. Qui plus est, Thérèse est une mine d'infos. Excellent accueil.

Kabania : *2244, chemin du Grand-Duc,* ***Notre-Dame-de-la-Merci.*** *☎ 819-424-0721. • kabania.ca • De la Rte 125, 17 km avant Saint-Donat, prendre à droite la Rte 347 sur env 2,1 km, puis encore à droite sur 300 m, puis à gauche. Tte l'année. Cabanes pour 2 env 100 $,* cabañitas *pour 2 env 70 $, pour 4 pers 175 $. Résa fortement conseillée.* Un concept écolo (toilettes sèches, énergie solaire, etc.) de cabanes haut perchées dans les arbres en lisière de la forêt Ouareau. Réception en self-service, chariot pour transporter ses bagages jusqu'à sa cabane, isolée dans la forêt mais rattachée à de beaux espaces communs couverts et démoustiqués, avec sanitaires nickel, jeux pour enfants, cuisine commune, bibliothèque, espaces-repas, etc. L'esprit ici, c'est de rencontrer l'autre, surtout le soir au coin du feu. Oubliez tout de suite les *cabañitas,* trop petites et sans hauteur sous plafond, attenantes à une pièce commune ouverte à tous vents. Préférez les plus chères. Sinon, plein d'activités hiver comme été, un coup de cœur !

Auberge Le Cheval Bleu : *414, route 343,* ***Saint-Alphonse-Rodriguez.*** *☎ 450-883-3080 ou 1-866-883-3080. • lechevalbleu.com • Sur la 40, sortie 122, vers Joliette. De Joliette, prendre la 343 Nord ; à env 5 km avt Saint-Alphonse-Rodriguez, sur la droite. Double avec sdb privée 102 $, petit déj inclus. En ½ pens, env 160 $/chambre. En saison, resto tlj à partir de 18h ; plats 12-30 $.* Monique, d'origine belge, est intarissable sur les activités à faire dans la région et a tissé un réseau qui vous en ouvrira toutes les portes (l'hiver, elle assure même le dépôt vers les différents sentiers de raquettes). Côté dodo, 5 chambres dont 2 se partagent la même salle de bains. Elles sont relativement basiques et décorées avec l'envie de faire du beau. Côté miam-miam, 80 sortes de bières belges et une cuisine qui va du tartare de bison aux cuisses de canard ou de pintade. Bref, rien que des produits locaux. Piscine dans le parc. Bon accueil d'Hector, le berger des Pyrénées.

Chez Roger l'Ermite : *335, 48e av, Rivière-de-la-Boule,* ***Saint-Côme.*** *514-993-3567. • chezrogerlermite.ca • À la sortie de Saint-Côme, direction Sainte-Émilie ; à partir de la station-service située au niveau de l'intersection pour La Chute-à-Bull, faire 1,4 km, puis à gauche sur la Rte 131, puis à 800 m encore à gauche (fléché). En été, camping env 40 $; nichette 1-3 pers 75 $; tte l'année, chalets 1-4 pers 130-150 $.* Dans un environnement naturel de toute beauté, plusieurs formules pour jouer les Robinsons-des-arbres, de la plus basique (camping, sanitaires et douche compris) à la plus élaborée (gîte très bien fini avec double vitrage, cuisine équipée, chauffage, literie, etc.), en passant par la nichette ouverte à tous vents. Bien isolés les uns des autres et accessibles en voiture, bien construits (Martin est du genre perfectionniste), ces petits nids d'amour n'attendent que votre envie de grimper aux arbres...

Restaurant-Traiteur La Marguerite : *1041, rue Principale,* ***Saint-Côme.*** *☎ 450-883-6737. Tte l'année, tlj 5h30-14h (20h jeu-dim). Plats 15-25 $.* Salle banale. C'est le resto le plus élaboré du village. On y sert quelques côtes levées, des *fish & chips* ainsi que des plats en sauce comme

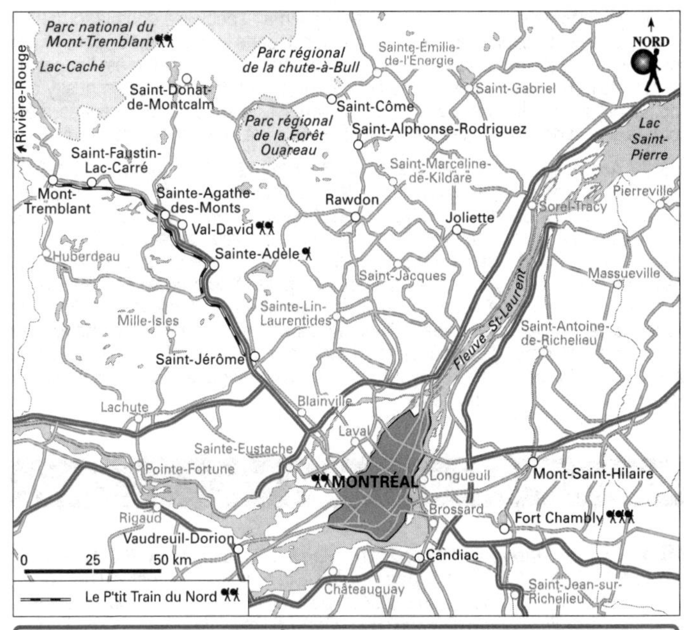

LANAUDIÈRE-LAURENTIDES

l'osso bucco. Pizza honorable, sans plus, mais bien servie (on mange à 2 sur le petit format). Pensez à apporter votre bouteille.

Crêperie Les Copains d'Abord : *3284, 4e av,* **Rawdon.** *☎ 450-834-7654. Tte l'année, jeu-dim 11h-21h. Crêpes 10-20 $, entrée comprise.* Intérieur « tout bois » pour la *Crêperie-au-Canada* de cette coiffeuse originaire de La Guerche-de-Bretagne et de son conjoint *designer,* tous deux reconvertis dans la *krampouz* (en breton dans le texte). Elle apporte son amour du sarrasin, lui, son goût pour les choses bien faites. L'occasion de déguster des produits locaux avec *eun cout' cit'* !

À voir. À faire.

La Terre des Bisons : *6855, chemin Parkinson,* **Rawdon.** *☎ 450-834-6718. • terredesbisons.com • Oct-mai et sept mer-dim 10h-17h ; juil-août tlj. Entrée : env 10 $; réduc.* La famille Toupin-Demontigny élève wapitis et bisons depuis des lustres. Du coup, elle a conçu ce petit musée, pas inintéressant, qui permet de faire le tour des grands mammifères d'Amérique du Nord et notamment du bison. L'occasion de se rappeler que les pionniers les exterminèrent en masse. Quelques bêtes reconstituées, une vidéo et de bonnes odeurs de campagne, crévindiou ! Visite de l'élevage *(le w-e à 15h en été ; même tarif ; réserver la veille).* Petite boutique de produits locaux.

Kinadapt : *1800, rue Laurin,* **Rawdon.** *☎ 450-834-4441. • kinadapt.com • Tte l'année, été comme hiver selon activités. Initiation au canicross 57 $, puis 29 $ les séances suivantes (préférable de téléphoner avant d'arriver à cause des chiens).*

Carole Turcotte, la proprio de ce centre de plein air spécialisé dans la formation et l'entraînement de *musher* (meneur de chiens), parle le français, l'anglais et... le chien ! Normal, elle en a plus de 85 ! Si les toutous vous tentent, c'est l'occasion de venir faire un petit stage, même l'été, pour apprendre à guider un husky à la voix (accroché à lui, on appelle ça du *canicross*). Aussi d'autres activités d'été comme le vélo de montagne et la rando. L'hiver, c'est raquettes et traîneaux.

Arbraska : *4131, rue Forest Hill,* ***Rawdon.*** *☎ 450-834-5500 ou 1-877-886-5500. • arbraska.com • À l'extrémité de la rue Queen, env 100 m à gauche après l'accès à* La Source Bains Nordiques. *Mai-oct, tlj 9h-17h. Parcours dans les arbres : durée env 3h ; adulte 36 $; réduc (forfait familiaux possibles). Rallye GPS avec énigmes 18-40 $ selon formule ; réduc. Résa en ligne conseillée.* Arbraska, c'est une bande de joyeux drilles qui vous proposent de grimper aux feuillus de jour comme de nuit, de vous laisser glisser sur une tyrolienne, d'escalader une *via ferrata* et de partir jouer les Indiana Jones en forêt, un GPS à la main, pour résoudre des énigmes. Bref tout un tas d'activités marrantes à faire en famille. Être au moins 4 pour permettre d'ouvrir un départ avec un guide. Éviter les créneaux horaires de 11h et 13h si on peut.

SUR LA ROUTE D'OTTAWA

Le parc national d'Oka : *2020, chemin Oka, à* ***Oka.*** *☎ 450-479-8365 ; résas : ☎ 1-800-665-6527. • sepaq.com/pq/oka • Accès de Montréal par l'autoroute 15 Nord (ou la 13 Nord), puis la 640 Ouest sur env 20 km ; au bout, prendre la 344 Ouest à droite. Centre d'accueil du parc à 1,5 km avt le village d'Oka. Entrée : 8,50 $/j. ; réduc ; forfait famille 17 $.* À 45 mn de Montréal, une belle forêt pour une journée de balade à agrémenter d'un pique-nique et d'une baignade en été. Bien sûr, vous ne serez pas tout seul... Jolie plage surveillée au bord du lac (cafétéria et restos sur place). Nombreuses activités à faire selon les saisons : rando, canoë-kayak, location de vélos (y compris des *fat-bikes* en hiver), ski de fond nocturne sur sentier éclairé et randonnées à raquettes... Animations enfants et adultes en saison. Possibilité de camper sur place (voir « Où dormir ? » à Montréal). Enfin, pour ceux qui voudraient traverser la rivière des Outaouais pour se rendre sur la rive d'Hudson, en face, pas besoin de faire des kilomètres (pas de pont), il suffit de prendre le traversier d'Oka *(23 juin-4 sept 6h-minuit – 7h dim, jusqu'à 22h slt le reste de l'année –, départ ts les quarts d'heure. • traverseoka.ca •).*

Maison de Félix Leclerc : *186, chemin de l'Anse, à* ***Vaudreuil-Dorion.*** *☎ 450-510-2840. • maisonfelixleclerc.org • Accès de Montréal par l'autoroute Félix-Leclerc, sortie 35. De mi-juin à début sept, tlj 10h-18h. Hors saison, ven-dim 12h-17h. Entrée : 8 $; réduc.* Le grand homme qui fut, à ses débuts, auteur de théâtre, vécut dans cette villa du milieu du XIXe s, posée sur le bord du lac des Deux-Montagnes, de 1945 à 1966. C'est ici qu'il composa ses plus grands succès, dont le fameux « Petit Bonheur » ou encore « Moi, mes souliers ». À l'époque (1959-1961), ses potes Brel et Brassens vinrent même lui rendre visite. Un hommage empreint de nostalgie qui nous replonge dans le quotidien de l'auteur.

POMPES FUNÈBRES

Felix Leclerc, le père de la chanson québécoise, l'auteur du célébrissime « Moi, mes souliers », vécut toute sa vie sans quitter des yeux le E qu'il avait chipé sur la sépulture d'Antoine de Saint-Exupéry. Il est désormais enterré au cimetière de Saint-Pierre-de-l'île d'Orléans. Sur sa tombe, pas de fleurs mais une montagne de souliers qui ne cessent de fleurir...

|●| ***Auberge Willow :*** *208, rue Main à* ***Hudson.*** *☎ 450-458-7006. À 5 mn en voiture, près du traversier. En été, tlj 11h30-20h.* Une agréable terrasse pour déjeuner face au lac des Deux-Montagnes, d'un *fish & chips,* de moules-frites ou d'un hamburger maison...

Le parc Omega : *à peu près à mi-distance de Montréal (110 km) et d'Ottawa (80 km). Sortie nº 210 de l'autoroute 50, à* ***Montebello.*** *☎ 819-423-5487. ● parcomega.ca ● Ouv tte l'année. 18 juin-5 sept, tlj 9h-17h ; 10h-16h en hiver. Fermeture du parc 2h plus tard en été, 1h plus tard en hiver. Entrée (selon saison) : adultes 24-28 $, enfants 2-5 ans 9-10 $, 6-15 ans 15-20 $.*
Un parc magnifique que parcourt un chemin de 15 km. Au programme : orignaux, loups, wapitis, bisons, ours noirs... le tout dans de superbes paysages. À toute heure de la journée, vous rencontrerez des dizaines d'animaux qui attendent paisiblement le long de la route que les visiteurs leur offrent des carottes (en vente à la boutique). Assez étonnant. Seules deux espèces sont enfermées dans des enclos : les loups (commentaire passionnant qui explique les règles immuables et hiérarchiques des meutes) et les ours bruns. Un concentré de la nature, mais aussi de l'histoire du Québec : sentier des Premières nations amérindiennes, avec totems illustrant chaque nation. Également un sentier de la colonisation qui relate les temps forts de l'histoire du pays depuis le passage de Champlain il y a 400 ans (poste de traite, ferme ancestrale...). Le poste de traite était une cabane où les colons échangeaient avec les Indiens de la verroterie contre des fourrures. On y expose la peau de la plupart des animaux qui furent à l'origine de la conquête du Canada. Les Indiens, eux, étaient très intéressés par les wapums : ces colliers ornés de perles de verre qu'ils arboraient autour du cou.
Possibilité d'hébergement sur place en ***tente de prospecteur, chalet*** ou ***tipi très confort.*** Un endroit merveilleux à découvrir en famille. Les rencontres avec les biches sont fréquentes. Quelques ***restos*** dans le village.

Le château Montebello : *392, rue Notre-Dame, à* ***Montebello.*** *☎ 819-423-6341. ● fairmont.com/montebello ●* Cet hôtel incroyable fut construit dans les années 1930 par un club de milliardaires qui ne trouvaient rien à leur goût. Le gigantesque bâtiment bâti grâce à 10 000 poutres de cèdre rouge et en forme d'étoiles à 6 pointes fut achevé en... 3 mois (mais bon, on avait utilisé les grands moyens, notamment 3 500 ouvriers). En 1981, l'hôtel accueillit le G7 avec Reagan, Thatcher et Mitterrand. Depuis 1970, c'est un hôtel de luxe racheté par des... Chinois (gloups !). On peut aussi se contenter d'un dîner dans une salle assez incroyable ou profiter, en été, du buffet à volonté au bord du lac. Les sportifs utiliseront la piscine d'époque pour quelques dollars. Bon, les riches ont plutôt bon goût.

HOMMES, CULTURE, ENVIRONNEMENT

BOISSONS

Tout d'abord, se méfier des différences de vocabulaire. Les quiproquos abondent et sont souvent amusants... :
- ***breuvage*** désigne une boisson chaude ou froide, non alcoolisée ;
- ***boisson*** signifie boisson alcoolisée uniquement ;
- ***liqueur*** s'applique aux boissons gazeuses.

LA BIÈRE D'ICEBERG

La brasserie indépendante canadienne Quidi Vidi *produit de la bière élaborée avec de l'eau issue d'icebergs des alentours de Terre-Neuve. Cette eau a, dit-on, parfois 25 000 ans !*

Quiproquo type entre une serveuse montréalaise et un consommateur français :
« Voulez-vous une liqueur ?
– Non merci, je souhaiterais simplement un verre de vin rouge...
– Mais on ne sert pas d'alcool ici ! »

Vins

Les bons vins étrangers sont très chers (surtout les français). Au resto, une bouteille de qualité moyenne coûte entre 35 et 50 $. En revanche, beaucoup de restos proposent un assez bon choix au verre, de 7-8 à 15 $. Certains restos n'ont pas de licence pour vendre de l'alcool et acceptent que vous veniez avec votre propre bouteille. La mention « Apportez votre vin » est alors apposée sur la vitrine. Cette pratique fait fureur à Montréal. Si vous souhaitez acheter une bonne bouteille (ou même une mauvaise !), vous n'aurez d'autre choix que de vous rendre dans les magasins de la *Société des alcools du Québec (SAQ),* nombreux à Montréal. Liste des magasins sur • *saq.com* •
Le Canada produit du vin, essentiellement dans la région du Niagara en Ontario, et dans la vallée de l'Okanagan en Colombie-Britannique. Le premier à s'être attaqué au marché dans le pays est un Allemand, installé au début du XIXe s en Ontario. Dans les autres régions, l'expérience vinicole ne date que de quelques décennies. Au Québec, on recense 127 vignobles, regroupés principalement en Montérégie, dans les Cantons-de-l'Est et Lanaudière. Longtemps réputés pour leur qualité médiocre (on disait jadis : « Ma capacité à boire de la piquette pour mon pays a ses limites », selon la formule de l'écrivain Mordecai Richler), les vins canadiens connaissent une véritable révolution depuis une trentaine d'années et une grande expansion de la surface plantée.
Les ***vins québécois*** sont une curiosité sympathique. Peu de restos en servent, mais on peut en trouver à la *SAQ*. Si vous avez l'occasion d'en goûter, préférez les blancs aux rouges, même si ces derniers sont en nette progression (le cabernet franc est le cépage le plus courant). Côté ***vins d'Ontario,*** les cépages de choix sont le riesling et le chardonnay en général. Le miracle du vin canadien demeure néanmoins l'***ice wine (vin de glace),*** produit à partir de raisins qui ont gelé sur pied au début de l'hiver. L'évaporation concentre la teneur en sucre (il faut un plant pour faire un seul verre !) et donne un excellent vin liquoreux. Avis aux amateurs :

les vendanges se font par au moins - 8 °C et généralement de nuit... L'*ice wine* est vendu dans de belles bouteilles de 200 ou 375 ml : un cadeau remarquable, étonnamment bon... mais également très cher (de 30 à 100 $ la bouteille !).

Bières

Le Québec est un gros producteur de bière. La tradition ne date pas d'hier : c'est l'intendant champenois Jean Talon qui, en 1668, produisit la première bière à Québec ! Pour le remercier, un marché du nord de Montréal a été baptisé en son honneur...

La *Molson Canadian,* l'une des plus répandues, trouve ses origines à Montréal au XVIIIe s. Si vous vous promenez sur le Vieux-Port, vous ne pourrez pas rater le gigantesque bâtiment de *Molson,* situé tout près du pont Jacques-Cartier. Autre incontournable, la *Labatt Blue.* Ces deux énormes brasseries se partagent la plus grande part du marché. Mais, si vous êtes un amateur de bières, ce qui retiendra votre attention, ce sont les ***microbrasseries*** qui ont le vent en poupe, comme la *Belle Gueule,* brassée au cœur du Plateau Mont-Royal. Une parmi d'autres, ces bières semi-artisanales étant désormais innombrables. Puisqu'il est de fait impossible de connaître toutes les marques, on choisira plutôt sa bière en fonction de son type. Les *ale* sont des bières de haute fermentation, à plus haute teneur en alcool : de la moins maltée à la plus maltée, vous trouverez la *pale ale* dont la fameuse *I.P.A.,* soit *Indian Pale Ale,* amère et très houblonnée, l'*amber ale* ou encore la *brown ale.* Les *lagers,* blondes ou ambrées, sont des bières de fermentation basse, moins alcoolisées.

Café

La plupart des bons restos et ***coffee shops*** sont désormais dotés de percolateurs ou de cafetière à boule *Cona*. Les *coffee shops,* souvent pourvus d'une terrasse, sont la version nord-américaine de nos cafés. On s'y arrête pour prendre un expresso, un cappuccino ou un *caffè latte,* éventuellement assorti d'un muffin ou d'un scone. Pratique, car on en trouve partout en ville, souvent avec un cadre chaleureux.

Curiosités

Le *Clamato* est un jus de tomate relevé de jus de palourde (dont on sent à peine le goût) qui entre surtout dans la composition du *César,* cousin canadien du *Bloody Mary* ; le *vin de bleuet* (cousin de notre myrtille) a très vaguement le goût du porto ; le *whisky canadien (Canadian Club)* ; le *Caribou* (mélange fulgurant d'alcool fort et de vin, parfois allongé de sirop d'érable), etc. Le Québec produit aussi des *vins de miel ou de sureau, cidres de glace, apéritifs de chicouté,* etc. ; le type de produits que l'on trouve chez les producteurs ou dans les succursales de la *SAQ.*

Légalité

Les bars sont interdits au moins de 18 ans, impossible donc d'y emmener vos enfants boire un coup avec vous. En général, on vous laissera quand même vous installer à l'extérieur s'il y a une terrasse (mais pas garanti).

CINÉMA

Le cinéma apparaît à Montréal en 1896, mais tant la production que la diffusion des films sont gérées par les majors américains et il faudra attendre la création de l'***Office national du film,*** en 1939, pour qu'apparaisse une véritable production locale, qui ne s'épanouira réellement qu'à partir des années 1960.

Le cinéma direct, une spécialité née au sein de l'ONF, prend alors son essor. Captant en direct, hors des studios, la parole et le geste au moyen d'un matériel léger, il s'intéresse au social et donne la parole à l'humain. Leurs auteurs s'opposent au cinéma américain d'Hollywood autant dans la forme qu'au niveau du contenu. Les films documentaires les plus marquants de cette « école » montréalaise naissante sont *Les Raquetteurs* (1958), de ***Michel Brault*** et ***Gilles Groulx,*** qu'ils feront suivre en 1961 et 1962 par *Golden Glove, La Lutte* et *Pour la suite du monde.* En 1963, sort *À tout prendre,* de ***Claude Jutra,*** une autofiction avant la lettre et un portrait réaliste du monde intellectuel montréalais des années 1960, considérée comme le premier film moderne du cinéma québécois et l'un des plus inventifs. Un prestigieux Prix Jutra sera d'ailleurs créé en 1999, en hommage à ce grand réalisateur, pour récompenser chaque année les meilleurs films québécois, à la façon des César en France.
Le cinéma de fiction pure, quant à lui, profite de l'élan de liberté créé par la « Révolution tranquille » pour se développer. *Seul ou avec d'autres,* réalisé en 1962 par ***Denys Arcand, Stéphane Venne*** et ***Denis Héroux,*** figure comme le film déclencheur de cette fiction. Denys Arcand, né dans les environs de Québec, est d'ailleurs l'une des figures marquantes de ce cinéma-là et tournera, au milieu des années 1960, *Les Montréalistes,* un moyen-métrage sur les fondateurs de Montréal. Les années 1970 sont marquées par d'autres cinéastes montréalais : ***Jean Pierre Lefebvre*** avec *Les Dernières Fiançailles* en 1973, ***André Forcier*** avec *Bar salon* en 1974, puis *L'Eau chaude, l'Eau frette* en 1976... Mais c'est surtout ***Gilles Carle*** que l'on retiendra de cette période, avec notamment *La Mort d'un bûcheron* (1973), un film âpre qui lancera la carrière de Carole Laure avec son interprétation marquante d'une jeune fille à la recherche de son père, qui se retrouve chanteuse topless dans un bouge de Montréal. Des années 1980 à nos jours se développe un cinéma d'auteur qui commence à s'imposer dans les festivals internationaux avec des films emblématiques comme *Anne Trister,* de ***Léa Pool,*** l'histoire d'une jeune peintre qui quitte sa Suisse natale pour Montréal, et le fameux *Déclin de l'empire américain,* de ***Denys Arcand*** (complété par *Les Invasions barbares,* oscarisé en 2003, et *L'Âge des Ténèbres,* en 2007). Entre-temps, Arcand réalise *Jésus de Montréal,* la passion du Christ revisitée, modernisée et transposée à Montréal de façon assez décalée et humoristique. Un film doublement primé au Festival de Cannes de 1989. Deux ans plus tard, citons le film collectif ***Montréal vu par...,*** un ensemble de six courts-métrages en hommage à la ville, inspiré du ***Paris vu par...*** de Godard, Rohmer et Chabrol des années 1960.
Depuis la fin des années 1990, une nouvelle vague de cinéastes, concentrée sur la modernité et la solitude urbaine, installe l'originalité et la réputation du cinéma d'auteur québécois et glane une foule de prestigieuses récompenses : ***Denis Villeneuve,*** avec *Un 32 août sur terre* (1998), *Maelström* (2000), *Incendies* (2010), le haletant *Prisoners* (2013, avec Hugh Jackman et Jake Gyllenhaal), *Enemy* (2014) et *Sicario* (2015), ***Jean-Marc Vallée*** avec *C.R.A.Z.Y.* (2005), l'un des plus gros cartons au box-office québécois, ou encore *Dallas Buyers Club* (2013), qui vaut à Matthew McConaughey et Jared Leto d'être sacrés respectivement meilleur acteur et meilleur acteur dans un second rôle dans de nombreux festivals, ***Philippe Falardeau,*** avec *La Moitié gauche du frigo* (2000), *Congorama* (2006) et *Monsieur Lazhar* (2011), ou ***François Girard,*** avec *Violon rouge* (1998), qui renoue avec un cinéma engagé. À partir des années 2010, le renouveau semble assuré par la consécration du Montréalais ***Xavier Dolan,*** un gamin qui, à 25 piges, remporte avec *Mommy* le Prix du jury à Cannes en 2014 (ex æquo avec Godard, le vétéran !) après s'être fait effrontément remarquer par ses quatre films précédents, à l'esthétique et au maniérisme assumés : *J'ai tué ma mère* (2009), *Les Amours imaginaires* (2010), *Laurence Anyways* (2012) et *Tom à la ferme* (2013). Depuis *Juste la Fin du Monde* (2016), Dolan a décidé de ne plus présenter ses films au Festival de Cannes.
Par ailleurs, à partir de 1999, le ***mouvement Kino*** se développe. Créé à Montréal, il fait ensuite des émules dans le monde entier, le principe étant de *faire des films avec rien, faire mieux avec peu et le faire maintenant* !

Dans un autre registre, plus comique, citons *Bon Cop, Bad Cop* (2006), d'***Éric Canuel,*** la collaboration de deux policiers montréalais et ontarien, à la suite de la découverte d'un cadavre à la frontière des deux provinces ; *Starbuck* (2011), de ***Ken Scott,*** interprété par l'humoriste Patrick Huard dont le personnage, donneur de sperme, découvre qu'il est géniteur de 533 enfants ! Exporté dans le monde entier, ce film connaîtra un gros succès et deux remakes, *The Delivery Man,* avec Vince Vaughn aux USA, réalisé par le même Ken Scott, et *Fonzy,* en France, en 2013, réalisé par Isabelle Doval et interprété par son mari, José Garcia. Été 2014 sort le blockbuster *Le Vrai du faux,* d'***Émile Gaudreault.***
Montréal occupe également une place importante dans le ***monde de l'animation et des effets spéciaux.*** *Jurassic Park* ou *Titanic* ont utilisé des techniques conçues dans cette ville. Plus récemment, un nouveau ***studio dédié à la 3D*** y a été inauguré, annonçant le maintien d'une technicité de pointe dotée d'un réel attrait économique en comparaison avec leurs voisins américains. Montréal sert aussi de ***lieu de tournage*** à de nombreux studios hollywoodiens, ses rues ressemblant à celles de New York et les coûts de production étant moindres.
– Possible de ***visionner un grand nombre de films québécois en streaming*** sur le site de l'*Office national du film* : • *onf.ca* •

CUISINE

À Montréal, la ***gastronomie québécoise*** traditionnelle a pratiquement disparu des cartes, mis à part quelques plats qui ressortent sur les tables familiales au temps des fêtes. Mais, au quotidien, on mange la plupart du temps à la ***mode américaine*** : hot dogs, burgers, pizzas, sans oublier les *sous-marins* (les *submarines* américains), des sandwichs garnis de toutes sortes de choses. Les *pubs* et les brasseries se spécialisent dans les bons gros steaks, les copieuses salades à l'américaine, les *fish and chips* parfois accompagnés de salade de chou *(coleslaw).*

CROTTE ALORS !

Pour écouler les surplus de lait dans les années 1960, on inventa ce drôle de cheddar caillé frais, vendu partout (même dans les stations-service !) dans des petits sacs en plastique, à grignoter comme des bonbons. Le « fromage en crotte » crisse étonnamment sous la dent... d'où son surnom de « squick squick ». Passé l'effet de surprise sonore, on aime !

Mais la gastronomie de Montréal, ville cosmopolite s'il en est, c'est aussi un choix impressionnant de ***cuisines ethniques.*** Grâce à la centaine de nationalités installées en ville (rappelons que près d'un tiers des habitants de Montréal sont des immigrés), on peut se régaler aussi bien de *fajitas* mexicaines que de *souvlakis* grecs, de *yakitoris* japonais ou de *pad thai* thaïlandais, sans compter les cuisines éthiopienne, colombienne, coréenne, tibétaine... Le choix est infini, puisqu'on recense officiellement près de 6 000 restaurants sur l'île de Montréal, dont beaucoup sont influencés par les gastronomies d'un ou plusieurs pays du monde. Et, contrairement à l'Europe, où les cuisines étrangères sont généralement adaptées au goût local, les restaurants montréalais servent des plats aux saveurs très authentiques.
Ces dernières années, on assiste par ailleurs à l'émergence ***d'une cuisine créative,*** plus travaillée, qui met volontiers en valeur les meilleurs produits locaux : poissons et fruits de mer, agneau, gibier, légumes (enfin du vert !), fromages, baies de saison...
Sur ce plan, la tendance est au ***bio,*** et l'influence de la ***cuisine fusion,*** apparue sur la côte ouest américaine dans les années 1990, est grandissante. Les produits du terroir se sont mêlés aux influences exotiques au contact des communautés immigrées. Souvent, sucré-salé et notes méditerranéennes dominent. Bien sûr, tout cela coûte plus cher.

La ***cuisine végétarienne*** et ***vegan*** est également très répandue, et bien plus imaginative qu'en Europe.
Pour les fauchés, on trouve de nombreux stands culinaires (« ***foires alimentaires*** » ou *food courts*) dans les souterrains de la ville et les immenses stations de métro. Toutes les cuisines du monde y sont servies à prix modiques. Loin d'être gastronomique, c'est cependant rapide et bien commode par mauvais temps... Autre plan pas cher, les dizaines de ***foodtrucks*** (« popotes roulantes » en v.f.) qui s'abattent le midi sur le centre-ville pour nourrir les employés de bureau.
– De nombreux restos adoptent la formule « ***Apportez votre vin*** ». On vient avec sa propre bouteille achetée à la *SAQ (Société des alcools du Québec)* du quartier, ce qui a le mérite de ne pas alourdir l'addition.
– Les « ***tables d'hôtes*** » au restaurant sont l'équivalent de nos menus complets. On prend un plat de la carte auquel on ajoute entrée et dessert et quelquefois un café, le tout pour 10 ou 12 $ de plus que le prix du plat principal.
– ***Rappel, le pourboire* (tip) *est obligatoire*** (15 % est l'usage). Il peut être prélevé directement sur le terminal de cartes de crédit.

Spécialités

– Parmi les spécialités traditionnelles, citons la ***tourtière,*** réalisée à base de différentes viandes et parfois de gibier. À Montréal, on en sert notamment chez *Maamm Bolduc* ou à *La Binerie du Mont-Royal* (voir « Où manger ? »). Durant les fêtes familiales et dans quelques restaurants, on trouve encore les bonnes ***fèves au lard*** ou les ragoûts de pattes de cochon. Plus souvent, on pourra déguster un canard au sirop d'érable ou de la dinde aux *atocas* (canneberges). Sinon, les ***soupes*** sont très populaires : soupes ou crèmes (veloutés) de légumes, de *gourganes* (fèves), de palourdes (en chaudrée)... Essayez aussi les ***cretons*** (l'équivalent de nos rillettes), ou la ***cretonnade*** (à base de veau ou de volaille).
– Habitué des restos populaires, le ***pâté chinois*** est une sorte de hachis Parmentier auquel on ajoute du maïs. L'origine du nom correspond à une réalité historique : c'est le plat qui donnait le plus d'énergie aux nombreux travailleurs asiatiques qui construisirent la célèbre ligne de chemin de fer « transcanadienne ».
– Le ***saumon*** : frais, en tartare, fumé au bois d'érable, mais malheureusement presque toujours d'élevage – donc très gras, écologiquement et diététiquement très contestable !
– Pour les ***fruits de mer,*** mieux vaut choisir des restos spécialisés dans la cuisine de la mer pour éviter les préparations décevantes (fritures en tous genres). On trouve des moules, souvent préparées à la marinière, des pétoncles ou des huîtres, mais généralement à des prix assez salés.
– Grâce aux viviers, le ***homard*** reste disponible toute l'année. Généralement bouilli, on le trouve souvent sous forme de *guédilles* (sandwich dans un pain à hot-dog), de *surf and turf,* plats de homard et de bœuf gargantuesques, et même, tenez-vous bien, de *McLobster* !
– L'un des plats emblématiques du Québec est la ***poutine*** : des frites (molles, assez souvent) sur lesquelles on ajoute du « fromage en crotte » fondu, le tout nappé de sauce brune. Certains restos ont à cœur de revisiter ce plat populaire et roboratif avec des produits de qualité (comme *La Banquise*).

DRÔLE DE BESTIAU !

Pour grandir, le homard mue. Il quitte sa carapace environ 22 fois dans sa vie. Alors, sans protection, il est à la solde des prédateurs et se cache 15 jours dans les rochers, le temps que sa nouvelle carapace durcisse. Autre surprise, les pinces ne sont pas identiques : la plus grosse porte des « molaires » (pour broyer) et la plus petite a des « incisives » (pour couper). Quand le homard perd une pince, elle repousse (comme chez le crabe).

– Le Canada a hérité des traditions fromagères des deux pays qui l'ont colonisé : ***fromages*** fermes (style cheddar) du côté anglais, affinés à pâte molle pour l'influence française. Parmi les plus connus, citons le *Pied-de-Vent,* le *fleurdelisé* bio rappelant le roquefort, le *chèvre de Bouctouche,* ainsi que diverses tommes. La plupart sont disponibles dans les grands marchés publics de la ville, ceux de Jean-Talon et d'Atwater, par exemple.

– ***Le hamburger (ou burger) :*** comme aux États-Unis, le burger fait un peu figure de plat national ! Évidemment, le choix de la viande est primordial. Le top est celui élaboré avec du bœuf de l'Alberta voire, summum du chic, avec de la viande japonaise de Kobe (bien plus cher, évidemment). Pour dévorer un bon burger, ce n'est évidemment pas dans les fast-foods qu'il faut aller, mais dans les vrais restos et les pubs, qui servent d'excellentes viandes tendres et fraîches. Une remarque cependant : la loi imposant des cuissons strictes aux restaurateurs pour les steaks hachés, les amateurs de viandes bleues seront déçus. C'est toujours servi médium (à point). Chaque resto propose généralement sa – ou ses – recettes maison, et le burger s'accommode alors à toutes les sauces. Tenter par exemple ceux de *M : BRGR,* parmi les plus réputés de la ville. Même les restos végétariens en servent, en remplaçant la viande par des *falafels.*

– Au rayon des desserts, noter la ***tarte au sucre,*** la ***tarte aux pécanes*** (noix de pécan), le ***gâteau aux carottes*** et la ***tarte aux bleuets*** (sortes de myrtilles) en saison. L'une des spécialités de Montréal est le ***pouding chômeur*** (voir encadré). Au rayon friandises, il faut oser la ***queue de castor,*** un beignet plat et allongé nappé au choix de sucre et cannelle, de chocolat ou de beurre d'érable. Et enfin, les ***crèmes glacées molles,*** à tremper dans le chocolat et toutes sortes de sirops multicolores...

POUDING CHÔMEUR

Pendant la crise de 1929, les femmes d'ouvriers imaginèrent une recette à base de produits bon marché pour fabriquer ce gâteau au nom bizarre : farine, cassonade et eau. Plus tard, on utilisera du sirop d'érable. Bon et peu dispendieux !

– Un mot enfin sur le ***petit déjeuner*** (« déjeuner » en québécois), l'un des plus copieux que l'on connaisse, et qui se prend volontiers à l'extérieur (du moins pour ceux qui ne logent pas en gîte). À l'image du breakfast américain, il s'agit d'un vrai repas, avec une large variété de plats. Les ***œufs*** d'abord, au plat, brouillés, en omelette, etc., servis avec des toasts beurrés (on dit « ***rôties*** ») de pain brun, blanc ou multigrains, et des pommes de terres, du bacon, des saucisses. Dans le genre, le top ce sont les ***bénédictines,*** des œufs pochés, allongés sur un petit pain rond toasté et nappés de sauce hollandaise, avec le plus souvent du jambon grillé ou du saumon fumé, mais on en trouve moult déclinaisons. Autre classique, les ***bagels*** (notamment ceux de la boulangerie *Saint-Viateur),* petits pains en forme d'anneaux, à la mie compacte (moelleux à l'intérieur, croustillant dehors), servis soit simplement tartinés de fromage frais, soit garnis de tout et n'importe quoi. Au rayon sucré, le trio gagnant c'est crêpes, pancakes et pain doré (pain perdu), à napper de sirop d'érable. L'ensemble s'accompagne en général de fruits frais. Dans la plupart des restos servant le petit déj (certains ne font que ça), le café, servi à volonté, est inclus avec le plat.

Dépanneurs

Ce sont des ***épiceries de proximité.*** Très pratiques, elles sont, comme chez nous, nettement plus chères que les supermarchés, mais ont l'avantage d'être ouvertes tard le soir et tôt le matin (généralement de 6h à 21h-22h). Pour dépanner, quoi ! Certains dépanneurs de la chaîne *Couche-Tard* sont même ouverts 24h/24.

CURIEUX, NON ?

– ***Appellation des repas :*** le matin, on attaque la journée avec un bon ***déjeuner*** (et non petit-déjeuner). À midi, c'est le ***dîner.*** Et le soir, on dit ***souper.*** Pour le « 4-heures », on ne sait pas.
– ***Le 5 à 7 :*** c'est la coutume de se retrouver autour d'un verre entre amis ou collègues après le travail. Ensuite, chacun regagne ses pénates pour le souper.
– ***L'addition :*** au resto, les gens paient séparément, même dans les couples parfois (il n'est pas toujours bien vu de payer pour une fille que l'on invite à souper). D'où la question quasi systématique du serveur (ou de la serveuse) au moment de l'addition : une seule facture ou plusieurs ?
– ***Drague :*** au Québec, l'égalité n'est pas une blague, les filles draguent aussi.
– ***Entraide :*** dans les pays froids, l'entraide n'est pas un vain mot. Si vous êtes en panne au bord de la route, on s'arrêtera pour vous aider.
– Les Québécois ne comprennent pas toujours qu'on puisse s'engueuler pour des ***opinions différentes***. Ils n'ont pas cette passion du débat franc et parfois brutal qui est un sport national chez nous. Donc, un Français qui défend mordicus ses opinions semblera souvent arrogant. De même, pas la peine de commencer à ***râler au moindre imprévu***, vous resteriez face à un mur d'incompréhension. En bref, restez nature, ouvert et positif. Et n'oubliez pas qu'ici, c'est vous qui avez l'accent !
– ***Mesures :*** depuis 1977, on compte en kilomètres, mais, en cuisine, les volumes sont toujours en tasses (240 ml). En revanche, on mesure toujours en pouce (2,54 cm). Il est bon de savoir qu'il y a toujours 12 pouces dans un pied. Vérifiez sur vous.
– ***Les déménagements du 1er juillet :*** ce jour férié (fête du Canada), les Québécois déménagent en chœur car c'est à cette date que se terminent les baux. Les camions bloquent les rues, on se balade avec son matelas sur le dos, les frigos traînent au milieu du trottoir... C'est l'heureux festival de la récup', pendant que d'autres défilent dans les rues pour la fête nationale !
– ***Les « ventes de garage » :*** l'équivalent des *garage sales* (vide-greniers) américains. Ces ventes sont tellement courantes du printemps à la fin de l'été qu'elles sont devenues une sorte de leitmotiv. Une bonne occasion de fraterniser tout en faisant de bonnes affaires.

LE GRAND DÉMÉNAGEMENT

Le 1er juillet, plus de 200 000 ménages québécois changent de logement. Au XVIIIe s, le gouvernement décida que tous les contrats de location devraient s'achever le même jour. Cette tradition provoque un énorme bazar dans les rues, et l'achat du plus grand nombre de pizzas de l'année !

ÉCONOMIE

Le Canada occupe le 11e rang de l'économie mondiale. Avec un PIB par habitant d'environ 45 000 US$, c'est un pays où il fait plutôt bon vivre. Mines, électricité, tourisme, automobiles, bois d'œuvre et pâte à papier, pétroles bitumineux, télécommunications, bœuf de l'Alberta, homard de l'Atlantique... tous contribuent à la prospérité canadienne. Autre richesse : les ***immigrants.*** Le Canada reçoit *per capita* plus d'immigrants que tout autre pays. Il le fait en partie pour des raisons humanitaires, mais il bénéficie aussi de cette immigration qui lui procure des capitaux, des compétences diverses et exceptionnelles, de même que de la main-d'œuvre bon marché. Mais le Canada est aussi, et surtout, un pays de richesses naturelles. Il ***possède la troisième plus importante réserve pétrolière du monde,*** avec notamment ses abondantes réserves dites « non conventionnelles », soit des gisements de pétrole et de gaz situés dans les sables bitumineux d'Alberta. Depuis plusieurs années, c'est d'ailleurs cette province très libérale qui tirait le PIB national vers le haut... jusqu'à la ***chute des cours du pétrole,*** qui a fait entrer le pays en récession en 2015. Jusqu'à leur défaite aux élections d'octobre 2015, les Conservateurs du gouvernement fédéral appliquaient une ***politique de rigueur et d'austérité*** : coupes budgétaires, suppression de postes, report de l'âge de départ à la retraite, etc. Les Libéraux qui les ont remplacés ont promis de prendre le contre-pied, en engageant un plan de relance sur 3 ans.

Le cas québécois

La situation du Québec est sensiblement la même que celle du pays dans son ensemble, avec des exportations principalement tournées vers les États-Unis. La Belle Province représente à peu près 19 % de l'économie canadienne, avec un PIB par habitant inférieur (environ 6 000 US$ de moins) à celui du reste du Canada. Le taux de chômage est plus élevé que la moyenne nationale (8 %, contre environ 7 % pour l'ensemble du pays). Les ***ressources naturelles*** du Québec et des Provinces maritimes jouent un rôle essentiel dans l'économie, en particulier les secteurs des mines et de l'hydroélectricité. La province est même parmi les principaux producteurs mondiaux de fer, de zinc, de nickel, d'argent et d'or. Les exportations d'aluminium et d'alliages viennent au premier rang. Mentionnons aussi l'industrie forestière, l'agriculture et la pêche. À côté de cela, le Québec a développé une industrie de pointe, en particulier dans les domaines des biotechnologies (marines, entre autres), de l'industrie pharmaceutique, de l'aéronautique et du multimédia. Le tourisme représente environ 2,5 % du PIB de la province.
Au niveau social, le gouvernement provincial du libéral Philipe Couillard ayant appliqué une ***politique drastique d'austérité,*** en particulier dans les secteurs de la santé et de l'éducation, prévoyait un retour à l'équilibre budgétaire en 2016. Mais elle se poursuit, car la croissance tant attendue tarde à venir. Cela dit, depuis la récession de 2008-2009, le poids de la dette publique a augmenté quatre fois moins qu'en Ontario, par exemple. Il est vrai que les finances de l'État québécois n'ont pas cessé de s'améliorer depuis 20 ans. Revers de la médaille, les investisseurs privés semblent bouder le Québec. En 2016, les investissements publics dépassaient la valeur des investissements privés, du jamais vu. Du coup, l'économie tourne au ralenti et, d'ici 2020, il faudra bien faire rentrer de l'argent dans les caisses de l'État pour faire tourner la machine.

La puissance montréalaise

Avec une population plutôt jeune (50 % des Montréalais ont moins de 39 ans), la région de Montréal est le ***deuxième pôle économique du Canada.*** Elle représente à elle seule la moitié des richesses produites dans la province et près de 58 % des emplois créés au Québec. Si, à partir des années 1960, elle a été supplantée par Toronto en tant que capitale financière, elle conserve des atouts de choix dans le domaine des industries de pointe : informatique, aéronautique, biochimie, pharmaceutique... Parmi les grosses compagnies possédant leur siège social à Montréal, citons *Bell* (télécommunications), *Air Canada, Rio Tinto Alcan* (secteur minier), *SNC-Lavalin* (ingénierie), l'*Agence spatiale canadienne* ainsi que de nombreuses banques. Autre poids lourd, *Bombardier* (construction de trains, d'avions, etc.), qui fait face depuis 2013 à une baisse des commandes et multiplie les plans de licenciement. On est loin des débuts de la Nouvelle-France, où Montréal était avant tout la capitale... de la traite de la fourrure !
Il faut dire que la ville ne manque pas d'atouts. Située à seulement 63 km de la frontière américaine, elle profite grandement de la proximité de cet immense marché. Le taux d'imposition sur les entreprises figure parmi les plus bas d'Amérique du Nord (alors même que le taux d'imposition général est l'un des plus élevés !). Montréal compte également une main-d'œuvre qualifiée et souvent bilingue. Enfin, autre atout, le tourisme, avec plus de 9 millions de visiteurs chaque année. Point noir au tableau : le ***taux de chômage*** de Montréal, de l'ordre de 10,1 % en 2016,

est plus élevé que dans le reste de la province. Idem pour le nombre de foyers vivant sous le seuil de « faible revenu » (25 %, contre 15 % de moyenne provinciale). Autre difficulté, le ***coût du logement.*** 29 % des ménages montréalais consacrent plus de 30 % de leurs revenus à leur loyer (un taux qui tombe à 15 % pour l'ensemble du Québec).

ENVIRONNEMENT

Avec 19 grands parcs représentant près de 2 000 ha de verdure, ***Montréal*** est indubitablement ***une ville verte.*** Ses deux poumons sont le parc du Mont-Royal (près de 2 km²) au nord-ouest du centre, et le parc Jean-Drapeau (2,6 km²) au milieu du fleuve Saint-Laurent, formé par l'île Sainte-Hélène et l'île Notre-Dame. Les quais du Vieux-Port, depuis leur réaménagement, sont propices aux balades urbaines et aux pique-niques, tout comme l'adorable parc La Fontaine, avec ses deux paisibles lacs artificiels séparés par une cascade, ou le Jardin botanique, qui est le deuxième plus grand du monde par sa superficie.

Une étude a révélé que, de toutes les agglomérations canadiennes, Montréal est celle où l'on utilise le moins sa voiture et le plus les transports en commun. Et, pour ne rien gâcher, deux entreprises se disputent désormais le marché florissant de la voiture en libre-service, hybride ou électrique. Ajoutez à cela plus de 680 km de pistes cyclables et vous comprendrez pourquoi beaucoup considèrent qu'il s'agit de l'une des métropoles les plus agréables du monde en termes de qualité de vie. Pourtant, et paradoxalement, un classement de l'OMS (Organisation mondiale de la santé) pointe du doigt la mauvaise qualité de l'air montréalais, qui serait le deuxième plus pollué parmi toutes les villes canadiennes.

GÉOGRAPHIE

Connaissez-vous le point commun entre Singapour, Hong Kong et Montréal ? Ces trois villes sont situées sur une île ! Délimitée par le fleuve Saint-Laurent au sud et la rivière des Prairies au nord, l'île de Montréal, avec près de 500 km² (environ 50 km de long pour 16 km de large), est la plus grande de l'archipel d'Hochelaga. Car elle n'est pas toute seule : plus de 200 îles constellent le fleuve Saint-Laurent à l'endroit où ses eaux rejoignent celles de la rivière des Outaouais.

Située au sud du Québec, à la même latitude que Lyon ou Venise (mais pas avec le même climat !), Montréal trône en plein cœur de la vallée du Saint-Laurent. Son point culminant, vous l'apercevrez de pratiquement partout en ville : c'est le mont Royal, avec ses 234 m, qui a d'ailleurs donné son nom à la ville.

Les quartiers de Montréal

Montréal forme une mosaïque de nombreux quartiers très distincts, avec cependant des frontières qui se recoupent parfois, des zones d'influence qui se superposent, des flux sociaux et culturels qui s'entrecroisent.

Le ***boulevard Saint-Laurent*** divise la ville en deux d'ouest en est. Les numéros partent de là. De part et d'autre, une même rue se dénomme Est ou Ouest. Ne vous trompez pas, ça peut coûter un paquet de kilomètres. Du sud

NOM D'OISEAU

Absconse dénomination administrative, le nom de code de l'aéroport international de Montréal, YUL, n'évoque en rien sa ville d'attache. Pas de U, encore moins de Y – lettre accolée à tous les aéroports canadiens –, à la limite un L... Pourtant, YUL s'impose au fil des ans comme surnom de la capitale économique du Québec, jusqu'à devenir synonyme du Montréal branché.

au nord, moins de problèmes, tous les numéros partent du fleuve. Les rues verticales se retrouvent toutes aux mêmes numéros aux carrefours importants, en principe de 1 000 en 1 000, quitte à oublier quelques dizaines de numéros en route pour arriver juste. C'est assez pratique, vous vous y ferez vite !
Le boulevard Saint-Laurent marque une sorte de frontière imaginaire. À l'ouest, les beaux quartiers, majoritairement anglophones. À l'est, les quartiers francophones et les usines. Ces différences ont cependant tendance à s'estomper grâce aux travaux de rénovation opérés en centre-ville, au brassage des populations et à l'immigration nouvelle, notamment de Français, qui sont de plus en plus nombreux depuis quelques années à venir tenter leur chance ici.

– ***Le Vieux-Montréal :*** au sud, c'est le quartier originel, où les premiers colons se sont installés. Autrefois ceint de remparts (rasés en 1817), il s'étend entre les rues McGill, Saint-Antoine, Berri et de La Commune. Vous y passerez forcément lors de votre séjour, car c'est le quartier le plus touristique de Montréal. Toujours très animé, envahi par les piétons, il fait bon s'y promener à la recherche des vestiges du passé. Le Vieux-Montréal est bordé par le Vieux-Port, brillamment réaménagé dans les années 1990.

– ***Le centre-ville (ou Downtown) :*** c'est l'Amérique des gratte-ciel, le quartier des affaires, des bureaux aux vitres étincelantes et des larges avenues commerçantes (notamment la rue Sainte-Catherine). Étendu au sud du parc du Mont-Royal, entre Atwater (plutôt anglophone) et la place des Arts (plutôt francophone), c'est un peu un quartier de transition entre les deux communautés linguistiques. Il abrite aussi le petit quartier chinois et la prestigieuse université anglophone de McGill (la plus ancienne du Québec).

– ***La Petite Bourgogne :*** ancien quartier ouvrier notoire tombé en décrépitude consécutivement à la fermeture du canal de Lachine en 1970. Il connaît aujourd'hui un certain renouveau. La rue Notre-Dame en est l'épine dorsale. On y trouve restos pour fines gueules, bar branchés et quelques boutiques de déco...

– ***Le Quartier latin :*** avec la rue Saint-Denis pour épine dorsale, c'est un quartier fortement étudiant et francophone, où la vie nocturne bat son plein tous les jours de l'année. Siège de l'UQAM (Université du Québec à Montréal) depuis les années 1970, il accueille une ribambelle de bars, de restaurants, de cinémas, ainsi que de nombreuses animations de rue... Impossible de s'ennuyer ici !

– ***Le Village :*** il se résume à une portion de la rue Sainte-Catherine, entre les rues Saint-Hubert et Papineau, ainsi que les rues adjacentes. C'est, depuis le début des années 1980, le quartier gay de Montréal, connu pour son animation nocturne, ses nombreuses discothèques (pas seulement ouvertes aux homos, précisons-le), ses cabarets *drag-queens,* ses saunas pour hommes et ses bars à l'ambiance décontractée. La rue devient piétonne durant l'été.

– ***Le Plateau Mont-Royal :*** les maisons à 2 ou 3 étages dotées d'un escalier de fer en façade sont typiques de ce vaste quartier résidentiel situé au nord du centre-ville. L'avenue du Mont-Royal en est l'artère principale : bordée de commerces à touche-touche, c'est l'une des rues les plus indiquées pour le shopping (pardon : le « magasinage » !). Autrefois pauvre et ouvrier, ce Plateau devenu branché et bobo est habité par les classes moyennes francophones. Il abrite aussi de nombreux gîtes (chambres d'hôtes), bars et restaurants.

– ***Le Mile-End :*** partie nord-ouest du Plateau Mont-Royal, dont il ne se différencie guère à première vue. Très branché, l'équivalent de *Brooklyn* à New York, il regroupe d'excellents restos, bars, boîtes de nuit, friperies vintage et labels de musique pointue. C'est un quartier très cosmopolite et bilingue, où se réunissent notamment les communautés portugaise, grecque et juive.

– ***Outremont :*** à l'ouest de l'avenue du Parc, c'était une municipalité indépendante jusqu'à sa fusion avec Montréal en 2002. Quartier huppé peuplé surtout de francophones ; on y trouve des boutiques chic et des restos haut de gamme.

– ***Westmount :*** au sud-ouest du parc du Mont-Royal, il a préféré garder son indépendance et c'est donc une municipalité à part entière. Un peu l'équivalent

d'Outremont pour les anglophones, mais encore plus bourgeois, tendance grosses maisons victoriennes précédées d'un gazon à l'anglaise. C'est en fait l'une des villes les plus riches du pays.
– ***Hochelaga-Maisonneuve :*** situé à l'est de la ville, le long du Saint-Laurent, il est tout l'opposé. Ancien quartier ouvrier francophone, il s'embourgeoise peu à peu mais reste assez populaire. C'est là que se trouvent le Parc olympique et le Biodôme.
– ***Rosemont-la-Petite-Patrie :*** immense arrondissement qui occupe le nord-est de la ville. À l'ouest du quartier, on trouve la « Petite Italie », nommée ainsi suite à deux vagues d'installation d'ouvriers italiens, au XIXe s puis dans les années 1950-1960. Intéressant pour ses *trattorias,* ses églises, et le marché Jean-Talon.
– ***Côte-des-Neiges – Notre-Dame-de-Grâce :*** au nord-ouest du parc du Mont-Royal (dont il administre une partie), c'est l'arrondissement le plus peuplé de Montréal. Il abrite l'université de Montréal, plusieurs collèges et l'École polytechnique : beaucoup d'étudiants dans les parages, donc !

HISTOIRE

Les premiers peuplements

On date la ***première présence amérindienne sur l'île de Montréal à environ 4 000 ans.*** Plutôt nomade d'abord, elle se concentre dans ce qui deviendra le Vieux-Montréal, du fait de sa situation idéale, sur la rive du Saint-Laurent. Puis, dès l'an 1000, des tribus s'y sédentarisent, notamment les Algonquins. Partageant leurs activités entre la pêche (plutôt l'été) et la chasse (plutôt l'hiver), tous ces peuples amérindiens sont animistes, perpétuent leur culture ancestrale par la tradition orale, et sont convaincus de la nécessité d'un équilibre entre l'homme et la nature. Entre les années 1000 et 1535, Montréal – ou plutôt ***Hochelaga*** comme elle était à l'époque appelée – est habitée par les ***Iroquois du Saint-Laurent,*** une nation sédentaire adepte de soupe de maïs et de maisons longues. La future place Royale est alors le centre économique du village.

L'arrivée des premiers Européens

Jacques Cartier, originaire de Saint-Malo, vient à trois reprises au Canada avec pour mission très officielle de « découvrir certaines îles et pays où l'on dit qu'il doit se trouver une grande quantité d'or et d'autres riches choses ». C'est lui qui prend possession du Canada au nom du roi de France, en 1534, et fonde la colonie de la Nouvelle-France.
À son deuxième voyage, ***en 1535, Jacques Cartier pénètre l'estuaire du fleuve Saint-Laurent*** (fleuve qu'il appelle ainsi car on célébrait cette fête le jour de sa découverte !), qu'il remonte jusqu'au village d'Hochelaga où il est chaleureusement accueilli par les quelque 1 500 Iroquois qui y vivent. Le Malouin appelle la colline qu'il découvre *mont Réal* (mont Royal) en l'honneur de son roi.

ET TOC !

En 1541, Cartier croit découvrir dans les falaises de Québec or et diamants. Il fait charger à ras bord l'une des caravelles et... prend le large, sans attendre son compagnon de voyage, Jean-François de Roberval, parti explorer le Saguenay. Au retour, l'or se révélant être de la pyrite et les diamants du quartz, toute l'Europe se moque... Une expression apparaît même : « Faux comme diamants du Canada » !

La fondation de Montréal

Déjà explorée par Jacques Cartier, donc, et Samuel de Champlain, un jeune voyageur devenu géographe royal, l'île de Montréal doit attendre ***1642,*** avec l'arrivée des Français ***Jeanne Mance et Paul de Chomedey, sieur de Maisonneuve,*** pour accueillir ses premiers habitants européens. Ce noble Champenois a en effet été choisi par la « Société Notre-Dame de Montréal pour la conversion des Sauvages de la Nouvelle-France » (on n'a pas résisté au plaisir de vous citer le nom en entier !), afin de peupler et de faire prospérer la nouvelle concession achetée par cette société catholique. Le village d'Hochelaga n'existe pourtant plus, les Iroquois du Saint-Laurent ne sont plus là, mais la région est toujours peuplée de diverses nations autochtones. De Maisonneuve s'implante, en compagnie d'une cinquantaine de colons, autour de l'actuelle place Royale, à l'endroit précis ou se dresse désormais le musée d'Archéologie de Pointe-à-Callière. En hommage à la Vierge, ***il baptise l'endroit Ville-Marie*** et plante un crucifix au sommet du mont Royal pour marquer son nouveau territoire.

Les colons s'attellent ensuite à la construction d'églises, d'un fort, d'une chapelle et d'une maison commune. Ils s'arment et se blottissent entre les remparts, dans l'actuel Vieux-Montréal. ***En 1645, Jeanne Mance inaugure l'hôtel-Dieu,*** l'un des plus anciens hôpitaux d'Amérique du Nord. La petite communauté se réduisant comme peau de chagrin sous les coups des Iroquois, de Maisonneuve retourne à Paris pour recruter une centaine de colons. La colonie embryonnaire réussit à grandir suffisamment pour décourager les attaques ennemies et assurer sa pérennité. Le commerce de la fourrure peut alors prospérer, malgré les tensions franco-anglaises et la poursuite des hostilités avec les Iroquois. En 1701, le gouverneur de la Nouvelle-France, Louis-Hector de Callière, reçoit à Montréal les représentants de 39 nations amérindiennes. La ***Grande Paix*** est signée en août, éliminant la menace iroquoise à Montréal et garantissant le respect de la neutralité par les Cinq-Nations iroquoises en cas de conflit franco-anglais. Un accord respecté jusqu'en 1760, soit la fin du régime français.

PARLEZ-VOUS IROQUOIS ?

Un chef iroquois confia ses fils à Jacques Cartier, en qui il avait confiance, pour les ramener en France. Ces Indiens prononçaient souvent le mot iroquois kannat, *qui signifie « amas de cabanes ». Jacques Cartier, croyant que c'était le nom de leur pays, appela donc Canada cette terre où il avait planté le drapeau du royaume de France.*

La Couronne britannique

Les Français ne sont pas les seuls à s'intéresser au Nouveau Monde, l'ennemi héréditaire est aussi sur les rangs.

Après quelques défaites, ***les Anglais prennent Montréal le 8 septembre 1760,*** au terme d'un long siège. Au traité de Paris en 1763, la France perd toutes ses possessions, excepté Saint-Pierre-et-Miquelon. Après 150 ans d'occupation, la Nouvelle-France est abandonnée. L'armée rentre en France, suivie par la plupart des notables et commerçants de la colonie, qui ne laissent derrière eux que les Français les plus démunis (une majorité, évidemment).

Sous occupation britannique, ***Montréal devient la capitale québécoise du commerce de fourrures,*** avec la fondation, en 1782, de la Compagnie de l'Ouest.

LES FILLES DU ROY

Pour peupler la Nouvelle-France, Louis XIV décida d'y envoyer des filles pauvres ou abandonnées. Environ 800 de ces orphelines firent la traversée en quête d'un mari et d'une vie meilleure. Le roi était leur tuteur légal et leur offrait donc une dot pour se marier ainsi que le voyage. La plupart étant citadines, certaines ne résistèrent pas aux dures conditions de la vie paysanne.

Au début du XIXe siècle, la ville est en plein essor économique, développant peu à peu le commerce du bois et du blé.
En 1791, le Québec est divisé en deux par l'Acte constitutionnel : le Bas-Canada (le Québec d'aujourd'hui, dont fait partie Montréal), à majorité francophone, et le Haut-Canada (l'Ontario actuel). En 1838, les deux provinces se révoltent contre l'autoritarisme de Londres. Les patriotes du Montréalais ***Louis-Joseph Papineau*** proclament l'indépendance du Bas-Canada, mais commettent l'erreur de décréter aussi la séparation de l'Église et de l'État. La rébellion est rapidement écrasée.
En 1840, les deux Canadas et leurs gouvernements respectifs sont réunis par les Anglais afin que les anglophones dominent les francophones. ***Le 1er juillet 1867, le Canada devient « dominion britannique »,*** une date qui marque officiellement la naissance du pays. Entre-temps, malgré les dégâts causés par l'incendie de 1852, Montréal continue son chemin : construction de nombreux chemins de fer, industrialisation croissante... Montréal voit peu à peu apparaître une élite bourgeoise commerciale, financière et industrielle importante, encore majoritairement anglophone.
En 1931, le Canada acquiert l'indépendance et devient une monarchie constitutionnelle.

« Vive le Québec libre ! »

À partir de 1960, la société québécoise connaît une mutation très importante, un cocktail de modernisation politique et sociale qui sera baptisé la ***Révolution tranquille.*** Grands programmes énergétiques, industrialisation et dynamisme culturel font émerger le Québec sur la scène internationale. Dans le même temps, alors que la libération des mœurs balaie l'influence de l'Église, s'impose la question de l'indépendance. ***En 1967, le centenaire du Canada est fêté avec, en toile de fond, l'organisation de l'Exposition universelle de Montréal*** (50 millions de visiteurs, l'expo la plus populaire de l'histoire). ***De Gaulle*** lâche alors une petite phrase qui coupe le souffle du monde : « ***Vive le Québec libre !*** » De Gaulle, figure « respectable » de la politique internationale, soutient publiquement ce que certains considèrent comme une idée terroriste émise par de jeunes agitateurs ! Cela dit, en dehors du choc psychologique créé, le « Vive le Québec libre ! » n'est suivi d'aucune participation concrète de la France pour aider les Québécois à obtenir une quelconque indépendance... ***En 1968, un dissident du Parti libéral, René Lévesque,*** journaliste influent de la TV québécoise, ***fonde le Parti québécois.*** En 1970, sa formation obtient 24 % de voix et quelques sièges. Au même moment, de jeunes Québécois, impatients et peu confiants dans les voies institutionnelles, créent le ***FLQ*** (Front de libération du Québec) et se lancent dans le terrorisme.

Trudeau et le FLQ

Entre-temps, ***en 1968, Pierre Elliott Trudeau devient Premier ministre*** (libéral) du Canada après avoir été un ministre très progressiste. Durant son passage à la Justice, il décriminalise l'homosexualité et l'avortement, légalise le divorce, abolit la peine de mort... Un sacré palmarès pour ce Montréalais ! Favorable à une égalité linguistique, il reste cependant farouchement opposé à toute idée d'indépendance. De leur côté, ***les membres du FLQ accentuent les actions terroristes.*** Ils enlèvent le commissaire aux Affaires britanniques James Cross et assassinent le ministre québécois du Travail Pierre Laporte durant la ***crise d'octobre 1970*** à Montréal. Le FLQ est déclaré hors la loi, puis Trudeau invoque la « loi des Mesures de guerre » et envoie 10 000 hommes au Québec effectuer plusieurs centaines d'arrestations sans mandat d'arrêt. Le choc émotionnel voit l'exode de beaucoup d'anglophones influents du Québec vers Toronto, qui supplante alors Montréal comme capitale financière du Canada.

Oui-oui, non-non...

Aux élections provinciales de ***1976,*** le Parti québécois l'emporte. ***René Lévesque institue alors le français comme seule langue officielle de la Belle Province*** et, en 1980, organise un référendum sur la « souveraineté-association » : mandat politique de négociation visant à assurer au Québec la maîtrise totale de son destin dans un État souverain, associé au Canada dans une sorte de marché commun. La proposition est rejetée. Le Parti québécois ne se décourage pas pour autant et, à l'occasion de son retour au pouvoir en ***1994,*** organise un nouveau ***référendum sur l'indépendance.*** La sécession échoue de (très) peu, avec 50,6 % de « non » pour 49,4 % de « oui ».
Cette quasi-victoire souverainiste jette un froid au Canada. Selon la Cour suprême, une « majorité claire » quant à une éventuelle sécession de la province obligerait le gouvernement fédéral à négocier. ***La « question du Québec » demeure bel et bien d'actualité.*** Et cela malgré la déroute du Bloc québécois aux élections fédérales de 2006, qui hissent à la tête de l'État ***Stephen Harper*** (réélu en 2011), un anglophone chef des conservateurs, évidemment hostile aux ambitions du Parti québécois. Sous sa férule, le Québec est reconnu comme « ***une nation au sein du Canada uni*** ». Un symbole dissipé dans les mémoires, même s'il consolide une fois encore le sentiment d'un statut particulier de la province francophone, alors que ***la part du français au Canada ne cesse de diminuer,*** grignotée par l'immigration non francophone et le désormais faible taux de natalité des Québécois.

Du « Printemps érable » à l'austérité

Depuis la crise globale de 2009, la question sociale a pris le pas sur celle de l'indépendance. Dans la Belle Province, l'année 2012 est ainsi marquée par la grande ***grève étudiante contre la hausse des frais d'inscription à l'université*** prévue par le gouvernement libéral local de Jean Charest. 82 % d'augmentation étalés sur 7 ans qui mettrait fin au modèle d'université accessible à tout Québécois. L'opposition au projet se transforme en une crise sociale inédite surnommée le « Printemps érable ». Le 22 mars, on compte entre 100 000 et 200 000 manifestants à Montréal ! Aux étudiants montréalais (près d'un tiers d'entre eux), se joignent rapidement enseignants, associations et citoyens ordinaires. Devant cette contestation grandissante, le gouvernement fait voter en mai la loi 78, restreignant le droit de manifester. Une loi autoritaire, donc, qui ne fait qu'attiser la colère des manifestants, le gouvernement préférant l'indifférence et la répression au dialogue : violences policières et arrestations se multiplient. Au mois de septembre, cette mesure et l'augmentation des frais de scolarité sont annulés par la ***nouvelle Première ministre,*** l'indépendantiste ***Pauline Marois.*** Elle perd le pouvoir 2 ans plus tard au profit du ***libéral Philippe Couillard,*** qui met en place une politique de coupes budgétaires drastiques, qui s'additionnent à celles opérées par le gouvernement fédéral de Stephen Harper (battu par les Libéraux aux élections d'octobre 2015). Tout au long de l'année, les ***manifestations*** d'opposition à cette politique d'austérité se multiplient à Montréal, jusqu'aux pompiers qui, pour dénoncer la rigueur qui les touche aussi, tapissent leurs véhicules d'autocollants « À votre service, malgré tout... »

Mafia, scandales et corruption

Fin 2012, ***Gérald Tremblay,*** maire de Montréal depuis 2001, ***est mis en cause dans une affaire de financement illégal de sa formation,*** Union Montréal. Industrie du bâtiment, marchés publics, ***la corruption gangrène Montréal,*** mais aussi le Québec tout entier. Face au scandale, ***Gérald Tremblay démissionne.*** L'intérim est assuré par Michael Applebaum, un indépendant, premier maire anglophone de la ville depuis 1910 ! Les élections municipales du 3 novembre 2013 modifient profondément la carte politique de la ville : c'est ***Denis Coderre***, ex-député libéral, qui ***l'emporte***. Présent sur tous les fronts, le nouveau maire met beaucoup d'énergie dans ce mandat pour redonner à la municipalité une crédibilité écornée par les scandales. Il entame notamment le dialogue avec le gouvernement du Québec pour doter Montréal du statut de métropole et lui donner ainsi plus d'autonomie. Mais « l'omnimaire » est attaqué pour son manque de courage politique face à une sécurisation des infrastructures routières devenue pourtant vitale (une cinquantaine de viaducs jugés dangereux). La décision de prendre le problème à bras le corps, très attendue, intervient en 2016. De nombreux aménagements sont objectivement à revoir, en matière de réglementation de la vitesse comme de partage des rues, très peu de pistes cyclables en site propre ayant été créées sous ce mandat.

LANGUE

Depuis 1977, ***le français est la seule langue officielle au Québec*** et donc à Montréal. Les Montréalais, qui n'ont cessé de se battre en faveur de leur langue, traduisent systématiquement tous les anglicismes, tels que « stop » (arrêt), « parking » (parc de stationnement), « week-end » (fin de semaine), « e-mail » (courriel), « drive-in » (service au volant), « rocking-chair » (chaise berçante : joli, non ?)... Cela peut donner des traductions littérales que l'on ne saisit pas toujours au premier abord comme le typique « bienvenue » en lieu et place de l'anglais « *you are welcome* » (« je vous en prie »). Et puis il y a ces expressions et ces mots anglais qui ont été francisés : « canceller » (annuler), « appliquer » (postuler), « c'est engagé » (c'est occupé), « tomber en amour » (« *fall in love* »), « prendre une marche » (« *take a walk* ») et tant d'autres...

Pas de « shopping » ici, mais du « magasinage » ! L'incontournable « chum », issu de l'argot britannique d'avant-guerre, c'est un copain ou un petit ami. À noter qu'on fait une « job » ou une « jobine », selon l'importance du travail qui nous est confié... À noter également : les métiers se mettent au féminin ; on parlera d'une *auteure,* d'une *écrivaine,* d'une *mairesse.* Petite remarque de structure, pour terminer : vous entendrez souvent des questions faisant un usage répété du pronom. Exemples : « Tu veux-tu ? » « Tu penses-tu ? » Le *tu* est même parfois apposé à d'autres phrases : « Ça se peut-tu ? »

Vous noterez sans doute que beaucoup de gens (surtout des jeunes urbains) mélangent allègrement français et anglais dans la même phrase. On assiste parfois à des conversations étonnantes, où une réponse en anglais succède à une question en français, où les interlocuteurs utilisent indifféremment l'une ou l'autre langue pour continuer le dialogue. C'est ça, le vrai cosmopolitisme !

Voici une ***petite liste d'expressions*** qui peuvent différer selon que l'on se trouve en ville ou à la campagne, selon l'âge ou autre. Un conseil : n'essayez pas d'utiliser ces termes

DOUBLE LANGAGE

Plus qu'une ville francophone, Montréal est une ville bilingue, où vivent entremêlées les deux communautés linguistiques du Canada. Si bien que, dans chaque lieu public, le nouveau venu est accueilli par un singulier « Bonjour-Hi » qui, en fonction de la langue de réponse, permettra de poursuivre la conversation en français ou en anglais.

ON SE DIT « TU » ?

Le tutoiement est bien plus utilisé que chez nous. Un principe d'égalité qui surprend quand un chauffeur de taxi vous tutoie, par exemple. Un Québécois peut d'ailleurs très vite passer du vouvoiement au tutoiement au cours de la même conversation. On vouvoie plutôt les supérieurs hiérarchiques et les personnes âgées. Mais pas toujours !

en imitant l'accent (en général, les Montréalais détestent), ni de jurer en employant leurs expressions (comme le fameux « tabernacle »). En revanche, jetez un œil sur la liste plus bas si vous voulez éviter quelques malentendus !

LES BLONDES NE COMPTENT PAS POUR DES PRUNES

Les blondes ne sont pas plus bêtes que les autres ! Nous voilà rassurés. L'origine des blagues sur les « blondes » vient du vocabulaire québécois. Ma blonde *signifie tout simplement « ma femme » (ou « mon amoureuse »). Ces blagues ne sont donc pas antiblondes, elles sont juste machistes.*

Repas

– *Déjeuner :* petit déjeuner.
– *Dîner :* déjeuner.
– *Souper :* dîner.
– *Salle à manger :* restaurant.
– *Un jus :* un jus de fruits.
– *Breuvage :* boisson non alcoolisée.
– *Cannes :* boîtes de conserve.
– *Les ustensiles :* les couverts.
– *Chaudron :* casserole.
– *Un dépanneur :* une petite épicerie de proximité.
– *Bar laitier ou crèmerie :* marchand de glaces.
– *Crème molle :* l'équivalent de notre glace à l'italienne.
– *Sous-marin :* sandwich.
– *Beurre de pinottes :* beurre d'arachides (de *peanuts* : cacahuètes).
– *Blé d'Inde :* le maïs.

Vie quotidienne

– *Bonjour :* bonjour, mais aussi au revoir.
– *Bienvenue :* de rien (en réponse à un remerciement).
– *Jaser, placoter :* bavarder.
– *Foyer :* cheminée.
– *Calorifère :* radiateur.
– *Salle d'eau :* cabinet de toilette, avec lavabo (sans douche).
– *Gougounes :* tongs, chaussons.
– *La tuque :* le bonnet.
– *Égreyer, dégreyer :* habiller, déshabiller.
– *Atchoumer :* éternuer.
– *Magasiner :* faire des courses.
– *C'est dispendieux :* c'est cher.
– *Ça coûte gratuit :* c'est gratuit.
– *C'est mon plaisir :* formule de politesse par excellence.
– *Offert :* proposé (aucune notion de gratuité !).
– *Icitte :* on le dit pour « ici ».
– *Présentement :* maintenant.
– *Asteure :* maintenant.
– *Tantôt :* tout à l'heure.
– *Tabagie :* bureau de tabac.
– *Une plume :* un stylo.
– *Chambre de bain :* salle de bains

Amour

– *Ma blonde :* ma petite amie.
– *Mon chum* (prononcer « tcheum ») *:* mon petit ami.
– *Un bec :* un petit baiser.
– *Cruiser* (prononcer « crouser ») *:* draguer.
– *Tomber en amour :* tomber amoureux.

Divers

– *Pogner les nerfs :* s'énerver.
– *Charger :* facturer ou faire payer.
– *Party :* fête.
– *C'est l'fun* (prononcer « fone ») *:* c'est super, agréable, drôle.
– *C'est dull, c'est platte :* c'est ennuyeux.
– *C'est cute :* c'est mignon.
– *Elle est fine :* elle est gentille.
– *Bibittes* ou *bebittes :* insectes (en général).
– *Maringouin :* moustique.
– *Se tirer une bûche :* s'asseoir.
– *Y mouille :* il pleut.
– *La brunante, la noirceur :* le crépuscule, l'obscurité.
– *La sloche :* la neige sale et fondue dans les rues des villes.
– *Salle de quilles, quillodrome :* bowling.
– *Une bonne toune :* un bon morceau de musique, une bonne chanson (de l'anglais « tune »).
– *Chambreur :* résident d'une chambre d'hôtes.
– *Chialeux :* râleur.
– *Branleux :* hésitant.
– *Niaiseux (niaiseuses) :* bête, stupide (« maudit niaiseux ») ou facile à faire.
– *Niaise-moi pas :* ne me fais pas marcher, ne te fous pas de moi.
– *Menteries :* mensonges.
– *Crosseur :* magouilleur.
– *Se faire passer un sapin ou se faire amancher :* se faire avoir.
– *T'as pas d'affaire à faire ça :* tu ne dois pas faire ça.
– *Avoir une face à fesser dedans :* quelqu'un d'antipathique.
– *Tannant :* fatigant ; *être tanné :* en avoir assez, être fatigué.
– *Achalant :* fatigant.
– *Réchauffé :* ivre.
– *Achalandé :* un magasin achalandé est un magasin plein de monde et non de produits.
– *Salle de montre :* salle d'exposition.
– *C'est sur mon bras :* c'est ma tournée.
– *Être assis sur son steak :* glandouiller.
– *Se mettre sur son 36 :* se mettre sur son 31.
– *Pantoute :* pas du tout.
– *Sécher les dents :* sourire.
– *Ruine-babines :* un harmonica.
– *Un pamphlet :* une brochure, un dépliant.

Transports

– *Bicycle à gazoline :* moto.
– *VTT :* ce n'est pas un vélo, mais un véhicule tout-terrain motorisé à quatre roues (quad).
– *Char :* voiture.
– *Tanker son char :* faire le plein d'essence.
– *Chauffer dans la noirceur :* conduire de nuit.
– *Roulotte :* caravane, camping-car.
– *La renverse, le reculon :* la marche arrière.
– *Une lumière :* un feu de circulation.
– *Une congestion :* un embouteillage.
– *Faire du pouce :* faire de l'auto-stop.
Une dernière chose... évitez de dire que vous avez joué toute la matinée avec vos gosses (« couilles » en québécois) !

Si vous voulez en savoir plus, il existe des dictionnaires de langue québécoise disponibles en France et dans les librairies du Québec ; un petit guide fait aussi le tour de la question : *Le québécois pour mieux voyager,* des éditions Ulysse.

MÉDIAS

Votre TV en français : TV5MONDE, la première chaîne culturelle francophone mondiale

Avec ses 11 chaînes et ses 14 langues de sous-titrage, TV5MONDE est distribuée dans plus de 190 pays du monde par câble, satellite et sur IPTV. Vous y retrouverez de l'information, du cinéma, du divertissement, du sport, du documentaire...
Grâce aux services pratiques de son site voyage ● *voyage.tv5monde.com* ●, vous pouvez préparer votre séjour, et une fois sur place, rester connecté avec les applications et le site ● *tv5monde.com* ● Demandez à votre hôtel le canal de diffusion de TV5MONDE et contactez ● *tv5monde.com/contact* ● pour toutes remarques.

Télévision

Presque tous les hôtels montréalais sont câblés ou proposent une réception via satellite. On peut donc y regarder des dizaines de canaux sur tous les thèmes, dont plusieurs américains – les ondes ignorent les frontières.
La *CBC (Canadian Broadcasting Corporation),* appelée *SRC (Société Radio-Canada)* en français, chapeaute les chaînes nationales de TV et de radio bilingues. C'est la plus sérieuse dans le traitement de l'information. *ICI Radio-Canada Télé* (*CBC Television* en anglais) connaît une bonne popularité au Québec. C'est toutefois *TVA* qui est le réseau généraliste le plus populaire. Citons encore *Télé-Québec,* une chaîne publique éducative et culturelle, et le réseau privé *V.*
Si vous voulez découvrir le monde canadien vu par les Amérindiens, ne manquez pas l'*Aboriginal Peoples Television Network,* dont une (petite) partie de la programmation est en français. Les actualités et les émissions culturelles sont particulièrement intéressantes.

Radio

À Montréal, c'est la chanson francophone qui est à l'honneur sur les ondes avec l'obligation de diffuser au moins 65 % de chansons en français. Certaines chaînes commerciales font aussi dans la formule *talk radio.* Bien sûr c'est populiste, mais ça permet de prendre le pouls d'un pays.
Même la prestigieuse *Société Radio-Canada* joue parfois avec brio ce jeu des tribunes radiophoniques. Cette *SRC* propose toute une gamme d'émissions d'informations, musicales et de variétés.

Presse

À Montréal, *La Presse (● lapresse.ca ●),* plutôt fédéraliste, qui dominait le panorama de l'édition depuis plus de 1 siècle, ne sort plus en kiosque que le week-end, crise de la presse papier oblige. C'est désormais un tabloïd, *Le Journal de Montréal (● journaldemontreal.com ●),* qui est le plus diffusé, bien qu'il soit composé essentiellement de pub... Mentionnons aussi *Le Devoir (● ledevoir.com ●),* le seul journal français indépendant du Canada, plutôt intello et de tendance autonomiste. *The Gazette (● montrealgazette.com ●)* est le principal quotidien anglophone du Québec et le plus ancien (fondé en 1785). Vous trouverez sans problème la presse internationale.
Citons également l'hebdomadaire culturel gratuit *Voir (● voir.ca ●),* qui traite parfois de sujets politiques et sociaux avec une irrévérence rafraîchissante. Quant aux quotidiens gratuits comme *Métro* ou *24h,* ils sont – comme en

France – globalement très neutres et assez succincts. Côté magazines, le bimensuel *L'Actualité* (● *lactualite.com* ●) réalise le tour de force d'être un magazine sérieux et l'une des revues les plus lues au Québec (après *TV Hebdo* et le mensuel féminin *Coup de pouce*).

PERSONNAGES

Histoire et politique

– Bien entendu, il nous faut commencer par ***Jacques Cartier,*** marin malouin parti sur ordre de François Ier à la découverte d'un passage vers l'Asie. Il prend possession du Canada à Gaspé en 1534, au nom de son roi ; au cours d'un deuxième voyage, il remonte le Saint-Laurent assez loin.

CARTIER ET LA POTION MAGIQUE

Bien des marins arrivant en Amérique mouraient du scorbut, faute de viande et d'aliments frais. Un jour, un chef indien confia à Cartier le remède : la décoction de l'écorce d'annedda. En repartant en France, le marin malouin oublia de communiquer le secret de la potion. Pendant des années, le scorbut continua à tuer bien des matelots.

– ***Louis-Joseph Papineau*** (1786-1871) **:** né à Montréal, il est le symbole du nationalisme québécois. Élu député en 1808, ses qualités d'orateur le propulsent en 1815 à la présidence du Parti canadien (qui deviendra en 1926 le Parti patriote) et à celle de la Chambre d'Assemblée. Souverainiste convaincu, il fait valoir les droits de la communauté francophone par la négociation et la non-violence. Une insurrection ratée, à laquelle il ne participe pas activement, le conduit à fuir aux États-Unis puis en France. Il sera amnistié à son retour.

– ***Thérèse Casgrain*** (1896-1981) **:** toute sa vie, cette Montréalaise s'est battue pour les droits des femmes, mais aussi des consommateurs. Elle a d'ailleurs dirigé le mouvement pour le vote des femmes au Québec, une lutte de plus de 20 ans couronnée par le succès en 1941. En 1951, cette engagée prend la tête du Parti social-démocratique québécois, ce qui fait d'elle la première femme à la tête d'un parti politique au Québec.

– ***Pierre Elliott Trudeau*** (1919-2000) **:** ministre de la Justice en 1967 puis Premier ministre du Canada de 1968 à 1979 et de 1980 à 1984. Sous ses divers mandats, le divorce fut légalisé, l'homosexualité et l'avortement décriminalisés et la peine de mort abolie. Beau palmarès pour ce Montréalais défenseur des libertés individuelles et d'une démocratie tolérante des différences culturelles et religieuses. Souvent considéré comme le plus grand Premier ministre canadien, il est l'architecte du Canada officiellement bilingue et d'un certain nationalisme canadien. Fédéraliste acharné, il a été l'ennemi juré de l'indépendantiste René Lévesque.

– ***Justin Trudeau*** (1971) **:** avec son élégance décontractée, façon Kennedy ou Obama, ce quadra tout feu tout flamme, digne fils de son père Pierre Elliott, entend pourtant se démarquer de l'oncle Sam, notamment en ce qui concerne les politiques environnementales. Quand un Trump stigmatise la communauté LGBT, Trudeau, lui, défile en tête de la Gay Pride. Bref, une sorte de super-héros de la politique moderne.

Musique et cinéma

– ***Norma Shearer*** (1902-1983) **:** née à Montréal, cette jeune fille comprend rapidement que le succès l'attend aux États-Unis. Après quelques rôles de figuration, la consécration et l'oscar de la meilleure actrice arrivent en 1930 avec *La Divorcée,* de Robert Leonard. Elle est ensuite Juliette dans le *Roméo et Juliette* de George

Cukor (1936), Marie-Antoinette dans le film éponyme de Van Dyke (1938), et mémorable dans le superbe *Femmes* (1945) de Cukor.

– ***Oscar Peterson*** (1925-2007) **:** né dans la Petite Bourgogne, quartier d'ouvriers noirs anglophones de Montréal, ce virtuose du piano, véritable stakhanoviste de l'instrument, devient pro dès l'âge de 14 ans. Reconnu par ses pairs comme un instrumentiste d'exception, il accompagnera les plus grands : Louis Armstrong, Ella Fitzgerald, Billie Holiday...

– ***Leonard Cohen*** (1934-2016) **:** né dans une famille juive de Montréal (et enterré là-bas aussi), l'auteur du bel *Hallelujah* si souvent repris est surtout connu chez nous comme auteur-compositeur et interprète, mais il est aussi poète et romancier. C'est en effet par l'écriture qu'il s'est d'abord fait connaître dans le Canada anglophone des années 1950-1960. La religion, la solitude et la sexualité ont été les thèmes centraux de ses textes.

– ***Robert Charlebois*** (1944) **:** dans les années 1960, ce Montréalais est au premier rang des anticonformistes de la chanson québécoise. Humour, provocation et improvisation se mêlent au rock et au joual *(Lindbergh),* ce qui fait scandale à l'époque. Il s'est beaucoup assagi avec les ans *(Je reviendrai à Montréal)* tout en gardant une place importante dans le cœur des Québécois.

– ***Céline Dion*** (1968) **:** succès mondial pour cette Québécoise d'origine, née à Charlemagne, une bourgade des environs de Montréal. Au Québec, elle fait à la fois l'objet d'un culte populaire et d'un mépris de la part de détracteurs qui lui reprochent des chansons trop commerciales. Ses succès en France ont commencé après sa victoire à l'Eurovision en 1987 (elle représentait la Suisse). Et puis il y eut *Titanic,* et vous connaissez la suite...

– ***Marie-Josée Croze*** (1970) **:** née à Montréal, cette actrice commence sa carrière dans *La Florida* (1993), de George Mihalka, l'histoire d'une famille québécoise qui se lance dans l'hôtellerie en Floride. Viennent ensuite *Maelström* (2000), de Denis Villeneuve, et *Les Invasions barbares* (2001), de Denys Arcand (prix d'interprétation féminine à Cannes). Elle vit aujourd'hui à Paris, où elle mène une carrière prolifique : *Ne le dis à personne* (2006), de Guillaume Canet, *Le Scaphandre et le Papillon* (2007), de Julian Schnabel, *Je l'aimais* (2009), de Zabou Breitman..., tout en s'autorisant quelques productions québécoises de temps à autre.

– ***Le Cirque du Soleil* :** les Québécois tirent beaucoup de fierté de cette institution *made in Québec,* fondée en 1984 par ***Guy Laliberté,*** qui n'a absolument rien à voir avec le cirque traditionnel. Les costumes et acrobaties sont spectaculaires, les décors féeriques, et la musique aux influences multiculturelles, interprétée en live, joue un rôle important dans la mise en scène. Pas d'animaux sur scène car considéré comme de l'esclavage. La troupe se produit aujourd'hui dans le monde entier, les 1 300 artistes qu'elle emploie sont recrutés aux quatre coins de la planète, notamment parmi les champions olympiques. Elle présente actuellement plus de 20 productions, dont une dizaine de spectacles fixes (à Las Vegas pour la plupart) et d'autres en tournée mondiale. Une petite affaire devenu grande, donc, tant et si bien qu'elle a été rachetée en 2015 par un consortium regroupant des fonds d'investissements américains et chinois. Guy Laliberté conserve tout de même 10 % des parts.

LES ÉTOILES DU CIRQUE

Peut-être avait-il un nom prédestiné ? Le 30 septembre 2009, Guy Laliberté, fondateur du Cirque du Soleil, a été le 7e civil de l'histoire et le 1er clown à s'offrir un séjour dans l'espace pour 35 millions de dollars. Guy Laliberté pourra maintenant dire qu'il est passé du Soleil aux étoiles !

– ***Xavier Dolan*** (1989) **:** jeune prodige du cinéma québécois, ce scénariste-réalisateur est remarqué pour chacun de ses films (un par an) dans les festivals majeurs, où il glane de prestigieuses récompenses, depuis son premier long-métrage, *J'ai tué ma mère* en 2009, alors qu'il venait juste d'avoir 20 ans. *Mommy,* mélo électrisant sur l'amour inconditionnel d'une mère courage pour son fils délinquant, lui a valu le Prix du jury à Cannes en 2014. Mais depuis la sortie en 2016 de *Juste la Fin du Monde*, sévèrement descendu par la critique américaine, le réalisateur a décidé que plus aucun de ses films ne serait présenté au Festival de Cannes. Ses films, prometteurs, retranscrivent avec fougue une vision très contemporaine du quotidien des paumés et des *borderlines.* À l'instar de nombreux autres artistes, Dolan habite toujours le Mile-End, le Brooklyn de Montréal.

– ***Arcade Fire :*** formé en 2003-2004 à Montréal, ce groupe de rock connaît un succès critique instantané avec un 1er album, *Funeral,* qualifié de « coup de génie » par un certain David Bowie. Rien que ça ! Leur marque de fabrique, c'est l'utilisation d'instruments oubliés sur fond de rock. Mais c'est en concert qu'Arcade Fire se démarque, électrisant son public par ses prestations scéniques énergiques.

Écriture et peinture

– ***Émile Nelligan*** (1879-1941) ***:*** né à Montréal, Nelligan est reconnu comme l'un des poètes les plus originaux de la littérature québécoise. Poète maudit (souffrant de schizophrénie, il fut interné à l'âge de 20 ans et restera en hôpital psychiatrique jusqu'à sa mort), son œuvre, inspirée à la fois du symbolisme et des grands romantiques, est en rupture totale avec les courants de son époque. Il a depuis plus de 1 siècle inspiré de nombreux auteurs dans des domaines aussi variés que la chanson, le cinéma, le théâtre ou les arts plastiques.

– ***Jean-Paul Riopelle*** (1923-2002) ***:*** né à Montréal, l'un des premiers *automatistes,* un groupe de peintres non figuratifs influents au Québec. Il est aussi signataire du *Refus global* en 1948, un manifeste anticonformiste qui marque l'histoire du Québec. Jean-Paul Riopelle est le peintre canadien le plus réputé sur le plan international. Ne pas manquer son monumental *Rosa Luxemburg* au musée des Beaux-Arts de Montréal.

– ***Michel Tremblay*** (1942) ***:*** amoureux de la culture populaire, écrivain phare de la communauté homosexuelle, il donna ses lettres de noblesse au « joual » (l'argot montréalais). Auteur d'une vingtaine de romans et de près de 30 pièces de théâtre, il est connu notamment pour les 6 tomes des *Chroniques du Plateau-Mont-Royal,* le quartier où il passa son enfance.

Sciences et sports

– ***Hubert Reeves*** (1932) ***:*** le plus populaire des astrophysiciens est un Montréalais pur souche, même s'il possède la double nationalité française et canadienne. C'est aussi un écrivain connu pour ses qualités de vulgarisateur : selon lui, le savoir est fait pour être partagé. Son arme, des métaphores simples et savoureuses qui permettent à tout un chacun de mieux comprendre l'univers. Qui ne se souvient pas de ses fameuses interventions télévisées lors de la *Nuit des étoiles ?*

– ***Jacques Villeneuve*** (1971) ***:*** le fils de Gilles Villeneuve fait ses débuts dans la Formule 1 en 1996 et remporte quatre Grands Prix dès sa première saison. L'année 1997 est celle des prouesses : Jacques devient champion du monde et le premier Nord-Américain à remporter ce titre. Depuis 2013, il est consultant pour Canal + et a repris la compétition en 2014.

POPULATION

Le Québec – province la plus peuplée du Canada après l'Ontario – compte près de 8 200 000 habitants (soit 23 %). Les quatre cinquièmes des Québécois vivent

en zone urbaine, et presque la moitié d'entre eux dans la région de Montréal (« le Grand Montréal »), qui compte désormais près de 4 millions d'habitants.
Comme beaucoup de grandes villes d'Amérique du Nord, Montréal accueille des immigrants du monde entier dans un savoureux et enrichissant brassage ethnique. Plus d'une centaine de nationalités sont présentes et se répartissent dans différents quartiers de la ville. Car même s'il existe un quartier chinois ou une Petite Italie, aucun quartier n'est véritablement ghettoïsé.
Selon une étude réalisée sur les origines ethniques des Montréalais, 26 % d'entre eux se déclarent d'origine française, 7 % d'origine italienne, après quoi viennent les Irlandais, les Anglais, les Écossais, les Haïtiens, les Chinois... Mais la majorité des habitants de Montréal se considèrent comme canadiens avant tout, c'est-à-dire que leurs familles sont installées au Canada depuis plusieurs générations.

NOM DE NOM !

Pour le fun, petit hit-parade des noms au Québec. En tête depuis la création du Canada : les Tremblay (environ 81 000, plus de 1 % de la population québécoise, 13 % de celle de Charlevoix), suivi des Gagnon (presque 0,8 %) et des Roy, Côté, Bouchard, Gauthier, Morin, Lavoie, Fortin et, en 10e position, c'est Gagné !...

RELIGIONS ET CROYANCES

Les religions chrétiennes sont fortement majoritaires, mais toutes les autres grandes religions sont représentées au Canada. Contrairement à leurs voisins américains, il y a une séparation très nette entre religion et vie politique. Les dirigeants politiques évitent de parler de leurs propres croyances. Liberté de pratique et respect sont les maîtres mots. Au Québec, les dynamiques sont différentes mais le résultat est le même. Le clergé y a joué un rôle déterminant dans l'histoire politique du Québec jusqu'aux années 1960, mais ce n'est plus le cas. Et si la plupart des Québécois se déclarent croyants, peu sont pratiquants. Presque tous les cultes sont représentés au Québec, avec toujours, comme en France, une large prédominance du catholicisme dit « culturel ». Protestants, musulmans, orthodoxes et juifs constituent les autres groupes minoritaires principaux. À Montréal, on retrouve le même foisonnement de religions – et leur même cohabitation – que dans le Canada anglais.
La dernière décennie a néanmoins vu une résurgence des débats sur les *accommodements raisonnables.* Les accommodements raisonnables, késéksa ? En gros, c'est une façon de répondre à des demandes venues d'une minorité qui n'incommodent pas la majorité. Un exemple : au début des années 2000, les cours de religion catholique sont supprimés au Québec pour ne pas contraindre les enfants issus des minorités à les suivre. Mais l'enseignement religieux n'est interdit dans les garderies que depuis 2011 ! À d'autres occasions, des jugements interdisent aux élus de commencer une réunion par une prière. Mais de l'accommodement raisonnable à l'accommodement déraisonnable, il n'y a souvent qu'un pas... Ainsi, lorsque le directeur général des élections autorise les femmes portant le *niqab* (voile intégral) à voter sans se dévoiler, lorsque certains exigent le retrait des sapins de Noël

LES « SACRES »

Vu l'héritage religieux des Québécois, les jurons sont souvent liés à l'église : tabarnak (ou tabarnaque), ciboire, calice, hostie... *Autrefois, ces blasphèmes étaient souvent matière à procès. Avec la popularité de ces injures, les tribunaux ont fini par lâcher prise. Toutes les couches de la population utilisent ces sacres... parfois même le clergé.*

des espaces publics pour ne pas contraindre les non-chrétiens à supporter ce symbole religieux « ostentatoire », les esprits s'échauffent. La plupart des cas litigieux ont récemment porté sur des symboles musulmans, mais les autres communautés sont aussi concernées. Les critiques se sont multipliées, certains estimant que les accommodements favorisent le communautarisme. Pour mettre les choses à plat, une commission de consultation a été créée : elle a conclu à une tendance au sensationnalisme des médias, désignés comme en partie responsables des controverses...

Quant aux Amérindiens, ils pratiquent les religions animistes de leurs ancêtres souvent métissées d'éléments de foi chrétienne.

SPORTS ET LOISIRS

Le sport national du Canada est sans conteste le ***hockey sur glace.*** C'est encore plus vrai à Montréal, où le premier match codifié de l'histoire a eu lieu en 1875 et se serait terminé par une bagarre : c'est dire si la tradition de la baston dans le hockey remonte à loin ! Les ***Canadiens de Montréal*** font l'objet d'une absolue vénération. Fondé en 1909, ce club est le plus ancien encore en activité sans interruption. Son palmarès est sans égal : avec 24 coupes Stanley, il est tout simplement le plus titré de la Ligue nationale de hockey. La période glorieuse des *Canadiens* s'étend du milieu des années 1950 à la fin des années 1970. De cette époque, on retiendra, parmi les joueurs les plus emblématiques, les noms de Maurice Richard, Jean Béliveau ou Guy Lafleur.

La saison professionnelle, qui voit s'affronter équipes canadiennes et étasuniennes, se déroule d'octobre à mai et les matchs à domicile se jouent au ***Centre Bell*** (se reporter à la rubrique « À voir. À faire »). Si vous êtes de passage en hiver, ne manquez pas ce véritable spectacle. Toutefois, les billets sont chers et vite vendus : il faut s'y prendre bien à l'avance. Sinon, pour retrouver l'esprit d'origine du hockey, assistez à un match d'amateurs, ne serait-ce que pour l'ambiance.

Concernant les autres sports, Montréal possède une équipe de ***football canadien*** (une version du football américain), les ***Alouettes de Montréal,*** qui évoluent au stade Percival-Molson, qui dépend de l'Université McGill. Le *soccer,* notre foot européen, gagne en popularité d'année en année. Il est représenté par l'***Impact de Montréal,*** qui, depuis 2012, fait partie de la ligue suprême d'Amérique du Nord, la MLS. Quant au ***base-ball,*** qui compte beaucoup de fans, mieux vaut éviter le sujet depuis que la regrettée franchise des ***Expos de Montréal*** a déménagé à Washington en 2004. Le ***tennis,*** peu développé jusqu'alors au Canada, semble avoir le vent en poupe et créer des ambitions grâce à la prometteuse championne montréalaise Eugénie Bouchard, la première Canadienne finaliste d'un tournoi du Grand Chelem, à Wimbledon en 2014.

Mentionnons enfin le ***Grand Prix du Canada de Formule 1,*** qui se dispute chaque mois de juin sur le circuit Gilles-Villeneuve, sur l'île Notre-Dame. Par chance, ce circuit est ouvert à tous pendant le reste de l'année : on peut librement le parcourir à pied, à vélo ou à rollers.

Pendant votre séjour, une multitude de choix vous seront offerts en matière de sports et loisirs, été comme hiver (consulter les rubriques « Adresses utiles. Loisirs », « À voir. À faire » et « Les environs de Montréal »).

VILLE SOUTERRAINE

L'une des grandes particularités de la ville. Ce réseau souterrain innervé par plus de 30 km de galeries est le plus grand au monde. Avec des hivers aussi rigoureux, pas étonnant que la ville se soit développée aussi en sous-sol ! Commencé au milieu des années 1960 à l'initiative du maire de l'époque Jean Drapeau et à l'occasion des travaux de la place Ville-Marie, poursuivi en parallèle avec la construction du métro, le Montréal souterrain répond depuis 2004 au nom de « RÉSO ». Ce réseau de tunnels relie entre eux de grands centres commerciaux, près de 1 500 boutiques, environ 300 restaurants, des centaines de bureaux et d'appartements, 10 hôtels, des banques, des cinémas, la gare ferroviaire, des universités (McGill, UQAM...). Bref, une vraie ruche, une ville sous la ville dans laquelle circule quotidiennement près d'un demi-million de personnes.

On y accède par l'une des quelque 200 entrées, parmi lesquelles 10 de stations de métro (repérables grâce au logo RÉSO), par la gare Windsor ou encore par les grands centres commerciaux de la rue Sainte-Catherine *(Centre Eaton, Place Montréal Trust...).*

les ROUTARDS sur la FRANCE 2017-2018

(dates de parution sur • *routard.com* •)

Découpage de la FRANCE par le ROUTARD

Autres guides nationaux

- Hébergements insolites en France (mars 2017)
- La Loire à Vélo
- La Vélodyssée (Roscoff-Hendaye)
- Nos meilleurs campings en France
- Nos meilleures chambres d'hôtes en France
- Nos meilleurs restos en France
- Les visites d'entreprises

Autres guides sur Paris

- Paris
- Paris balades
- Restos et bistrots de Paris
- Le Routard des amoureux à Paris
- Week-ends autour de Paris

les ROUTARDS sur l'ÉTRANGER 2017-2018

(dates de parution sur • *routard.com* •)

Découpage de l'ESPAGNE par le ROUTARD

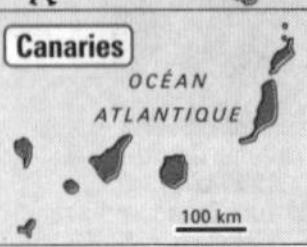

Découpage de l'ITALIE par le ROUTARD

Autres pays européens

- Allemagne
- Angleterre, Pays de Galles
- Autriche
- Belgique
- Budapest, Hongrie
- Capitales baltes (avril 2017)
- Crète
- Croatie
- Danemark, Suède
- Écosse
- Finlande
- Grèce continentale
- Îles grecques et Athènes
- Irlande
- Islande
- Madère
- Malte
- Norvège
- Pologne
- Portugal
- République tchèque, Slovaquie
- Roumanie, Bulgarie
- Suisse

Villes européennes

- Amsterdam et ses environs
- Berlin
- Bruxelles
- Copenhague
- Dublin
- Lisbonne
- Londres
- Moscou
- Prague
- Saint-Pétersbourg
- Stockholm
- Vienne

les ROUTARDS sur l'ÉTRANGER 2017-2018

(dates de parution sur • *routard.com* •)

Découpage des ÉTATS-UNIS par le ROUTARD

Autres pays d'Amérique

- Argentine
- Brésil
- Canada Ouest
- Chili et île de Pâques
- Costa Rica (nouveauté)
- Équateur et les îles Galápagos
- Guatemala, Yucatán et Chiapas
- Mexique
- Montréal
- Pérou, Bolivie
- Québec, Ontario et Provinces maritimes

Asie et Océanie

- Australie côte est + Red Centre
- Bali, Lombok
- Bangkok
- Birmanie (Myanmar)
- Cambodge, Laos
- Chine
- Hong-Kong, Macao, Canton
- Inde du Nord
- Inde du Sud
- Israël et Palestine
- Istanbul
- Jordanie
- Malaisie, Singapour
- Népal
- Shanghai
- Sri Lanka (Ceylan)
- Thaïlande
- Tokyo, Kyoto et environs
- Turquie
- Vietnam

Afrique

- Afrique du Sud
- Égypte
- Kenya, Tanzanie et Zanzibar
- Maroc
- Marrakech
- Sénégal
- Tunisie

Îles Caraïbes et océan Indien

- Cuba
- Guadeloupe, Saint-Martin, Saint-Barth
- Île Maurice, Rodrigues
- Madagascar
- Martinique
- République dominicaine (Saint-Domingue)
- Réunion

Guides de conversation

- Allemand
- Anglais
- Arabe du Maghreb
- Arabe du Proche-Orient
- Chinois
- Croate
- Espagnol
- Grec
- Italien
- Japonais
- Portugais
- Russe
- G'palémo (conversation par l'image)

Les Routards Express

Amsterdam, Barcelone, Berlin, Bruxelles, Budapest, Dublin, Florence, Istanbul, Lisbonne, Londres, Madrid, Marrakech, New York, Prague, Rome, Venise.

Nos coups de cœur

- Les 50 voyages à faire dans sa vie (nouveauté)
- Nos 52 week-ends dans les plus belles villes d'Europe
- France
- Monde

Espace offert par l'annonceur – Avec le soutien de l'agence EURO RSCG C&O
RÉPARER LES VIES
HANDICAP
INTERNATIONAL

Nous tenons à remercier tout particulièrement Loup-Maëlle Besançon, Thierry Bessou, Gérard Bouchu, François Chauvin, Grégory Dalex, Fabrice Doumergue, Cédric Fischer, Carole Fouque, Michelle Georget, David Giason, Claude Hervé-Bazin, Emmanuel Juste, Dimitri Lefèvre, Fabrice de Lestang, Romain Meynier, Éric Milet, Pierre Mitrano, Jean-Sébastien Petitdemange et Thomas Rivallain pour leur collaboration régulière.

Emmanuelle Bauquis
Jean-Jacques Bordier-Chêne
Michèle Boucher
Sophie Cachard
Lucie Colombo
Agnès Debiage
Émilie Debur
Jérôme Denoix
Flora Descamps
Louise Desmoulins
Tovi et Ahmet Diler
Clélie Dudon
Sophie Duval
Alain Fisch
Roman Fossurier
Bérénice Glanger
Adrien et Clément Gloaguen
Marie Gustot
Bernard Hilaire
Sébastien Jauffret
Jacques Lemoine
Amélie Mikaelian
Caroline Ollion
Martine Partrat
Odile Paugam et Didier Jehanno
Émilie Pujol
Prakit Saiporn
Jean-Luc et Antigone Schilling
Caroline Vallano

Direction : Nathalie Bloch-Pujo
Contrôle de gestion : Jérôme Boulingre et Adeline Cazabat Barrere
Secrétariat : Catherine Maîtrepierre
Direction éditoriale : Catherine Julhe
Édition : Matthieu Devaux, Olga Krokhina, Gia-Quy Tran, Julie Dupré, Emmanuelle Michon, Sarah Favaron, Ludmilla Guillet, Coralie Piron, Flora Sallot, Elvire Tandjaoui, Quentin Tenneson, Clémence Toublanc et Sandra Vavdin
Préparation-lecture : Hélène Meurice
Cartographie : Frédéric Clémençon et Aurélie Huot
Fabrication : Nathalie Lautout et Audrey Detournay
Relations presse France : COM'PROD, Fred Papet. ☎ 01-70-69-04-69. • *info@comprod.fr* •
Direction marketing : Adrien de Bizemont, Clémence de Boisfleury et Charlotte Brou
Contacts partenariats : André Magniez (EMD). • *andremagniez@gmail.com* •
Édition des partenariats : Élise Ernest
Informatique éditoriale : Lionel Barth
Couverture : Clément Gloaguen et Seenk
Maquette intérieure : le-bureau-des-affaires-graphiques.com, Thibault Reumaux et npeg.fr
Relations presse : Martine Levens (Belgique) et Maureen Browne (Suisse)
Régie publicitaire : Florence Brunel-Jars

INDEX GÉNÉRAL

4e Mur (Le) 96
9 et Demi (Le) 79
ABC de Montréal 42
Abreuvoir 96
Achats 46
Amère à Boire (L') 96
ANCIENNE BOURSE 104
Anecdote (L') 83, 87
Annexe 79
Appartement 200 98
Argent, banques, change 44
Arrivage (L') 105
Astral (L') 100
Auberge L'Apéro 76
Auberge Alexandrie 75
Auberge alternative du Vieux-Montréal 75
Auberge Bishop (L') 76
Auberge Chez Jean 76
Auberge de jeunesse de Montréal – HI 77
Auberge YWCA 81
Au Cœur Urbain 80
Au Git'Ann 78
Au Petit Extra 86
Au Pied de Cochon 90
Aux Vivres 89
Avant le départ 42
Avenue (L') 83, 89
BANQUE DE MONTRÉAL 103
Banquise (La) 87
BASILIQUE NOTRE-DAME 103
Beautys 83
Bed and Breakfast du Village 78
Belmont sur le Boulevard (Le) 98
Biermarkt 99
Bilboquet (Le) 93, 112
Bílý Kün 99
Binerie Mont-Royal (La) 83, 89
BIODÔME 115
BIOSPHÈRE D'ENVIRONNEMENT CANADA 114
Bistro à Jojo (Le) 96
Boissons 130
Boîte Gourmande (La) 83, 88
BONSECOURS (ÎLE) 105
Bouillon Bilk 86
Boulangerie Hof Kelsten 89
Boulangerie Les Co'Pains d'abord 93
Boulangerie M. Pinchot 93
Budget 47
Buvette Chez Simone 98
Café du Nouveau Monde (Le) 92
Café Grévin 110
Café Myriade 83
Cagibi (Le) 91, 99
Camping Saint-André 75
Campings du parc national d'Oka 74
CANAL DE LACHINE 112, 113
CANTONS-DE-L'EST (Les) 120
Casa del Popolo (La) 97
CATHERINE (LA) 108
CENTRE BELL (LE) 110
CENTRE CANADIEN D'ARCHITEC-TURE 110
CENTRE D'HISTOIRE DE MONTRÉAL 104
CENTRE DE LA NATURE DU MONT-SAINT-HILAIRE 119
CENTRE DES SCIENCES DE MONTRÉAL 105
Centre Eaton 100
CENTRE-VILLE (LE ; DOWNTOWN) 107
Centro Social Español 97
CHAMBLY (FORT) 119
Château de l'Argoat 81

CHÂTEAU MONTEBELLO 129
CHÂTEAU RAMEZAY, MUSÉE ET SITE HISTORIQUE DE MONTRÉAL 102
Chez Claudette 91
Chez Cora 83
Chez François 80
Chez l'Épicier 85
Chez Ma Grosse Truie Chérie 87
CIMETIÈRE MONT-ROYAL 112
CIMETIÈRE NOTRE-DAME-DES-NEIGES 112
Cinéma 131
CINÉMATHÈQUE QUÉBÉCOISE 106
Cinko 86
Climat 48
Club Chasse et Pêche 85
Collège Jean-de-Brébeuf 77
Complexe Les Ailes 100
Complexe Sky 97
Comptoir 21 91
Conciergerie (La) 78
Coop Café Touski 85
COSMODÔME, CAMP SPATIAL DU CANADA 117
Coups de cœur (nos).............. 12
Cuisine................................ 133
Curieux, non ? 136

D

Dangers et enquiquinements............. 50
Deux Pierrots (Les) 95
Dieu du Ciel ! 97
Distillerie (La) 96
Divan Orange (Le) 98
DOWNTOWN (LE CENTRE-VILLE) 107
Drinkerie Sainte-Cunégonde (La) 100

É

ÉCOMUSÉE DU FIER-MONDE 107
Économie 136
ÉCURIES D'YOUVILLE 104
Électricité............................. 51
Environnement 138
Entretiens (Les) 90
Escalier (L') 95
ESPACE POUR LA VIE (L') 115
Eva B 96, 100
Évidence (L') 83
Express (L') 90

F

FANTÔMES DU VIEUX-MONTRÉAL 106
FÉLIX LECLERC (MAISON DE ; VAUDREUIL-DORION) 128
Fêtes et jours fériés................ 51
Five Guys 92
FORT CHAMBLY 119
Fou d'ici 92, 100
Foufounes électriques (Les) 95

G

Gargotes du marché Atwater 92
Géographie........................... 138
Gîte Dézéry 80
Gîte du Parc La Fontaine 76
Gîte du Plateau Mont-Royal 76
Gîte La Lanterne 79
Gîte Le Saint-André-des-Arts 78
Gîte Le Sieur de Joliette 80
Gîte Le Simone et gîte Le Chasseur 78
GRÉVIN MONTRÉAL 110

H

Havre-aux-Glaces 94
Hébergement.......................... 54
Histoire 140
HMV Mégastore 100
HOMME (L') 114
HÔPITAL GÉNÉRAL DES SŒURS GRISES (MAISON DE MÈRE D'YOUVILLE) 104
Hôtel Abri du Voyageur 80
Hôtel Appartements Trylon 77
Hôtel Ambrose 81
Hôtel Armor Manoir Sherbrooke 81
HÔTEL DE VILLE 102
Hôtel Élégant 81
Hôtel Herman 91
Hôtel et restaurant de l'Institut 82
Hôtel Nelligan 82

Hôtel Saint-Paul ... 82
Hôtel-studio Anne Ma Sœur Anne ... 81
Hôtel Y ... 81
Hôtel Zéro 1 ... 82
HUDSON ... 128

ÎLE BONSECOURS ... 105
ÎLE NOTRE-DAME ... 114
ÎLE SAINTE-HÉLÈNE ... 114
Itinéraires conseillés ... 29

Jano ... 89
JARDIN BOTANIQUE ET INSECTARIUM ... 116
Jardin de Panos (Le) ... 89
Jardin Nelson (Le) ... 95
Juliette et Chocolat ... 93

Khyber Pass ... 89

LA MACAZA ... 125
LACHINE (RAPIDES DE) ... 117
LAC SUPÉRIEUR ... 125
LANAUDIÈRE ... 125
Langue ... 144
LAURENTIDES (Les) ... 120
Lili.Co ... 90
Livres de route ... 56
Loggia (La) ... 79
Lu sur routard.com ... 27

M : BRGR ... 92
M Montréal ... 75
Maamm Bolduc ... 88
MACAZA (LA) ... 125
Mado ... 97
Ma Poule Mouillée ... 87
MAISON BEAUDOIN ... 103
MAISON BROSSARD ... 103
MAISON DE FÉLIX LECLERC (VAUDREUIL-DORION) ... 128
MAISON DE MÈRE D'YOUVILLE (HÔPITAL GÉNÉRAL DES SŒURS GRISES) ... 104
MAISON DU CALVET ... 103
MAISON DUMAS ... 103
MAISON PAPINEAU ... 103
Maison Publique ... 90
Majestique ... 98
Marché Atwater ... 92, 101, 113
MARCHÉ BON-SECOURS ... 103
Marché Jean-Talon ... 91, 101, 113
Mckibbin's Irish Pub ... 99
Méchant Bœuf ... 84
Médias ... 147
Metropolis (Le) ... 96
Meu Meu ... 94
MILE-END (Le) ... 91
Milsa (Le) ... 92
Monsieur Ricard ... 99
MONTEBELLO (CHÂTEAU) ... 129
MONTEBELLO (PARC OMEGA) ... 129
MONT-ROYAL (PARC DU) ... 111
MONT-SAINT-HILAIRE (CENTRE DE LA NATURE DU) ... 119
MONT-TREMBLANT (PARC NATIONAL DU) ... 124
MUSÉE D'ART CONTEMPORAIN ... 110
MUSÉE DE LA BANQUE ... 103
MUSÉE DE LACHINE ... 118
MUSÉE DES BEAUX-ARTS ... 108
MUSÉE DU COMMERCE DE LA FOURRURE ... 118
MUSÉE McCORD ... 109
MUSÉE SIR-GEORGE-ÉTIENNE-CARTIER ... 102
MUSÉE STEWART ... 114

Nil Bleu (Le) ... 90
NOTRE-DAME (BASILIQUE) ... 103
NOTRE-DAME-DE-LA-MERCI ... 126

OKA ... 74, 128
OKA (PARC NATIONAL D') ... 128
OMEGA (PARC) ... 129
Olive et Gourmando ... 84
ORATOIRE SAINT-JOSEPH ... 111
OUTREMONT (QUARTIER D') ... 112

Panthère Verte (La) ... 86, 92
PARC DU MONT-ROYAL ... 111

INDEX GÉNÉRAL

PARC JEAN-DRAPEAU 113
PARC JEANNE-MANCE 111
PARC NATIONAL D'OKA 128
PARC NATIONAL DU MONT-TREMBLANT 124
PARC OLYMPIQUE 115, 116
PARC OMEGA 129
PARC RÉGIONAL DE VAL-DAVID – VAL-MORIN 123
Pasticceria Alati-Caserta 93
Patati-Patata 88
Patio (Le) 94
Pèlerin-Magellan (Le) 86
Pensione Popolo 79
Personnages 148
Petit Hôtel (Le) 82
PETITE BOURGOGNE (LA) 112, 113
Petite Prune (La) 80
Pho Bang New York 87
Pho Cali 87
Ping Pong Club 98
PLACE D'ARMES 103
PLACE D'YOUVILLE 104
PLACE ÉMILIE-GAMELIN 106
Place Montréal Trust 100
PLACE VILLE-MARIE 112
PLAGE MAJOR 124
PLANÉTARIUM RIO TINTO ALCAN 116
PLATEAU MONT-ROYAL 107
POINTE-À-CALLIÈRE, CITÉ D'ARCHÉOLOGIE ET D'HISTOIRE DE MONTRÉAL 104
Population 150
Poste 59

Q

Quai des Brumes 97
QUARTIER CHINOIS 107
Quartier Général (Le) 90
QUARTIER LATIN 106
Questions qu'on se pose avant le départ (les) 33
Quincaillerie (La) 98

R

Randolph 96
RAMEZAY (CHÂTEAU, MUSÉE ET SITE HISTORIQUE DE MONTRÉAL) 102
RAWDON 125, 127, 128
Rayon Vert (Le) 79
Religions et croyances 151
Résidences universitaires de l'UQAM 77
Restaurant Cadet 86
Restaurant-Café Saigon 85
Restaurant du jardin 116
Resto du Village 83, 85
Ripples 94
Robin des Bois 89
RONDE (LA) 115
Rôtisserie Romados 88
RUE COURSOL 113
RUE SAINT-LOUIS 103

S

SAINT-ALPHONSE-RODRIGUEZ 126
SAINT-CÔME 125, 126
SAINT-DONAT-DE-MONTCALM 124
SAINT-FAUSTIN-LAC-CARRÉ 124
SAINT-JOSEPH (ORATOIRE) 111
SAINT-PHILIPPE-DE-LA-PRAIRIE 75
Saint-Viateur Bagel & Café 88
SAINTE-ADÈLE 121
SAINTE-AGATHE-DES-MONTS 123
Sainte-Élisabeth (Le) 95
Samesun Montréal 75
Salsathèque (La) 100
Santé 59
Santropol 87
Schwartz's 88
SHERBROOKE 120
SILO N° 5 105
Sites internet 60
Sports et loisirs 152

T

Tabac 60
Tartarin (Le) 91
Taxes et pourboires 60
Télécommunications 62

INDEX GÉNÉRAL

Terrasse de l'Auberge du Vieux-Port 95
The Keg 84
Titanic 84
Tokyo Bar 98
TOUR DE MONTRÉAL 116
Transports 64
Travailler à Montréal 67
Trylon (Hôtel Appartements) 77
TYROPARC 124

U

Upstairs 99
Usine de Spaghetti (L') 84

V

VAL-DAVID 121
VAUDREUIL-DORION 128
VIEUX-MONTRÉAL (LE) 102
VIEUX-PORT 105
VIEUX SÉMINAIRE 103
VILLAGE (LE) 106
Ville souterraine 152
VILLE SOUTERRAINE 112

W

Waverly 99
WESTMOUNT (QUARTIER DE) 112

Z

Zyng 86

LISTE DES CARTES ET PLANS

- Canada (Le ; carte générale), *plan détachable* ..... verso
- Coups de cœur (nos) 13
- Distances par la route 2
- Itinéraires conseillés .. 28, 30-31
- Lanaudière-Laurentides 127
- Montréal 8-9
- Montréal – Plan d'ensemble, *plan détachable* ..... recto
- Montréal – Métro, *plan détachable* ..... recto
- Montréal – Zoom Centre, *plan détachable* ..... verso
- Montréal – Zoom Le Plateau, *plan détachable* verso

Remarque importante aux hôteliers et restaurateurs

Les enquêteurs du *Routard* travaillent dans le plus strict anonymat. Aucune réduction, aucun avantage quelconque, aucune rétribution n'est jamais demandé en contrepartie. Face aux aigrefins, la loi autorise les hôteliers et restaurateurs à porter plainte.

Avis aux lecteurs

Le Routard, ce n'est pas comme le bon vin, il vieillit mal. On ne veut pas pousser à la consommation, mais évitez de partir avec une édition ancienne. Les modifications sont souvent importantes.

Les réductions accordées à nos lecteurs ne sont jamais demandées par nos rédacteurs afin de préserver leur indépendance. Les hôteliers et restaurateurs sont sollicités par une société de mailing, totalement indépendante de la rédaction, qui reste donc libre de ses choix. De même pour les autocollants et plaques émaillées.

Avec routard.com, choisissez, organisez, réservez et partagez vos voyages !

✓ Rejoignez la plus grande communauté francophone de voyageurs : plus de **2 millions** de visiteurs !

✓ Échangez avec les routarnautes : forums, photos, avis d'hôtels.

✓ Retrouvez aussi toutes les informations actualisées pour choisir et préparer vos voyages : plus de 200 fiches pays, une centaine de dossiers pratiques et un magazine en ligne pour découvrir tous les secrets de votre destination.

✓ Enfin, comparez les offres pour organiser et réserver votre voyage au meilleur prix.

Les **Routards** *parlent aux* **Routards**

Faites-nous part de vos expériences, de vos découvertes, de vos tuyaux. Indiquez-nous les renseignements périmés. Aidez-nous à remettre l'ouvrage à jour. Faites profiter les autres de vos adresses nouvelles, combines géniales... On adresse un exemplaire gratuit de la prochaine édition à ceux qui nous envoient les lettres les meilleures, pour la qualité et la pertinence des informations. Quelques conseils cependant :

– Envoyez-nous votre courrier le plus tôt possible afin que l'on puisse insérer vos tuyaux sur la prochaine édition.

– N'oubliez pas de préciser l'ouvrage que vous désirez recevoir, ainsi que votre adresse postale.

– Vérifiez que vos remarques concernent l'édition en cours et notez les pages du guide concernées par vos observations.

– Quand vous indiquez des hôtels ou des restaurants, pensez à signaler leur adresse précise et, pour les grandes villes, les moyens de transport pour y aller. Si vous le pouvez, joignez la carte de visite de l'hôtel ou du resto décrit.

– N'écrivez si possible que d'un côté de la lettre (et non recto verso).

– Bien sûr, on s'arrache moins les yeux sur les lettres dactylographiées ou correctement écrites !

En tout état de cause, merci pour vos nombreuses lettres.

122, rue du Moulin-des-Prés, 75013 Paris

• *guide@routard.com* • *routard.com* •

Routard Assurance *2017*

Née du partenariat entre *AVI International* et le *Routard*, *Routard Assurance* est une assurance voyage complète qui offre toutes les prestations d'assistance indispensables à l'étranger : dépenses médicales, pharmacie, frais d'hôpital, rapatriement médical, caution et défense pénale, responsabilité civile vie privée et bagages. Présent dans le monde entier, le plateau d'assistance d'*AVI International* donne accès à un vaste réseau de médecins et d'hôpitaux. Pas besoin d'avancer les frais d'hospitalisation ou de rapatriement. Numéro d'appel gratuit, disponible 24h/24. *AVI International* dispose par ailleurs d'une filiale aux États-Unis qui permet d'intervenir plus rapidement auprès des hôpitaux locaux. À noter, *Routard Assurance Famille* couvre jusqu'à 7 personnes, et *Routard Assurance Longue Durée Marco Polo* couvre les voyages de plus de 2 mois dans le monde entier. *AVI International* est une équipe d'experts qui répondra à toutes vos questions par téléphone : ☎ 01-44-63-51-00 ou par mail • *routard@avi-international.com* • Conditions et souscription sur • *avi-international.com* •

Édité par Hachette Livre (58, rue Jean-Bleuzen, CS 70007, 92178 Vanves Cedex, France)
Photocomposé par Jouve (45770 Saran, France)
Imprimé par Jouve 2 (Quai n°2, 733, rue Saint-Léonard, BP3, 53101 Mayenne Cedex, France)
Achevé d'imprimer le 17 février 2017
Collection n° 13 - Édition n° 01
84/9263/1
I.S.B.N. 978-2-01-279950-9
Dépôt légal : février 2017